中国文学人类学原创书系

文学与治疗

（增订本）

叶舒宪 ◎ 主编

陕西师范大学出版总社

图书代号:SK18N0187

图书在版编目(CIP)数据

文学与治疗 / 叶舒宪主编. —增订本. —西安：陕西师范大学出版总社有限公司, 2018.3
（中国文学人类学原创书系）
ISBN 978-7-5613-9836-4

Ⅰ. ①文… Ⅱ. ①叶… Ⅲ. ①文学研究 Ⅳ. ①I0

中国版本图书馆 CIP 数据核字(2018)第 035918 号

文学与治疗（增订本）
WENXUE YU ZHILIAO

叶舒宪　主编

责任编辑	王红凯
责任校对	张旭升
装帧设计	田东风
出版发行	陕西师范大学出版总社
	（西安市长安南路 199 号　邮编　710062）
网　　址	http://www.snupg.com
印　　刷	西安市建明工贸有限责任公司
开　　本	720mm×1020mm　1/16
印　　张	22.25
插　　页	2
字　　数	325 千
版　　次	2018 年 3 月第 1 版
印　　次	2018 年 3 月第 1 次印刷
书　　号	ISBN 978-7-5613-9836-4
定　　价	98.00 元

读者购书、书店添货或发现印刷装订问题，影响阅读，请与营销部联系、调换。
电话:(029)85307864　85303635　传真:(029)85303879

总　序

2018 年，正值中国改革开放 40 周年纪念之际，陕西师范大学出版总社推出"中国文学人类学原创书系"，对改革开放的时代大潮在人文学界催生的这个新兴学科，给出一个较全面的回顾与总结，以便继往开来，积极拓展人文学科的教学与研究新局面，可谓恰逢其时。

50 后这代人的青春岁月，激荡在汹涌澎湃的"文革"浪潮之中。"文革"后的改革开放，相当于天赐给这一代知识人第二次青春。1977 年恢复高考，我们在 1978 年春天步入大学校园，那种只争朝夕、如饥似渴的求学景象，至今仍历历在目。改革开放带来"科学的春天"，也第一次带来人文科学方面的世界景观。正如改革的基本方向是向发达国家学习市场经济模式一样，人文学者们也投入全副精力，虚心学习借鉴国际上先进的理论与研究方法。"神话－原型批评"就是当时的新方法论讨论热潮中，最早进入我们视野的一个理论流派。1986 年我编成译文集《神话－原型批评》时，先将长序刊发在《陕西师范大学学报》上，文中介绍原型理论的宗师弗莱的观点时讲道：

物理学和天文学形成于文艺复兴时期，化学形成于 18 世纪，生物学形成于 19 世纪，而社会科学则形成于 20 世纪。系统的文学批评学知识到了今天才得以发展。……正像自然科学体系的建立有赖于把握自然界本身的规律。一部文学作品,它所体现的规律性因素不是作家个人天才创造发明的,而是在文学的历史发展中,在文化传统中所形成的,这种规律性的因素就是原型。

从文学史的考察中可以看到,文学作为一个有机整体,植根于原始文化,最初的文学模式必然要追溯到远古的宗教仪式、神话和民间传说中去。"这样说来,探求原型实际上就是一种文学上的人类学"。

当时无论如何也不曾想到,这样一段话,居然能够准确地预示这一批学人后来几十年学术探索的方向。"文学人类学"这个名称,也就由此在汉语学术界里发端。10年之后的1996年,在长春召开的中国比较文学学会第五届学术年会上,中国文学人类学研究会宣告成立(首任会长为萧兵先生),如今简称"文学人类学研究会"。从研究文学的神话原型,到探索华夏文明的思想、信仰和想象的原型,这一派学者如今正式提出的大小传统理论和文化文本符号编码理论,可以说早已全面超越了当年所借鉴学习的原型批评理论,走出文学本位的限制,走向融通文史哲、宗教、艺术、心理学的广阔领域。

从1986到2018,整整32年过去了,我们也经历了自己人生从而立到花甲的过程。如今我们要解读的是5000多年前的先于华夏文明国家的"文化文本",阐发的是河南灵宝西坡仰韶文化大墓的神话学内涵。这是当年完全没有预料到的。是问题意识,先把我们引入文化人类学的宽广领域,再度引入中国考古学的全新知识世界,这样的跨越幅度,的确是当初摸索文学人类学研究范式时所始料未及的。

从原型批评倡导的文学有机整体论,拓展到文化符号的有机整体论、史前与文明贯通的文化文本论,这就是我们努力探索近40年的基本方向。自从西周青铜器上出现"中国"这个词语,至今不过3000年时间。2018年2月4日,我第二次给国家图书馆"文津讲坛"开设讲座,题目是"九千年玉文化传承"。今日的学者能够在9000年延续不断的文化大背景中研究

"中国"和"中国文学",这就是从先于文字的文化大传统,重新审视文字书写小传统的一套完整思路。相信这样一种前无古人的理论思路和研究范式,是本土学者对西方原型批评方法的全面超越和深化,这将会引向未来的知识更新格局。

本丛书要展示这40年的探索历程,以萧兵先生为首的这一批兴趣广泛的学人是如何一路走来,并逐渐成长壮大的。本丛书将给这个新兴学科留下它及时的也最有说服力的存照。希望后来者能够继往开来,特别注重不断发展和完善中国版的文化理论和文学理论,包括作为文史研究当代新方法论的三重证据法和四重证据法。

是为丛书总序。

叶舒宪

2018年2月7日于北京太阳宫

导论一　大传统理论的文化治疗意义

叶舒宪

　　本导论试图对文学人类学提示的文化治疗主题做学术史回顾,在文化大传统新理论基础上重审中国文化的信仰之根,将延续八千年之久的玉石神话信仰作为先于华夏国家的"国教",从儒家信条"君子比德于玉"到"懿德"治疗实践,再到《红楼梦》"通灵宝玉"信仰,探讨在现代社会信仰缺失的背景下如何发掘本土文化所蕴含的精神医疗能量问题。

一、缘起：文学人类学及其治疗主题

　　1994年,笔者在海南大学时初次讲授本科生选修课程文学人类学,就文学艺术的功能问题提出"文学治疗"的命题,并试图从现代精神医学的原理方面对此命题展开探讨和诠释。几年后的1999年,一部题为"文学与治疗"的论文集,作为"文学人类学论丛"中的一部分由社会科学文献出版社推出。这部文集的出版,使得文学治疗问题的讨论走出文学理论界的小圈子,波及整个文史哲和艺术、美学、宗教学界乃至医学界,与此相应的艺术治疗、哲学治疗、叙事治疗、人文治疗或文化治疗等话语形式,也随着改革开放的时代思潮,像雨后春笋一般活跃开来。从那以后,19世纪后期德国哲人尼采所倡导的思想家应该成为社会的诊疗师与文化医生的呼声,就一直萦绕在耳畔,纠结在心头。尼采这位文化医生所忧心的现代社会病症,究竟是什么病因所导致的呢?在尼采的强烈影响下,鲁迅作为现代社会病的患者兼医生[①],又是如何秉承着治疗与救赎的文化使命感完成弃医从文的华丽转身,通过文学写作的自我疗救过程,从而历练成为一位新文化运动的呐喊者和旗手的呢?

2008年,笔者和杨义合作主持的中国社会科学院重大项目"新世纪全球文化格局与中国人文建设"完成结项,其中由笔者执笔的一部理论著作题为"现代性危机与文化寻根",与项目丛书一起面世(山东教育出版社)。该书要尝试一种文化诊断性的工作,即现代性的生产生活方式是否构成人类文化发展有史以来最棘手的一种变态或病态?如何为这种人类群体性的前所未有的严重病态找到治愈之方?书名中的后一个关键词"文化寻根"就是作为国际思想界多年会诊之后的药方而加以提示和强调的。其隐含的本土问题是,中国作为追赶西方现代化目标的后进国家,一旦发现西方思想已经开始反思现代性危机而全面转向——到非西方文化和非资本主义生活方式中寻求拯救之方,我们又该面临怎样的两难境地,遭遇到怎样一种事与愿违和进退维谷的尴尬?

从文学专业视角出发的跨学科思考的治疗问题,经过在海南岛和台湾岛这两大宝岛的高校教学实践与修订,尝试建立一门新兴交叉学科的课程教本《文学人类学教程》,列入中国社会科学院研究生院的研究生重点教材系列,2010年由中国社会科学出版社出版。该教程中除了为"文学治疗"单列专章(第七章)详细论述之外,还就文化人类学这门新兴学科的突出学术贡献问题,概括出其连续性的几大发现(人及其文化的再发现):东

[①] 参见高旭东:《作为医生和患者的鲁迅》,载《文学与治疗》,社会科学文献出版社1999年版,第48—56页。

方文化、原始文化、现代性原罪。① 从当代思想史的意义看,人类学通过分析对五大洲原住民族开展的田野报告,逐渐积累并完成这三大理论发现中的每一个发现,都潜含着一个方面的文化治疗主题。换言之,作为人类学诞生之前提的前两个发现,足以为其后一个发现提供灵丹妙药。治疗现代性病症的秘方很简单,就是求助于西方现代化社会之外的他者文化,无论是空间上的他者——东方文化,还是时间上的他者——前现代的、前文明的原始文化,包括巫术魔法的、图腾的、萨满教的,儒教和道教的、《易经》的、藏传佛教的、禅宗和瑜伽的、女神崇拜的、万物有灵的,等等。文学方面,从超现实主义的自动写作到魔幻现实主义的他者神话;影视方面,从《与狼共舞》到《纳尼亚传奇》和《赛德克·巴莱》,从《黑客帝国》到《阿凡达》,一系列轰动一时的好莱坞大片,高举新神话创造(新神话主义)与"梦幻工厂"的旗帜,却都试图在诊断现代性病症的前提之上开出自己的文化疗救之药方。形形色色的原住民形象,从原来的以现代性为标准的价值判断的末端——原始与落后,摇身一变成为西方人重新学习和效法的人格楷模和生活方式理想。一种地球村的想象景观,随之发生风格色调的变革,从西方白人理想主宰下的单一世界,转换成多元文化主义的世界大观园。"全球地方化"(glocalism)的思潮正在席卷世界,并试图替代较为老旧的"全球化"(globalism)目标。

在这种从现代性反思批判到后现代价值观重建的思想巨变过程中,曾经作为资本主义普遍性意识形态的发展主义,已经从正面价值蜕变成负面价值。有鉴于此,后发展的国家能够学习和领悟到什么? 又应该如何调整自己追逐西方现代化目标的进程和路径? 近十年来,笔者通过对中国本土神话资源的探究,希望在某种程度上拓展以上理论问题的解决思路。在历史纵深处的探讨和求证之后,终于发现在文本记录的神话叙事之外,还存在着一个先于文字和文本的本土神话世界和文化传统,借用并改造现成的人类学术语"大传统",来有效指称那个过去我们根本不知道的深厚文化传统。如果要进一步追问中国文化大传统的核心精神及凝聚力所在,那就

---

① 叶舒宪:《文学人类学教程》,中国社会科学出版社 2010 年版,第 7—16 页。

是玉石神话信仰所支配的史前文化精神世界。其文化寻根意义同时也彰显出文化治疗意义：一个世界上人口最多的多民族国家，其早已失落的本土文化信仰之根的再发现、再认识和价值重估，能够带来的思想文化资源将是巨大的，甚至是不可估量的。就"中国故事"的讲述方式和讲述内容而言，玉教作为先于华夏国家而广泛传播华夏地区的神话信仰形态，提供了重新讲述的新知识条件和出发点。

二、通灵宝玉：大传统的神话生命观

前现代社会的传统医学背景离不开信仰的因素。巫医不分始于大传统的信念：只有神话和神圣的力量才具有治疗的能量。就华夏本土的玉教信仰而言，玉石得到崇拜的原因是被先民投射进神圣化想象，赋予了超自然的神力，成为承载正能量的显圣物。无论是儒家的君子比德于玉观念，还是道教信奉的天上主神玉皇大帝，均属于文字时代小传统中遗留下来的古老圣物崇拜原型的置换影像。红山文化和良渚文化出土的大量玉礼器，距今都在五千年上下，这足以彰显出大传统的圣物原型形象。从儒道小传统的信仰观念，如"圣人被褐怀玉"之类说法，回溯到大传统的玉教神话观，可以读懂过去无法把握的先秦圣人话语的信仰蕴含，如观射父所言"玉帛为二精"（《国语·楚语》）[①]；又如《荀子》《礼记》和《说文解字》等书一再说到的玉有五德、七德或九德的神圣比喻。

中国文学的典范之作《红楼梦》原名《石头记》，小说不仅让第一、二号主人公的名字中都带有"玉"，而且专门为男主人公配置了"通灵宝玉"的圣物题材。只见它：

> 大如雀卵，灿如明霞，莹润如酥，正面刻着"莫失莫忘，仙寿恒昌"；背面刻有"一除邪祟，二疗冤疾，三知祸福"。

[①] 叶舒宪：《"玉帛为二精"神话考论》，载《民族艺术》2014年第3期；叶舒宪：《玉帛为二精神话续论》，《民族艺术》2015年第3期。

辟邪、治病和预言这三项功能,大体上都属于宗教信仰领域。曹雪芹将西方教堂和神庙承载的主要功能,都凝聚在这一块通灵宝玉上。这是中国玉文化八千年大传统传承不衰的文学想象之结晶,而不是出于作家个人的狂想。

神圣与世俗是宗教学的基本概念。瑞典神学家索德布鲁姆认为神圣才是宗教最本质的东西。神圣是神秘力量或者实体,与某些存在者、事物、事件或者行为联系在一起。神圣与神秘密不可分,然而又是一种神秘力量和实体。另外,他认为,在宗教领域,神圣与世俗的区分非常重要。[①] 在宗教学名著《论神圣》一书中,作者奥托延续了索德布鲁姆关于宗教神圣性的探讨,认为神圣与世俗之间截然有别,神秘体验具有至高无上的力量。他认为,神圣观念的核心要素就是剔除了道德与理性因素的所剩余的非理性因素,即努密(numinous)。而道德的神圣、法律的神圣都是从神圣中派生出来的概念,他要求剥离掉神圣的各种引申和派生用法,希望能够回到神圣的本源语境之中。人的内心所产生的神秘感,包括畏惧感和神往感的二层结构。神秘者是作为惊恐和畏惧的对象在人的心灵呈现出来,然而,神秘者又是能够产生强有力的魅力的对象。人一方面在神秘者面前战战兢兢,一方面又要转向它,甚至要与之融合。超越世间万物的神秘具有绝对不可接近、绝对不可抗拒性以及活力的因素。[②] 对于基督徒来说,对神秘的向往聚焦于唯一的神——上帝;而对于中国史前玉教信仰者来说,则是聚焦在唯一被选中的显圣物——玉器。为此,在当时的简朴生活中出现专职加工玉礼器的工匠,用精雕细刻的方式将圣物塑造成各种象征的形象,包括几何形的玉璧、玉琮、玉璋、玉璜、玉圭等,也包括肖生的玉龙、玉鸮、玉凤、玉牛、玉象、玉蝉、玉蚕、玉螳螂等等。

伊利亚德从比较的立场讨论神圣与世俗的区分问题。他指出,"神圣和世俗是这个世界的两种存在模式,是在历史进程中被人们所接受的两种

---

① 张志刚:《20世纪宗教观研究》,北京大学出版社2007年版,第493页。
② 鲁道夫·奥托:《论"神圣"——对神圣观念中的非理性因素及其与理性之关系的研究》,成穷、周邦宪译,四川人民出版社1995年版,第1—38页。

存在状况",显圣物是"神圣的东西向我们展示它自己"。这是不属于这个世界的存在向我们自我表证自己。显圣物是绝对对立的神圣与世俗之间的通道,它的出现为人所生存的世界建构了神圣的空间与神圣的时间。神圣空间代表宇宙的中心,人们欢庆的节日则是神圣时间,在人们欢庆节日的时刻,人们可以回到世界创造之时的状态。[1]《山海经》讲到黄帝在靠近昆仑的密山食用玉膏的情节,《穆天子传》中讲到重璧之台,都是这样一种人工建构的宇宙中心之象征。其取名"玉膏""玉荣"或"璧",也都是在假借显圣物的圣名,突出其神圣性和能量场的永恒生命意义。2012年以来,陕西考古工作者在神木县石峁遗址四千年前的古城墙缝隙之中发现玉铲、玉璋等礼器,充分证明玉教信仰支配下的先民建筑行为及玉石神话观念作用。

三、德—灵魂:疾病与治疗

大传统的玉教神话信仰在儒家思想中留下的"玉德"说,表明先民敬畏的神物如何在早期文明中逐步转化、抽象为"德"的观念。《管子·小问》云:"凡牧民者,必知其疾,而忧之以德。"这是对统治者而言的国家治理术。以"其疾"比喻社会症结所在,并提示"以德"为治疗秘方。不过需要今人特别留意辨析的是,先秦语境中的"德",往往不能从后世的伦理道德意义上去理解,而是需要从神话生命观的意义上去理解。简言之,"德"和"道"、精、神、灵等关键词一样,都潜含着生命能量的意思,是生命本源,而且是克服生命危机、超越有限的治疗力量的本源。李玄伯《中国古代社会新研》一书提出,"德"的概念相当于人类学家在原住民社会中看到的图腾,又近似美拉尼西亚岛民所说的灵力或马那(Mana)。[2] 这是跨文化比较视野带来的洞见。

当孔圣人公开强调"天生德于予"的时候,在老子用比喻说明"含德之

---

[1] 米尔恰·伊利亚德:《神圣与世俗》,王建光译,华夏出版社2002年版,序言。
[2] 李玄伯:《中国古代社会新研》,开明书店1948年版,第129页。

厚比于赤子"的时候,他们所使用的"德"概念都是在这个字的本义语境上的,专指无关于伦理道德的生命能量,那自然也就是治疗的能量所在。从"天生德"和"含德"这样的表述看,德为名词。先秦古书中也不乏用作动词的"德",同样与生命能量密切相关。如《管子·心术上》云:"德者,道之舍,物得以生生,……故德者,得也。"《礼记·乐记》也说:"礼乐皆得,谓之有德。德者,得也。""物得以生"的"德",若不是生之能量,又是什么呢?

据《逸周书·祭公解第六十》记载:周穆王时,周公的后人祭公谋父患重病,在垂危之际与穆王间的对话,有临终遗言的性质,对于理解西周时代的生命观和病因观,具有原初语境化的再认识功效。

  王若曰:"祖祭公,次予小子虔虔在位!昊天疾威,予多时溥愆。我闻祖不豫有加,予惟敬省。不吊天降疾病,予畏之威。公其告予懿德!"
  祭公拜手稽首曰:"天子!谋父疾维不瘳。朕身尚在兹,朕魂在于天。昭王之所勖,宅天命!"①

周公被视为西周初年皇家首屈一指的大巫师。他在《尚书·金縢》中以祷神方式为国王诊治疾病,表现得法力超群,功勋卓著。《逸周书》里的祭公谋父,作为周公家族的传人,其神职人员身份仍然十分明显。他甚至能够掌握灵魂出窍之术,让身体留在大地上,而灵魂飞升到天国,这是远古时代萨满法师们通神法力的生动表现。"宅天命"的说法便是法力作用下的直接结果。《尚书·康诰》中也有王者宅天命的表述:"亦惟助王宅天命。"这里的"宅"字意为安定。如蔡沈集传:"安定天命。"《礼记·郊特牲》:"土反其宅。"孔颖达疏:"宅,安也,土归其安,则得不崩。"能够安顿天命的人,是国家最高统治者必须借助的神职人员。对西周王朝而言,则有赖于周公及其家族势力。祭公谋父病重,周穆王为之动容。他的话语中凸

---

① 黄怀信:《逸周书校补注译》(修订本),三秦出版社2006年版,第337—338页。

显出上古时期的疾病病因学观念：是超自然力的作用才导致疾病。所谓"天降疾病"的说法，表明在信仰者心目中，唯有天的意志才是决定人间祸福和寿命长短的总根源。"昊天疾威"的说法也是表示上天的无上神力。昊，形容元气博大貌。《尚书·尧典》："乃命羲和，钦若昊天，历象日月星辰，敬授人时。"《尔雅·释天》："夏为昊天。"郭璞注："言气皓旰。"《诗·王风·黍离》："悠悠苍天"。孔颖达疏引今文《尚书》欧阳生说："春曰昊天。"疾威，指的是暴虐、威虐。《诗经·小雅·雨无正》云："旻天疾威，弗虑弗图。"朱熹集传："疾威，犹暴虐也。"周穆王从祭公的重病症状看到的是天威暴虐，并明确表达自己的敬畏之心。他唯一希望从祭公那里得到的东西是"懿德"，那才是能够对抗一切天灾和厄运的法宝。

懿德可能是因香气得名的。因为"懿"有香味之义。懿懿，指芳香貌。《楚辞·刘向〈九叹·怨思〉》："芳懿懿而终败兮，名靡散而不彰。"王逸注："懿懿，芳貌。"《文选·扬雄〈甘泉赋〉》："肸蠁丰融，懿懿芬芬。"张铣注："懿懿芬芬，香气盛也。"用这样的褒义词形容"德"，当然会指向正能量。《诗·大雅·烝民》："天生烝民，有物有则。民之秉彝，好是懿德。"唐吴兢《贞观政要·论崇儒学》："《礼》云：'玉不琢不成器，人不学不知道。'所以古人勤于学问，谓之懿德。"由这两个用例看，懿又可以特指美与美德。《周易·小畜》云："君子以懿文德。"孔颖达疏："懿，美也。"

作为生命原力，德本身是中性的，既可以用"美""懿"等好词来形容，也可以用"恶"等不好的词来形容。所谓"恶德"，无疑是致病或带来灾祸的力量，与治疗的正能量恰恰相反。

凉山彝族传统信仰与疾病的认知，对于理解"德"的两面性（治病、致病）提供了生动的案例。不过彝族信奉的生命原力体现为灵魂和祖灵，而不是抽象的"德"概念。巴莫阿依根据仪式调查的资料和彝文文献记述，把彝族人信仰中的疾病病因归为以下七类超自然的力量：

彝文凉山彝语读音中文含义：①Yyr hla namgo 失魂带来的疾病；②Nyitcy namgo 鬼灵带来的疾病；③Axpuxabbop namgo 祖灵带来的疾病；④Jjylu namgo 吉尔魂灵带来的疾病；⑤Wasa namgo 职业神带来的疾病；⑥Kecikewa namgo 咒语咒术带来的疾病；⑦Mohly namgo 违反禁忌带来的

疾病。

"依拉"灵魂,是彝族传统宗教中最基本的信仰。在彝族人看来,人、动物、植物乃至万物都有灵魂。灵魂依附于形体,也可以脱离形体而存在。当灵魂与形体合一时,人或物就具有活力与生气,处于健康活跃的状态;如果灵魂离开形体,人或物就会孱弱与衰萎,缺乏生机,甚至死亡。灵魂在一定意义上来说,就是健康,就是生命。这种灵魂信仰接近先秦时代的"德"观念。人一旦失魂,轻则令人惊恐憔悴,精神萎靡,重则使人病入膏肓,乃至死亡。针对失魂的具体情况和疾病表现,彝族人有数种关于归魂治病的仪式。即便没病没灾,彝族人也会定期或不定期地举行"依茨拉巴"招魂赎魂仪式,让魂灵安居其所,以解失魂的焦虑,预防疾病与危险。人活着时,灵魂可以游离形体,人死后其灵魂即亡灵还将继续存在。而亡灵的形态,在凉山彝族人的信仰中,要么为祖灵 axpuxabbop(阿普阿波),要么为鬼灵 nyitcyhatmo(涅此哈莫)。祖灵生活在美丽富饶的祖界,享受着后代定期或不定期贡献的祭品。他们关注后代的事务,包括人丁繁衍、畜牧农耕、联姻结盟、迁徙安寨、族籍褫夺、械斗战争,乃至个体成员的出生、成年、婚育、死亡等人生关节,能从多方面影响现实世界。祖灵不仅能赐福后人,也能致祸子孙。祖灵能够直接给后代带来疾病。原因之一,后代违反禁忌,如祭具祭品不洁,触犯仪式忌讳或祖制祖规等,祖灵以疾病惩罚。原因之二,灵位污秽导致祖灵不适,或祖灵受鬼怪纠缠,也会降疾病警示后代,以使后代延毕做法,帮助清除。由于祖灵既能赐福于人又能致祸于人的双重属性,人们对祖先对神灵怀有既敬又惧、既爱又恶、欲即欲离的矛盾情感心态。在仪式行为上,表现为献祭与巫术并行,祈祷与控驭兼用。[①] 这种情况十分类似周穆王说的"予畏之威"。

理解了彝族祖灵信仰的二重性,反观先秦的"德"能量信仰方面。最初之"德"本为中性之词,代表与天地宇宙混而为一的无限生命能量。自人类离德愈远,精神—身体的疾病状态开始出现,乃至成为一种常态。此时之德也便有了"懿"与"恶"之分。恶德致病,懿德治病。而更为原始之

[①] 巴莫阿依:《凉山彝族的疾病信仰与仪式医疗(上)》,载《宗教学研究》2003 年第 1 期。

德,或是超越善与恶,回归原点之大德。坎贝尔在《指引生命的神话》第十章《精神分裂——内在旅程》(1970)中,应用于治疗精神分裂患者所探索的秘方,就与这种"大德"的自我觉悟相关。他指出:

> (精神分裂患者)长时间地在内心深处探索,试图回归原点,直至深入灵魂深处。在那里他经历一系列混乱和黑暗恐怖,不久(如果患者幸运的话),他会重新获得自我中心感、成就感、和谐感以及勇气。在这种幸运的情况下,最终他会踏上重生的回归旅途。[①]

坎贝尔认识到,这种心灵的旅程"也就是神话英雄们经历的普遍模式:启程—启蒙—回归"。他总结出神话的四种功能:第一种功能是神秘功能(神话将唤醒并保存个体对宇宙神秘之处的敬畏与感激,不是惧怕它);第二种功能是向人们提供宇宙的意象(可为轻度精神分裂者提供精神良药);第三种功能是支持和铭刻在社会中已形成的特殊的道德规范,并使之生效;第四种功能是在个体保持健康、活力和心灵和谐的状态下,一步步地引导他走完一个可以预见的、有益人生的完整历程。[②] 这些功能是对一个精神病患者的内在修复(或称复归)的描述。坎贝尔看到了神话对于精神愈合、灵魂治疗的作用,这不仅是神话现实性的表现,也是一个神话学者社会职责感的体现。他希望有效地揭示神话叙事的治疗潜能,重建现代社会的灵性精神信仰。

在《逸周书》讲述的懿德治疗、彝族的仪式治疗与当代神话学家所揭示的精神医学主题之间,存在着一种普遍联系,那就是源于人类大传统的心灵修复能量。生活在现代西医制度下的人们,习惯于打针吃药的物理医疗方式,大都和这种既原始又神奇的精神生命能量渐行渐远。

---

① 坎贝尔:《指引生命的神话:永续生存的力量》,张洪友、李瑶、祖晓伟等译,浙江人民出版社2013年版,第189页。
② 坎贝尔:《指引生命的神话:永续生存的力量》,张洪友、李瑶、祖晓伟等译,浙江人民出版社2013年版,第200页。

四、现代社会的信仰缺失与传统治疗能量

凭借"德"或"祖灵"信仰,实行治疗仪式的社会,就是巫医尚未明显分家的社会。通灵的巫者必须兼为消灾除病的医疗者。医疗的力量离不开信仰的力量。孔子生活的春秋时代显然对此并不陌生。据《论语·子路》记载:

子曰:"南人有言曰:人而无恒,不可以作巫医。善夫!""不恒其德,或承之羞。"子曰:"不占而已矣。"

《礼记·缁衣》引用的一段话与此大同小异:

子曰:"南人有言曰:'人而无恒,不可以为卜筮。'古之遗言与?龟筮犹不能知也,而况于人乎?《诗》云:'我龟既厌,不我告犹。'《兑命》曰:'爵无及恶德。民立而正事,纯而祭祀,是为不敬。事烦则乱,事神则难。'……"

注释家解释说:恶德,无恒之德。纯,犹皆也。言君祭祀,赐诸臣爵,毋与恶德之人也。民将立以为正,言放效之疾。事皆如是,而以祭祀,是不敬鬼神也。恶德之人使事烦,"事烦则乱",使事鬼神又难以得福也。通过这样的解说,恶德的意思就是指那些"无恒之人",相当于孔子说的"不恒其德"。这些人因为心地不纯,难以做到心灵的洁净虔诚,既不适合做巫医,也不适合主持祭祀拜神或占卜之类的宗教活动。如果让他们当巫医去治病,就只会加重病情;如果让他们去祭祀,就是对鬼神的不敬,怎能获得鬼神的保佑和赐福?

现代性的祛魅让一切古老的信仰体系都土崩瓦解之后,留给当代社会的信仰真空状态,极不利于安顿人的精神。现代性的治疗主题被科学主义话语所垄断,传统的精神医疗资源遭到废弃。比儒家、道家更为深厚的玉教信仰大传统的再发现和再认识,相当于找回华夏国家丢失已久的信仰之

根和认同之源。那种认为中国无本土宗教的观点,以及把外来的佛教当做国教的观点,在异常深厚的玉教神话重现天日之际,都将不攻自破。从史前社会的巫玉通灵,到文明初期的巫医通灵和君子比德于玉信念,再到《红楼梦》时代的宝玉通灵,中国传统的玉教信仰之根并没有在教堂或神庙宗祠中传承,却大体上通过民间文化和文学想象不断传承下来,未曾中断。这是一笔潜在能量异常丰富的文化遗产。如何有效地开掘玉石神话信仰,尤其是其中蕴含着的精神治疗资源,成为摆在我们目前的学术使命。如同心理分析学大师罗洛·梅所言:"神话有助于我们接纳过去,进而发现展现在我们面前的未来。"[①]

---

① 罗洛·梅:《祈望神话》,王辉、罗实秋、何博闻译,中国人民大学出版社2012年版,第77页。

导论二　文学治疗的原理及实践

叶舒宪

题　记

　　用艺术来进行治疗,远不应将它作为艺术的一个继子来对待,而可以认为它是一个典范,它有助于使艺术又回到更富有成效的态度上去。

——鲁·阿恩海姆

　　文学艺术的存在根据是什么?

　　对此,古往今来的答案已有不少。如果我们回答说文学的功能之一是维系作为语言符号动物的人的精神生存和健康,一定有人会以为言过其实。

　　把"文学"和"治疗"这两种学科背景截然不同的对象放在一起来讨论,也难免招致"有没有搞错"一类的疑问,对于坚守学科本位主义立场的人来说,这可能是一种大胆的冒犯。

　　那么,还是让我们从对问题的历史梳理中给出解答的线索吧。

一、问题由来：现代性语境中的治疗主题及其从宗教、哲学向文学的转移

1849年7月30日，克尔凯戈尔《致死的痼疾》一书终于问世。这是他在孤独和忧郁之中连续写作多年的结果，旨在用基督教的心理解说来拯救信仰失落后的人心世态。在他看来，他所处的那个时代，"基督教真的已差不多被取缔了。就这方面而言，我几乎像一个地下工作者"①。尽管他本人患有严重的忧郁症，他还是将救治全民性的"痼疾"当作自己的责任。他还发现，写作便是最好的自我治疗方式：

> 我只有在写作的时候感觉良好。我忘却所有生活的烦恼、所有生活的痛苦，我为思想层层包围，幸福无比。假如我停笔几天，我立刻就会得病，手足无措，烦恼顿生，头重脚轻，不堪负担。②

自克尔凯戈尔以来，恐惧、绝望、虚无等主观精神的疾患，都日益成为哲学家关注的对象。雅斯贝尔斯后来说，宗教虽然在现代社会中不可避免地衰微，但人对信仰的渴求却不会停止。在这种情况下，哲学便是唯一的精神避难所。雅斯贝尔斯忽略了一点：与哲学同样成为精神避难所的还有文学和艺术。对此，只要提及浪漫主义文学运动就足够了。

1873年，尼采在他的笔记中拟定了一部著作的写作大纲，书名是"作为文化医生的哲学家"③。从那以后，有关文化病态和医治的观念不时地在他脑海中闪现。如果哲学存在的目的就是治疗，其所要医治的病症是什么呢？

---

① 克尔凯戈尔：《克尔凯戈尔日记选》，晏可佳、姚蓓琴译，上海社会科学院出版社2002年版，第176页。
② 克尔凯戈尔：《克尔凯戈尔日记选》，晏可佳、姚蓓琴译，上海社会科学院出版社2002年版，第70页。
③ 尼采：《哲学与真理：尼采1872—1876年笔记选》，田立年译，上海社会科学院出版社1993年版，第89页。

在《希腊悲剧时代的哲学》一书开篇,尼采提出哲学与民族健康的关系问题:

> 有些人反对一切哲学,他们的话有时倒是值得一听的,尤其当他们奉劝德国人的病态头脑拒斥形而上学,而代之以像歌德那样借体魄获得净化,或者像瓦格纳那样借音乐获得圣化之时,更是如此。民族的良医唾弃哲学;因此,谁想替哲学辩护,他就应当指出,一个健康的民族为何需要并且确已运用了哲学。如果他能够指出这一点,那么,也许病人也就能够实实在在获得一种教益,懂得哲学为何恰恰对于他们是有害的。①

尼采还举出古罗马的例子,说明一个民族不要哲学依然能够活得健康。倘若一个民族失去了健康,也不能指望依靠哲学得到救治。"如果说哲学果有显示过其助益、拯救、预防的作用,那也是在健康人身上,对于病人,它只会令其愈益病弱。"在尼采心目中,唯有前苏格拉底时期的希腊人才是典型的健康人,那时的哲学真正具有维护健康的功用。自从柏拉图以哲学和理性的名义攻击神话和虚构,贬损诗人,哲学就开始彻底丧失了医疗保健作用。"哲学家这时是文化的毒药。"②。为此,尼采对于重建治疗哲学情有独钟,在《艰难时代的哲学》大纲的第一部分又提出"治疗哲学"的概念,并且激愤地写道:我们现在求助于医生的精神和智力紊乱,在古时候却是求助于哲学家。今日哲学困窘之根源,就在于科学的穷追不舍。③科学摧毁了宗教,却又假借理性的名义带来淹没一切的洪水。

就这样,尼采在失去上帝看顾的世界中向往超人和权力意志,希望凭借恢复哲学的权威来救治人性的痼疾。可是他终于敌不过"治疗"与"毒

---

① 尼采:《希腊悲剧时代的哲学》,周国平译,商务印书馆1994年版,第3—5页。
② 尼采:《哲学与真理:尼采1872—1876年笔记选》,田立年译,上海社会科学院出版社1993年版,第97页。
③ 尼采:《哲学与真理:尼采1872—1876年笔记选》,田立年译,上海社会科学院出版社1993年版,第140页。

药"之间的巨大张力,带着他那充当"文化医生"的宏伟志向,不由自主地走向精神分裂,又从精神分裂走向了死亡。

当时没有哪位医生能够诊治尼采的病。一个世纪后的法国人福柯为了弄清尼采的病根,写出关于诊所和疯狂的一系列大著。① 而深深地怀抱着"疗救"情结却难以摆脱心病困扰的东方医生鲁迅,也在尼采的狂言疯语中找到强烈的认同之缘。

1912年,一部题为"重新感受和评价:论文化的病理学"的德文著作问世了,作者舍勒尔用"文化病理学"(Pathologieder Kultur)这样的组合术语预示着某种现代疾患的来临,同时也已经把"病理"的问题从医学的狭隘领地中拓展开来。按照医家流行的说法,任何确认"病"的诊断都包含治疗的意向。而对于文化之疾患,显然不能照搬一般意义上的诊疗技术。

弗洛伊德及其所开创的精神分析学是20世纪思想史上最重要也最有争议的一笔遗产。精神分析将远古巫医、后代哲学家和文学家所承担的"语言治疗"任务接管下来,并且使之发展成为专业化极强的精神医学体系,让克尔凯戈尔、尼采等人面对的文化病理问题还原为诊所中的个体无意识诊疗病例,从患者的梦境、幻觉、呓语中去捕捉富有意蕴的象征,借此发掘个人童年的心理挫折,找出致病根源,再用催眠、暗示、疏导、宣泄诸方法加以疗治。弗洛伊德并不认为他本人是无意识心理的发现者,而是将这一荣耀归功于以往的文学艺术家,这就给"文学治疗"的命题留下了广阔的探讨空间,给整个20世纪的文学创作与文学批评带来深远的影响(参看本书中提到的保罗·利科《艺术与弗洛伊德的系统论》、贝托海姆《从快乐原则到现实原则》二文)。

自弗洛伊德以来,深层心理学的拓展使治疗的现代主题分解为个人诊疗和社会文化诊疗两大趋向,二者之间虽有互动,但各自的发展轨迹却是泾渭分明的。前者多为职业医生的世袭领地,后者则催生出一批不挂牌的

---

① 海登·怀特认为:尼采止步的地方,恰是福柯论述的出发点:"感察所有'智慧'的'疯狂'以及所有'知识'中的'愚狂'。但是在福柯,看不到一点尼采乐观主义的影子。"见海登·怀特:《米歇尔·福柯》,见约翰·斯特罗克编:《结构主义以来:从列维-斯特劳斯到德里达》,渠东等译,辽宁教育出版社1998年版,第84页。

"医师",海德格尔便是一个代表。

海德格尔试图恢复远自古希腊时代就被哲学家们断送了的那种未遭逻辑理性戕害的精神生活方式,并且有针对性地把这种方式称为"诗意地栖居"。这位敏锐而深沉的哲人一方面尖锐地批判科技理性与传统哲学理性的合谋及其对"存在"的遮蔽和遗忘,另一方面又醉心于以荷尔德林为代表的诗性智慧的世界,坚信能够从中找回存在的生命之声。海德格尔在逻辑语言与诗性语言之间的取舍,完全基于他对现代人精神生存状态的诊断,因而带有鲜明的疗救动机。他本人也因此成为文学治疗的主治医师,在某种意义上就是尼采未能兑现的"作为文化医生的哲学家"。

和海德格尔同样对社会和时代的痼疾做出明确诊断的,还有德国人哈贝马斯。不过他所给出的现代人性疗治方案不仅局限于语言方面,而是着眼于"交往与社会进化"的更大视野,因而显得更加宏大,更具有综合性。哈贝马斯试图将马克思、尼采、弗洛伊德、海德格尔、皮亚杰等人的理论兴趣统合起来,针对晚期资本主义或后现代社会的病态发展,提出一套对"剥削压迫"概念进行区分的诊断标准:

> 很显然,根据下列情形作出区分是可能的:肉体损害(饥饿、疲乏、疾病)、个体损害(贬黜、奴役、恐惧)、精神绝望(孤独、空虚)。反过来讲,所有这一切又都有各种各样的希望相应:身体强壮与安全、自由和尊严、幸福与充实。①

哈贝马斯从交往障碍方面寻找文化病态的根源,并把疗治的希望寄托于社会性的系统工程,在其中,文学艺术家将和科学家、教育工作者、心理学家、医生等一样担负起共同责任。"如果后现代社会来临,就像它在今天从各种角度被想象的那样,将被科学和教育系统的至高无上的地位所表征。……而同时处于增长之中的社会反常行为(和冷漠忧郁症)则可能唤起涉及动机控制的新的调整。届时,某种新的组织核心也许将环绕着一种

---

① 哈贝马斯:《交往与社会进化》,张博树译,重庆出版社1989年版,第169页。

新的组织原则而出现,它是一种这样的组织核心,在其中,公共教育、社会福利、自主化惩罚以及精神疾病的治疗方法等要素都将被合而为一。"①不言而喻,此种"合一"式的救治方案使文学在社会交往系统中的地位和功能得以重新界定。由此引发的问题是,其对抗"个体损害"和"精神绝望"的疗效究竟如何,理据又何在?

二、文学治疗的可能与现实

在19世纪,是哲学取代宗教,直接面对"文化医生"的呼唤。20世纪,"哲学的死亡"或"哲学的终结"一类说法已经屡见不鲜,诊断和治疗社会文化之痼疾和个体心理障碍的重任又有了明确转向文学的迹象。"文艺取代宗教""为艺术而艺术""唯美主义"一类口号便是对这场精神职能转移的公开呼应。

下文将以两位获得诺贝尔文学奖的东方作家为例,初步讨论文学治疗的两种可能性(治疗他人与治疗自己)。

泰戈尔,这位名满天下的近代大诗人,是以1913年诺贝尔获奖作《吉檀迦利》而知名于世的。这部诗集之所以能在西方大受欢迎,正因为它所发出的天国般的声音对于刚刚经历了世界大战浩劫、对西方文化前景感到绝望的民众心灵起到了巨大的抚慰和疗救作用。罗曼·罗兰在1923年写给泰戈尔的一封信中说:"印度的灵魂,您的光辉思想……就是它的体现——是我的祖国,它更加广阔,我被疯狂的欧洲捆伤了的手脚在这里舒展开了。"可见文学作品对于他人具有明显的精神治疗功效,这种功效如同宗教信仰,具有跨文化传播的潜在能量。

进一步的考察可以发现,《吉檀迦利》的字面义是"颂神诗",它以向神的诉求为外观表象,表达的却是诗人对美和自由的信仰与追求。② 这部诗集是泰戈尔在现实挫折和精神极度苦闷的情形之下创作的,它本身就是艺

---

① 哈贝马斯:《交往与社会进化》,张博树译,重庆出版社1989年版,第170页。
② 叶舒宪:《吉檀迦利:对美和自由的信仰与追求》,载《外国文学评论》1989年第3期。

术代替宗教实现自我治疗的标本。其第二首写道：

> 我生命中一切的凝涩与矛盾融化成一片甜柔的谐音——我的赞颂像一只欢乐的鸟，振翅飞越海洋。
> 我知道你喜欢我的歌唱。我知道只因为我是一个歌者，才能走到你的面前。
> 我用我的歌曲的远伸的翅梢，触到了你的双脚，那是我从来不敢想望触到的。
> 在歌唱中陶醉，我忘了自己，你本是我的主人，我却称你为朋友。①

很显然，一个歌者心中的主人正是美和自由创造之神。创作活动即可视为与神合一的体验，它能够消除心理障碍，解脱灵魂，获得审美快感。如第六十五首所云：

> 我的上帝，从我满溢的生命之杯中，你要饮什么样的圣酒呢？通过我的眼睛，来观看你自己的创造物，站在我的耳门上，来静听你自己的永恒的谐音。我的诗人，这是你的快乐吗？你的世界在我的心灵里织上字句，你的快乐又给他们加上音乐。你把自己在梦中交给了我，又通过我来感觉你自己的完满的甜柔。

出于这种审美愉悦的高峰体验，泰戈尔在《一个艺术家的宗教观》中，对"为艺术而艺术"的观点之争提出他的看法："如果一个人弃绝欢乐的欲念，把欢乐变成仅仅是求知和行善，其原因必然是他已失去他的青春年华和健康，从而失去感觉欢乐的能力，这是一个普遍的真理。古印度的修辞

---

① 泰戈尔：《吉檀迦利》，冰心译，见《泰戈尔诗选》，湖南文艺出版社1982年版，第1—2页。

学家们毫不踌躇地说,享乐是文学的灵魂——享乐是公正无私的。"①

文学能够给灵魂带来欢乐,因为它通过虚构和幻想足以唤起对抗精神疾患的力量。继泰戈尔之后第二个赢得诺贝尔文学奖的东方作家川端康成,就是一位把文学视为第一生命的自我疗救者。这位两岁丧父、三岁丧母、七岁丧祖母、十六岁丧祖父的病弱孤儿,从小在死神召唤的阴影之中挣扎。如果不是选择了文学世界作为灵魂归宿,很难说他是否能够活到古稀之年。其《文学自传》明确表达的创作观是:"我在写评论文章的时候,随意使用过真实、现实之类的词,但每次我都不好意思亲自去了解它,或去接近它,而是想在虚幻的梦中遨游,尔后死去。"②可以说云游幻境的艺术创作,是他排解孤儿情感、抵抗精神绝望的唯一有效的寄托。

因此也可以把作家看成是行将灭绝的血统,象残烛的火焰快燃到了尽头。③

这种具有自我心理疗救意义的创作观,同我们非常熟悉的"文以载道"说或现实主义说相去甚远,却与钟嵘《诗品序》所云"使穷贱易安,幽居靡闷,莫尚于诗"的观点较为接近,可以进行挫折心理学方面的分析和阐发。对于屈原、李贺、蒲松龄、卡夫卡、陀思妥耶夫斯基一类精神创伤深刻的作家大致均可作如是观。

川端的文学幻游始于《伊豆的舞女》中清纯的少男少女之恋,经过《雪国》式的中年艳遇,发展到《千鹤》和《山之音》中的乱伦冲动,最后陷入《睡美人》《独臂》一类的老年性变态幻想而不能自拔。这时获得举世瞩目的诺贝尔奖,对他来说不是福而是祸。果然,他在获奖之后表现得江郎才

---

① 泰戈尔:《一个艺术家的宗教观:泰戈尔讲演集》,康绍邦译,生活·读书·新知三联书店上海分店1989年版,第37页。
② 川端康成:《文学自传》,见《川端康成小说选》,叶渭渠译,人民文学出版社1985年版,第676页。
③ 川端康成:《临终的眼》,见《川端康成小说选》,叶渭渠译,人民文学出版社1985年版,第660—661页。

尽,过了三年干脆自杀了。可以说,意外的获奖打断了他幻想自疗的流程:一个被公共传媒所追踪、受到世界文坛巨大期待的作家,又怎能继续用小说来编织他潜意识中的性变态幻想呢?①

总之,川端之死不妨被看作文学治疗意外终止的结果。反过来说,正像气功可以治病也可以伤身,川端的幻游治疗也难免有走火入魔之嫌。他的病案既表明文学治疗的可能性,又标示出此种治疗的限度和负面效应。川端无法克服幻游治疗与走火入魔之间的矛盾,有如尼采不能最终摆脱药与毒之间的张力。

正像病人总是不承认自己的病症,心理受挫的作家也多半意识不到自己从事写作的潜在病理学因素。像川端这样公开表明幻游欲望的作家只是少数,更多的人不由自主地被倾诉或写作的冲动牵着走。

出身医生之家的法国小说家福楼拜,有一天坐了四小时没写出一句,涂去了百行,他在书信中抱怨道:"这种工作真难!艺术!艺术!你究竟是什么恶魔,要咀嚼我们的心血呢?为着什么呢?"②这一激愤质询实涉及对文艺功能的寻根究底式的连锁诘问:"是什么"和"为着什么"。

罗兰·巴特从社会心理学的角度解释说,在福楼拜看来,资产阶级地位是一种无法治愈的病疾,它纠缠着作家,而作家只有头脑清醒地承受它才能治疗它,这是一种悲剧情感的特征。③ 关于文学疗效的一般原理,巴特认为,写作是一种言语活动的乌托邦:"是一种乞望字词之快乐的想象力,它疾快地向一种梦想的言语活动发展,其新鲜性借助于理想的预料表现出一种新亚当世界的完美……"④这一观点与前述泰戈尔的见解不谋而合,也适用于解释川端康成一类作家的创作。关于文学写作所包含的自我诊断的原理,巴特是这样看的:作者能够通过语言的创作来再现自己的妄想,也就是当面看到那种分裂、割开自我的力量如何发挥作用。巴特在另

---

① 参见长谷川泉:《川端康成之死》,见《川端康成论》,孟庆枢译,时代文艺出版社1993年版。
② 段宝林:《西方古典作家谈文艺创作》,春风文艺出版社1980年版,第400页。
③ 罗兰·巴特:《罗兰·巴特随笔选》,怀宇译,百花文艺出版社1995年版,第28页。
④ 罗兰·巴特:《罗兰·巴特随笔选》,怀宇译,百花文艺出版社1995年版,第47—48页。

外的地方还曾把语言的这种治疗功用比拟为"顺势疗法",即针对恋人被言语魔鬼所支配后的病症,用代替来驱除魔祟。从这一意义上,巴特说"法语词汇是一种名副其实的药典"。更确切地讲,药品和毒品本是一家,词语一方面可以充当药物,另一方面又可用为毒物。① 这一说法正可借来对川端康成的自杀之谜做出深层解释,并且促使我们对驱魔与入魔的转化关联及度的把握给予更多的关注。

利奥塔在其《后现代状态》一书中,从语言游戏的角度看待文学,同样得出了文学具有满足快感的功能之结论:"人们可以为了发明的快乐而玩一下:大众口语或文学所从事的语言骚扰工作中,除此之外又有什么呢? 不断地发明句式、词汇和意义,这在言语层面上促进语言的发展,并且带来巨大的快乐。"②泰戈尔、罗兰·巴特、利奥塔等人不约而同地强调的快乐,究竟该如何看待呢?

阿恩海姆从心理学家的立场审视快感的产生,认为快感本身并不提供任何说明,"因为愉悦不是别的,只是有机生命物的某些需要得到了满足的信号"③。我们顺着这一思路追问下去,自然有了根本性的问题:人作为有机生命物中最复杂精微的一种,如果文学活动对于他的生命——精神的生存生态来说是不可或缺的,那么文学究竟能满足其哪些高级的需要呢?

初步的归纳可有如下五个方面,并分别与某种已有的文学理论构成对应:

(1)符号(语言)游戏的需要(维特根斯坦、利奥塔等的语言游戏说、文学游戏说);

(2)幻想补偿的需要(弗洛伊德的艺术白日梦说、霍兰德的防御置换说);

(3)排解释放压抑和紧张的需要(亚里士多德的净化说、荣格的原形说);

(4)自我确证的需要(布鲁东等的超现实主义说、拉康的镜象阶段说);

---

① 罗兰·巴特:《罗兰·巴特随笔选》,怀宇译,百花文艺出版社1995年版,第268页。
② 利奥塔:《后现代状态:关于知识的报告》,车槿山译,生活·读书·新知三联书店1997年版,第18页。
③ 鲁·阿恩海姆:《作为治疗手段的艺术》,见鲁·阿恩海姆:《艺术心理学新论》,郭小平、翟灿译,商务印书馆1996年版,第361页。

(5)自我陶醉的需要(柏拉图的迷狂说、巴赫金的狂欢化说)。

对于个人而言,这五个方面的需要当然不是截然分离的,而是相互交织、相互作用,只不过在不同的人那里会有不同的侧重。正是这些内在需要的确定,为文学的治疗作用提供了精神生态上的依据,并且和倾诉、忏悔、幻游、狂想的冲动一起,激荡在每一个个体的无意识与意识之间。五种内在需求的存在又可以为各种与之相应的文学观找到生理—心理的基础,这有助于从文化整合高度去反思文学现象的所以然。

三、作者和医生之间的转换与互动

如果我们对文学史上重要作家的职业背景和健康状况作一个粗略的扫描,就不难看出:有相当一批作家在从事文学创作的前后与医生的职业有关——或生于医者家庭或自己做过大夫,像福楼拜、契诃夫、鲁迅;又有更多一批作家本人就是患者。唯其如此,疾病和疗救的主题成为仅次于爱与死的文学永恒主题。离开了医疗传统的背景知识,无论是《红楼梦》还是《狂人日记》都难以得到很好的理解。好在这两个方面都已累积了不少研究成果。如前一方面,有西吉里斯特的《文学艺术与医学》和恩格尔哈德的《近代医学与文学——观点和角度》;后一方面,有德国学者波兰特的《文学与疾病》、精神医师汉斯·普林兹翁的《精神病人的创作对心理学和病理学的贡献》和美国批评家特里林的《艺术家与精神病》等名作。这里仅举出文艺学和医学领域中几位著名人物的见解,探讨文学家和医生之间的身份转换和跨行业对话,这对于双方来说都是富有启发性的。

与哲学和科学相对而言,文学艺术是想象和幻想的世界。西方传统医学历来被视为科学的一翼,所以在诊断和治疗中多按照科学的因果模式。近年来随着东西方医学的对话与结合,文学和想象在身心健康方面的作用得到充分重视。开创新医学理念的日本医生春山茂雄便是一例。他的《脑内革命》一书问世以来风行不衰,他所创建的田园都市厚生医院享有盛誉。春山茂雄认为,与打针吃药,头疼医头、脚疼医脚的西医相对而言,冥想才是东方医学的中心思想。充分发挥冥想的作用,正是他所倡导的新医疗理念的基础。根据他的这种理念,针灸也好,气功也好,这些东方医疗的手段和冥想一样,都能促进大脑分泌一种叫作"脑内吗啡"的荷尔蒙,它通过情绪来改变身心状态,从而在体内形成一个任何药物都无法比拟的"制药厂",行使人体的自然治愈力,达到防病治病的效果。从这一角度看,文学创作与文学接受的治疗学意义,自然和冥想作用联系在一起。文学治疗的原理也可以从"脑内吗啡"说得到生理心理学的说明。

什么是春山所说的"冥想"呢?下面的解释表明,他所理解的冥想并非严格意义上的修道术语,而是想象的同义词:

> 一般人认为,坐禅、瑜伽那样的冥想才是真正的冥想,但是东方医学所说的冥想并没有一成不变的模式,更没有脑子"必须入静"那样的困难。
>
> 脑子自由想象,自觉"心情舒服",这也是冥想。例如,老年人想孙子,想自己最喜欢的人,也属于冥想。
>
> 令人感动的事情、美丽的景色、兴趣爱好、音乐绘画等艺术、小溪的潺潺流水、婉转动听的鸟鸣、大海的涛声、风声……都可以使人心旷神怡。[1]

从春山氏的冥想治疗原理着眼,许多文学作品的医学价值可以得到重新认识。如枚乘的《七发》应看作是通过开启冥想之门来引导患者分泌"脑内吗啡",从而实现自然治愈的上古文学典型案例。而《高唐赋》则是宋玉以"梦会神女"的冥想来疏导楚王长期受压抑的情结,获得彻底的宣泄疗效的文学明证。

《庄子》书中那些光怪陆离的超现实意象,如不知其几千里的鲲和大鹏,亦可看作打破人们惯常思维的旧习,激发自由想象空间的媒介物。道家神话及后世的仙界幻景对国人特有的心理疗治意义,也可由此而展开深

---

[1] 春山茂雄:《脑内革命:重新认识、开发、利用你的大脑》(第一卷),郑民钦译,中国对外翻译出版公司1997年版,第113—114页。

入的探讨。

以现代西方的心理医学为出发点的德国医生佩塞施基安倡导"积极心理治疗"的理念,同时也高度关注东方文学的幻想疗效。他在《积极家庭心理治疗》一书中明确写道:"我对东方故事的兴趣,同样也很重要。在特殊的心理治疗的领域中,我以这些故事作为源泉和帮助交往的手段。中东的格言及直接思想与西方新的心理治疗方法的结合,也是一个附加因素。"[1]春山茂雄和佩塞施基安两位医生已经把传统精神分析学的催眠技术发展为真正意义上的职业化的文学辅助治疗了。来自当代医学变革的这些有益信息,对于文学家和文学批评家重新审视文学的所以然,无疑是很有帮助的。

与医学方面对文学的重视相对应,文学艺术领域的学者也对医学产生了很大的兴趣。已故的加拿大文学理论家弗莱不仅写过《作为纯粹理性批判的文学》,将文学视为对抗理性异化、维护人性健全必不可少的手段[2],而且还专门研究了文学治疗的可能性问题。他在《文学与治疗》一文中说:"我并不认为,人们必须在医生指导下阅读文学作品。我只想提醒大家,在当今这样一个疯狂的世界里,不应当忽视文学和艺术所具有的助人康复的巨大力量。可惜的是诗人往往意识不到他们自己在这方面的潜力。"[3]其实,不光是文学写作和阅读,就连学术研究和写作也具有这种助人康复的潜力。当代法国社会学家布迪厄便非常清楚地意识到这种学术认识的治疗潜力,他认为自己在从事社会学研究和著述的过程里真正实现

---

[1] 佩塞施基安:《天堂与地狱:积极家庭心理治疗》,杨华渝、李舜伟、郭肇姮等译,社会科学文献出版社 2000 年版,第 13 页。

[2] N. Frye, "Literature as Critique of Pure Reason", in *Myth and Metaphor*, ed. R. D. Denham (Charlattesville the University Press of Virginia, 1990), pp. 168-182.

[3] N. Frye, "Literature as Therapy", in *The Eternal Act of Creation*, ed. R. D. Denham (Bloomington: Indiana University Press 1993), pp. 21-36.

了"自我治疗"。① 不过像布迪厄这样的情况毕竟还不多见,其自疗的原理似可用精神医学中的"认知—启悟"疗法来解释。

关于文学的疗效是如何产生的,弗莱认为文学艺术能帮助人构成一种与现实生活相逆反的环境,这有助于传播幻觉感受,促使人们用主观经验去取代客观经验。他做出这一判断的理由,除了来自丰富的文学史知识以外,还得之于个人的生活经验。以下便是他写出的一个例子:

> 我记得母亲曾对我说,她生下我姐姐之后患了重病,并且诱发了精神失常。我外祖父是一位天主教牧师,他找来司哥特的二十五卷本的威福利(Waverley)系列小说,留给病中的母亲。她通览了这些小说之后,居然大病痊愈。这件事留给我最深的印象是,母亲坚信司哥特的小说就是治愈她的灵丹妙药。当时我假设任何新奇的和引人入胜的内容都同样对病人有益。后来我自己也读了这些小说中的大部分,发现司哥特小说的情节足以构成一种对抗精神失常的力量,母亲的康复便与这种力量有关。于是,我对此就不再感到惊奇了。②

正如《一千零一夜》中的山鲁佐德用一系列的故事所建构的幻想世界陶冶了患有精神障碍、陷入杀人狂的境地而不能自拔的国王,彻底改变了他敌视一切女性的客观经验,司哥特的系列小说也使弗莱的母亲逐渐摆脱了心理危机。从这些类似的病例可以看出如下三方面的问题:

第一,古代的巫医的文学治疗方式侧重于咒语诗歌,疗效的发生主要

---

① 布迪厄:"考虑到我在社会中的位置,考虑到那些我们称之为我的社会生产条件的那些因素,社会学是我的最佳选择,即使不能感到与生活完全情投意合,也至少可以发觉世界在某种程度上是可以接受的。在这种有限的意义上,我相信,自己在作品中已经达到了目的:我实现了某种自我治疗。我希望,这种治疗同时已经产生了他人可资利用的工具。"见布迪厄、华康德:《实践与反思——反思社会学导引》,李猛、李康译,中央编译出版社1998年版,第276—277页。

② N. Frye, "Literature as Therapy", in *The Eternal Act of Creation*, ed. R. D. Denham, Bloomington: Indiana University Press 1993, p. 33.

在于激发语言的法术力量;现代的文学治疗方式侧重于叙述性的故事,疗效来源于幻想的转移替代作用。如果我们把新兴的影视传媒看成是文学的技术延伸,承认好莱坞等就是"梦幻工厂",那么其治疗功效就不容低估。

第二,故事的讲述(即幻想的编织)时间需有相当的长度。弗莱母亲阅读的二十五卷小说,与《一千零一夜》女主人公持续成百上千个夜晚的讲述,都表明这种幻想的疗程不可能一蹴而就。就此而言,个人的文学活动在未来的社会生活中所占的比重同人的精神生态的平衡和健全程度,在特定的范围内应该是成正比例的。

第三,文学和医学一样,其产生和发展曾受制于本民族的传统,但内在的幻想能量却可以跨越语言和文化的界限,从而具有跨文化治疗的可能。人类学家本尼迪克特在《文化模式》中提出的跨文化治疗的应用课题[1],对于文学艺术的价值重估提供了一种维度:过去历史上被长期忽略的,或者被强势文化压抑的,各少数民族和边缘性弱势文化中的民间文学传统作为具有特殊疗效的宝贵文化资源,无疑会有广阔的开发前景。

美学家阿恩海姆在《作为治疗手段的艺术》一文中指出:"将艺术作为一种治病救人的实用手段并不是出自艺术本身的要求,而是源于病人的需要,源于陷于困境之中的人的需要。任何能达到满意治疗效果的手段都会受到欢迎:药剂、身体锻炼和疗养、临床交谈、催眠术——为什么艺术不可以也这样呢?于是以一种踌躇犹豫和半信半疑的态度,尝试用艺术来治疗疾病的人出场了。他不仅必须用实际的成功,还必须用具有说服力的理论来证明他们存在的价值。"[2]事实上,近二十年来艺术治疗在东西方各国的迅猛发展,尤其是在英美等国的职业化建制趋向,已在很大程度上实现了阿恩海姆所提出的证明的任务,作家、艺术家、文学批评家等与精神医生之间的传统职业分野正在逐渐淡化,文学与医学保健之间富有成效的对话和互动正在方兴未艾地展开,身兼诗歌之神和医药之神的阿波罗神话重新进

---

[1] 参见麦克尔·卡里瑟斯:《我们为什么有文化:阐释人类学和社会多样性》,陈丰译,辽宁教育出版社1998年版,第21页。
[2] 鲁道夫·阿恩海姆:《对美术教学的意见》,郭小平、翟灿、熊蕾译,湖南美术出版社1993年版,第128页。

发出生命的活力。

四、关于本书的说明

随着后工业社会给人类带来的种种生存危机的日益明朗,全球性生态意识大觉醒的到来,文学艺术的文化生态价值也开始受到较为普遍的关注,这必将给相对封闭的文艺学研究格局带来重要变化,并对各种各样的"文学死亡论"或"艺术衰微论"做出实际的回应,有可能为未来的文学发展提供富有建设性的理论参照。有鉴于此,我们编撰了这本《文学与治疗》,作为"文学人类学论丛"的第二部(第一部《文化与文本》已由中央编译出版社1998年8月出版),希望在这个跨学科研究的方向上有所拓展,起到一点承前启后和沟通中外的作用。

本书内容划分为三个单元,共由二十五篇专论组成。各单元和各篇之间虽可以相对独立,却又有相互关联和照应的内在逻辑,围绕着"文学与治疗"这个中心主题而构成一个多侧面的整体。

第一编"文化生态中的文学与人",邀请了李亦园等海内外知名教授执笔,分别从人性、语言、艺术、仪式和民间文学等多重视角,透析文化生态和文化病理方面的相关问题,给文学治疗的现代课题提供较为宽广的探讨背景,凸显文学艺术与人的符号活动和生存活动总体之间的功能关系,拓展我们考察文学现象的眼界和思路,也给悉心救治人性痼疾的"文化医生"们立此存照。

第二编"文学的精神医学原理",旨在突出人文学科与医学之间的建设性对话和相互沟通,分别有九位文科学者和医师的研究成果。他们针对精神分析学的文学观、文学的非理性与超理性因素、悲剧愉悦的心理反应方式、文学治疗的空间与维度、宗教的意义治疗原理、心理患者的倾诉要求等问题,展开了富有创意的思考。本编还收录了对英国职业艺术治疗的理论新成果《艺术治疗的理论与实务》一书的专题评论,以便有助于国内读者了解这方面的国外进展情况。

第三编"文学与治疗:个案研究",由高旭东、黄保真等十位教授、博士执笔,通过中外作家和作品的具体实例的解析,以及对中西文论中潜在的治疗价值的再阐发,使前两编的理论探讨得到进一步深化。例如高旭东教授对鲁迅介于"医生与患者"之间的双重人格分析、贝托海姆教授对欧洲家喻户晓的童话《三只小猪》的精细入微的阐释、黄保真教授对中国古代文论与养气说的深入开掘,都能令人耳目一新,并且引发进一层的思考。

总体来看,本书内容涉猎广博,远自上古中医圣典《黄帝内经》和古希腊的酒神祭仪,近到20世纪90年代获诺贝尔文学奖的日本小说家大江健三郎的创作奥秘。尽管各位作者的知识结构和研究旨趣不尽相同,观点也未必一致,但也许正是这种多声部变奏的特点,可以相对避免独断论的弊端。希望会给文、史、哲、医、教育、心理、宗教等多种专业背景的读者带来一些有益的启迪。

目 录

第一编　文化生态中的文学与人

从巫医仪式表演到作家文本创作
　——兼论文学的"自治"与"他疗" ………………… 公维军/003
故事语言：一种神圣的治疗空间 ……………………………
　…………………… 麦地娜·萨丽芭著　叶舒宪　黄　悦译/021
民间文学的文化生态——人类学的研究 ……………… 李亦园/035
艺术与EUPSYCHIAN ……………………………………… 鲁枢元/049
谁来忏悔——读"ABSOLUTION" ……………………… 墨哲兰/059
语言的双重异化之诊断——论纲 ……………………… 王　宾/074
语言中的主体与感觉的回归 …………………………………
　………………… L.沃特斯著　段从学译　叶舒宪校/087
由死而歌——哭丧礼仪与身心治疗 ……………………… 徐新建/092

第二编 文学的精神医学原理

文学治疗的跨文化"译介"作用 ………………………… 章米力/103
艺术与弗洛伊德的系统论………………………………
　　　　　　　　　保罗·利科著　户晓辉译　叶舒宪校/116
文学治疗的空间 ………………………………… 段从学/125
悲剧愉悦与宣泄疗法 …………… 罗伊·莫雷尔著　户晓辉译/134
不可轻易翻转的"风月宝鉴"
　　——对文学治疗功能的再认识 ………………… 孙绍先/139
中国宗教与意义治疗 …………………………… 林安梧/147
儒家身体观 ……………………………………… 杨儒宾/156
文学的非理性与超理性 ………………………… 杨春时/160
倾诉与转移——医者眼中的文学疗效 ………… 余　丰/166
《艺术治疗的理论与实务》略评 ………………… 段从学/173

第三编 文学与治疗：个案研究

王褒《洞箫赋》之治疗功能探究 ………………… 贾　飞/179
《绿野仙踪》写作中的疾病与治疗意识探析 …… 吕　蒙/190
鲁迅：在医生与患者之间 ………………………… 高旭东/202
《黄帝内经》与中医神话 ………………………… 黄景贤/211
颐养生理　完善道德　超越生命
　　——生命意识与古文论"养气"说 …………… 黄保真/221
唐宋诗词与梦 …………………………………… 户晓辉/239
穷而后幻：才子佳人小说的创作心态 …………… 吴光正/246

一个表演的版本:酒神祭仪中迷狂的"治疗"作用 ………… 彭兆荣/257

大江健三郎与社会病态人格"性的人"的意义 ………… 王　琢/266

从快乐原则到现实原则——童话《三只小猪》的心理学蕴含 …………
…………………………………… B.贝托海姆著　叶舒宪译/276

附录

文学与疾病——比较文学研究的几个方面 ……………………………
………………………………… 波兰特著　方维贵译/283

文学与治疗——关于文学功能的人类学研究 ………… 叶舒宪/298

参考书目 ……………………………………………………… /310

第一编 文化生态中的文学与人

从巫医仪式表演到作家文本创作
——兼论文学的"自治"与"他疗"

公维军

在后现代文化寻根运动中,文学人类学者重新关注并发掘文学原初的治疗功能,力图将"文学即人学"的学理实质还原到文化整合的真实语境中。基于此,文章以巫医的大传统仪式治疗为切入点,补建、充实文学治疗的田野民族志,而作家的小传统文本治疗则重点阐释文学的"自治"与"他疗"功能,意在通过巫医到作家的角色过渡,进一步推动文学治疗的原生态回归。

认知、教育、审美,仍然是当前文学功能的普遍认可范式,然而"文学即人学"的所以然问题却依旧鲜有学人问津,未能引起学界足够的重视。如若尝试回答此问题,我们就不得不涉及文学被忽略和遮蔽掉的治疗功能,这是文学最原初、最本真、最重要的作用。治疗功能的重提、再释,能够有助于重新整合文学发生的文化语境,进而回归原生态文化视野。在这个层面讲,一部传统的文学史可以视作一部文学治疗史。

一、巫医的大传统仪式治疗

就文学发生学意义而言,仪式行为借助于人体动作,文学文本借助于语言符号,故而仪式行为先于文学发生,文学象征世界成为仪式象征世界的延伸,这也是大传统对小传统孕育和催生的必然结果。"从历时关系着眼,史前社会中仪式表演(萨满、巫医等法术)乃是文学滋生的温床和土壤。到了文明社会之中,仪式表演转化为戏剧艺术,仪式的叙述模拟转化为神话程式,仪式歌辞转化为诗赋,巫者特有的治疗功能也自然遗传给了后世的文学艺术家。"[1]

远古时代虽然巫史同源、巫医不分,但可以肯定的是,巫医用于施展法术的祝咒、卜辞等并非用于赚取审美噱头,而是切实的精神治疗实践活动所需。人类学家李弗斯较早注意到巫术的治病功能,以及文化形态与人类身心医疗之间的关系,他认为巫术的(magic)、宗教的(religious)和自然的(naturalistic)分别会衍生出一套医疗术,包括生命、身体、病因、医治等的体系。而人类初级社会少不了借助仪式巫术参加对人类身心的具体治疗。[2] 在原始社会的民间巫术信仰体系中,巫医凭借咒语、物件与行为施展致幻术,充分调动并发挥意念的能动作用。当然,患者对巫医所拥有的超自然治病能力应该保持绝对信任,只有如此,巫医才能够通过神圣的仪式行为,以巫咒、卜辞等特殊形式传达神意,从而展现巫术治疗的神奇功效,为人们祛邪除魅、解除病痛。

(一)西藏珞巴族人

巫师在珞巴族中享有崇高的声望与威信,族人认为巫师既能洞察人间百态,又能透视鬼灵生活,是沟通人间世界和鬼灵世界的全知"通话人"。因此,当族人有祛病禳灾之需时,就必须请巫师出面主持,举行巫术仪式,以尽快惩恶驱魔。珞巴族人认为,那些使人生病的恶鬼无一例外都是巫师驱赶的对象,巫师通过念诵咒语即能将他们驱赶到远方,从而使患者恢复健康。

在珞巴族博噶尔部落另腰氏族中,巫医一般分为卜师和祭司,职能各

---

[1] 叶舒宪:《文学与治疗》,社会科学文献出版社1999年版,第275—276页。
[2] 参见李亦园:《文化人类学选读》,许木柱编"医学人类学"部分,台湾食货出版社1980年版。

有分工。为患者举行巫术仪式祛病前,先由卜师"米剂"(一般由男性充当)通过鸡卜问鬼来确定病因和灾难之源。米剂披发,头抹酥油,口诵唱词,杀鸡取肝,察看鸡肝正反两面的卦位卦符后,根据其呈现的颜色、凹凸、圆扁以及纹路的粗细、曲直等征象,举行对应的治疗仪式。米剂在为病人举行的巫术活动中,唱诵着如下这般问鬼卜辞[①]:

一

是来自左边的乌佑么?
是来自右边的乌佑么?
使这个不幸的人儿生病的,
是你或是你这不安分的精灵么?
你们这些贪婪的精灵啊,

我让不幸的人儿满足你们的欲望!
你们快快说出你们的渴求,
我让不幸的人儿献祭供养!

你们不要藏匿你们的面孔,
听从我的吩咐快来鸡肝里显象。

二

迫害姑娘的乌佑啊,
我要把殷红的鲜血、生冷的鲜肉,
献给你!

迫害姑娘的乌佑啊,
我要把十只眼睛的,
廿只蹄甲的,
献给你!

迫害姑娘的乌佑啊,
我要把山上的,
院中的,
献给你!

迫害姑娘的乌佑啊,
我要把如同山峰的、
如同柴堆的,
献给你!

迫害姑娘的精灵啊,
我献给你的如此丰盛,
请让姑娘除病安泰吧!

---

① 于乃昌:《西藏审美文化》,西藏人民出版社1989年版,第77—78页。

米剂问鬼杀鸡,直到肝纹所显示的卦象与所致病的鬼灵相符为止,确定鬼灵的性质以及病因之后,针对患者所患疾病举行跳鬼仪式,仪式中的祭司"纽布"(一般由女性充当)如醉如痴,旋转身体并念诵咒语,进入迷狂状态。仪式行为结束,患者病症消失,众人聚食饮酒,分享牺牲,放歌狂舞,数日不散。珞巴族人在仪式中忌讳直呼鬼灵名字,惯用隐喻暗指,可见其心理基础应该是对语言神秘威力的信仰。

(二)菲律宾阿拉安人

阿拉安人(Alangan),系菲律宾民都洛岛(Mindoro)山区的芒扬民族阿拉安部族原住民。这一无文字民族秉承善灵、恶灵对立的二元世界观,经常举行巫术仪式,求助于神灵,希冀病人能够得到善灵救治,祛除所遭遇的灾祸。

阿拉安人认为恶灵麻冒(mamao)游荡于森林、山川、村社等地,无处不在,一旦遇到人类,就会伺机摄取人的灵魂阿比延(abiyan),如果麻冒摄取成功,那么受害者就会生病。对于麻冒导致的疾病,必须依靠巫医举行呼唤善灵卡姆鲁安(kamuruan)、驱逐恶灵的巫术仪式才能治疗。巫医在为病人举行巫术仪式时,需要呼唤至高神安布奥(Ambuao)的信使,如此,安布奥才能降旨派卡姆鲁安前去营救,只有战胜麻冒并成功找回病人的阿比延,病人才会痊愈。

阿拉安巫医最常见的治疗仪式为"阿格巴拉欧"(Agbalaon),通过这种吟唱方式向神灵祈祷以施行巫术治疗。老巫医巴多罗梅在仪式中有这样一段祈祷辞:

  In kamuruan, ay tindēgan,(山上的善灵们哦,到我巫医这里来,)
  agkasamang babalingling,(叫你们赶紧起床,)
  patubang in mangyan sa latayan.(到巫医身边的恶灵这里来吧。)

  Isag kamo ngitan in tampalasan,(你们马上就要看见恶灵了,)
  makalam wa manimbrang.(病人也就会康复了。)
  Madali wa mabrang.([人的病]很快就会好。)

In mangyan kamuruan,(善灵卡姆鲁安啊,)
babalingling patubang.([你们]醒来吧,过来吧。)

Magirēm tayariyan sa langit kagwaraan,(卡姆鲁安像天上星星一般成群结队,)
magirēm tayariyan in maskit sa bilugan,(成群结队的卡姆鲁安来到病人的身上,)
maurawmakurang.(这样就能有效地治疗[病就会好了]。)

No ina tampalasan,(如果那是恶灵[作祟],)
sa kuripas pagsimbram,(只消到第二天白天,)
makalam wa mabrang.(病就会立刻变好。)

Taga-langit tukuan,(你们都来自于天的尽头,)
sumaray sa ariyēman.(穿过了天边的大黑暗。)

No atampalasan,(被恶灵弄生病的人,)
tuloy wa maprang.(赶快不断康复吧。)[1]

  阿拉安人以沟通神灵为特色的巫术治疗仪式,在原住民社会中发挥着不可替代的治疗功用,这套善恶二元对立的巫术信仰仪式体系,是阿拉安人精神寄托的实践操作,这与台湾布农族的巫师祷诗治疗仪式[2]有着异曲同工之妙。

---

[1] 史阳:《巫术的世界观:菲律宾阿拉安人的精神信仰和巫术治疗》,载《南洋问题研究》2014年第3期,第88—89页。
[2] 叶舒宪:《文学治疗的民族志:文学功能的现代遮蔽与后现代苏醒》,载《百色学院学报》2008年第5期,第28页。

(三)北美洲印第安原住民

获取治疗的神圣力量是世界上所有原住民仪式活动的根本,这在北美印第安部落仪式中表现尤甚。巫医在印第安部落中地位至尊,故而印第安原住民心中始终秉承着"巫医＝神灵"这样虔诚不渝的古老信念。

黑麋鹿,北美洲印第安苏族奥格拉拉部落的拉科他人,是一位通灵的圣人巫医。他曾亲自体验关于神熊的灵性治疗经历,通过对治疗过程的追忆还原,呈现在我们面前的是一个关于印第安巫医叙事完整的治疗表演活态仪式。

部落中有个叫"格格作响的飞鹰"的人,在玫瑰花苞河作战时被白人大兵的子弹击穿了臀部,族人本以为他康复无望,但名叫"多毛下巴"的巫医却将他成功治愈。这个治疗过程,黑麋鹿是以协助帮忙的形式全程亲历的:

> 帐篷里另外还有五个男孩子,他要我们在他举行治疗仪式时扮作熊,因为他是在一个遇见熊的梦里得到治病的神力的。他把我的身体涂成黄色,把我的脸也涂成黄色,然后在两眼以下我的鼻梁的两侧各画上一条黑色条纹。最后他把我的头发扎起来,扎得看上去像熊的耳朵,并且在我脑袋上插上一些老鹰的羽毛。……其他的男孩子浑身都涂上了红色,头上装上了真正的熊的耳朵。多毛下巴披上了一张真正的熊皮,上面还连着一个熊的脑袋,他开始唱起歌来,歌词大致是这样的:神圣的草药在门口欢欣鼓舞。[1]

当巫师唱歌时,两个分别手持水和草药的姑娘走进帐篷,并将水和草药递与格格作响的飞鹰。接着,姑娘们将一根红色手杖递给伤者,治疗的效果立刻取得初步成效,伤者拄着神圣的红色手杖立刻站了起来。

---

[1] 约·奈哈特:《黑麋鹿如是说:苏族奥格拉拉部落一圣人的生平》,陶良谋译,上海译文出版社1994年版,第89—90页。

于是姑娘们开始走出帐篷,那伤员拄着这神圣的红色手杖跟随着她们;我们这些男孩子呢,都是小熊,就得围着他跳跃,朝着这人发出咆哮的声音。我们这么又跳又叫时,你能看见有某些五颜六色的羽毛似的东西从我们的嘴巴里飘扬出来。这时,多毛下巴手脚着地地爬出帐篷。在我看来,他真像一头熊。于是格格作响的飞鹰开始走得比较稳当了。第二天他还不能去作战,然而在短时期中就康复了。①

巫医多毛下巴对于伤者的治疗,展现给我们的是一个过程完整的治疗仪式。老巫医的亲身示范效应,对于孩童时代的黑麋鹿而言,是印记般的记忆财富。后来,黑麋鹿利用自己所遇幻景和神力为族人治疗,将个人灵性获得的天神启化的脚本公开示人,让天神的力量传达到整个印第安部落社会中。

无论是珞巴族的米剂和纽布、阿拉安部族的安布奥,还是印第安部落的黑麋鹿,作为巫医的他们举行治疗仪式活动时,必须本着实用性原则念诵咒语、卜辞,加之患者虔诚的巫术信仰,这些咒语、卜辞介质在患者身上成功发挥作用,其本身所具有的文学性质也得以发挥治疗功效。巫医们正是通过掌控和操纵超自然力实现巫术治疗功能,在意识"非正常状态"中,采用文学手段为患者治病驱魔,这在非洲卡拉哈里沙漠地区朱瓦西巫医"那母"②和中国彝巫"腊摩"③那里表现尤为典型,具备为整个共同体服务的强效治疗效果。存活于巫医体内的"那母"被激活后,进入出神状态,运用语言向灵魂说情,拔出病人身上的疾病、死亡或不幸的无形之箭;而彝巫在治疗仪式上,不仅念经诵词和做些象征性动作,而且还正面接触患者的

---

① 约·奈哈特:《黑麋鹿如是说:苏族奥格拉拉部落一圣人的生平》,陶良谋译,上海译文出版社1994年版,第90页。
② 关于巫医"那母"的治疗仪式,参见唐秋燕:《文学治疗原理分析》,湖北民族学院硕士研究生学位论文2013年,第17—18页。
③ 王光荣:《通天人之际的彝巫"腊摩"》,云南人民出版社1994年版,第132页。

身体,使其解除精神上的压力和负担后最终病愈。

如果将无文字时代的大传统巫医治疗比作文学治疗的前夜,那么我们就更易理解从巫医到作家的治疗传承过程。后世的作家是远古巫医们疗愈传统的衣钵继承者,他们利用巫术治疗中的致幻力发展出替代性文学幻景。所不同的是,巫医的巫术治疗主要针对族群中的病患,即他者,因为在神权至上的时代,巫医自身掌握着通神话语权,所以无须"自治"。而今天的作家们将这种仪式治疗进行重新演绎,逐渐演变为既可"自治",又可"他疗"的语言虚构疗法,形成真正意义上的文学治疗。

二、作家的小传统文本治疗

鉴于文学治疗的双向治疗功能,我们有必要明确"自治"与"他疗"的内涵所指。所谓"自治",此处并非政治术语,而是"自我疗救"之意,主要指作家在文学创作中,将自身苦闷、愁怨、愤恨等消极情绪,通过文本作品宣泄出来,治愈精神所受创伤。而"他疗",并非接受他人治疗,而是"治愈他者",指读者以文学阅读、文学评论等方式体认作家的创作意图和情感表达,目的在于达到彼此心灵的感知相通,以此化解读者自己心灵上的芥蒂和郁结,从而净化内心世界。当然,很多情况下,"自治"与"他疗"的界线没有那么泾渭分明,作家有意"自治"的过程中,不自觉间起到了良好的"他疗"效果,这样的案例亦是屡见不鲜。

(一)文学的"自治"

文学艺术家被视为人类灵魂的铸塑者,但不可否认的是,在众多创作者中有一类不容被忽视的特殊"铸塑者"——身为患者的作家。他们创作的初衷在于为自己的精神疾病或由肉体病患引发的心理疾病寻求治愈良药,借助文学手段疏导心胸,将疾病(肉体的、精神的)导致的烦恼、痛苦"移情"到作品创作之中,希望通过作品成功实现内心的宣泄、排遣与释放。应该说,文学"自治"功能在本质上,与弗洛伊德所倡的"文学是作家压抑本能欲望的替代性满足"的观点是一脉相承的。

针对这类患病的"铸塑者",我们足以罗列出长长的榜单:弗朗茨·卡夫卡、约翰·济慈、尤金·奥尼尔,肺结核患者;费多尔·米哈伊洛维奇·陀思妥耶夫斯基、格拉特·德·奈瓦尔,癫痫病患者;居伊·德·莫泊桑,幻想症患者;奥古斯特·斯特林堡、弗里德里希·荷尔德林,精神分裂症患者;马赛尔·普鲁斯特,哮喘病患者;西尔维亚·普拉斯,抑郁症患者……在古典时期,神经错乱被视为上帝的启示;后来的尼采等人主张患病是一种刺激丰富多彩生活的强有力的兴奋剂,将疾病肯定为创造力。不现实地将疾病理想化的情况固然客观存在,但疾病能够"成为一种升华生活的、超越现实的、使个人品格和认识能力得到发展的状态"①,这种将创造性、天才与疾病联系在一起的观点自19世纪以来也广为流传开来。

丹麦哲学家索伦·克尔凯戈尔身患严重抑郁症,但他依然认为写作是最好的"自治"方式。他在1847年的日记中这样写道:

> 我只有在写作的时候感觉良好。我忘却所有生活的烦恼、所有生活的痛苦,我为思想层层包围,幸福无比。假如我停笔几天,我立刻就会得病,手足无措,烦恼顿生,头重脚轻,不堪负担。这是一种强有力的充分的永不枯竭的鞭策,它已经日复一日地存在了五六年,它仍将一如既往、来势汹汹,人们也许会想,这样一种鞭策莫非来自于上帝的天命。②

抑郁症带给克尔凯戈尔无尽的折磨,使他性格变得暴躁难控,唯有写作活动可视作对自己最深沉的鞭策,视为安身立命的符咒,助其"忘却生命中讨厌的怒气",他一度将写作带来的这种兴奋之情记录在1846年11月5日的日记之中,甚至因此怀有通过写作救治全民性"痼疾"的愿望。很显然,克尔凯戈尔这种关注"他疗"的意识建立在"自治"功能得到慰藉的基础之上。同样,卡夫卡曾高度认可文学写作对于自己身心健康的有益

---

① 波兰特:《文学与疾病:比较文学研究的几个方面》,方维贵译,见叶舒宪:《文学与治疗》,社会科学文献出版社1999年版,第266—267页。
② 索伦·克尔凯戈尔:《克尔凯戈尔日记选》,晏可佳、姚蓓琴译,上海社会科学院出版社2002年版,第70页。

影响:"不写作我的生命会坏得多,并且是完全不能忍受的,必定以发疯告终"。因此,写作所带来的"甜蜜的美妙的报偿"饱含着卡夫卡"自治"功能实现的深深满足感!

中国作家中,作为医生的鲁迅我们早已耳熟能详,其"弃医从文"的故事也成为文学治疗功能合法性的神话,但他的患者角色似乎总被研究者选择性忽略。虽然鲁迅一直宣称其文学创作题材"多采自病态社会的不幸的人们中,意思是在揭出病苦,引起疗救的注意"①,但是他将文学作为疗治精神痼疾的手段,也仅仅是出于医治麻木的国民精神的现实功利目的。

从患者角度看,鲁迅一生中饱受龋齿、胃扩张、肠弛缓、胸膜炎、哮喘以及肺结核诸种疾病的困扰,也仅度过了短暂的五十六个春秋,疾病困扰带给他的种种心理症结是无法言表的。《狂人日记》等作品清醒地表现出鲁迅更为真实的另一面:"他自始至终对文学的'治疗效果'的近乎绝望的怀疑,以及与此相关的,对文学家所承担的'思想—文化'治疗工作者的角色的深刻怀疑。"②夏济安先生较早注意到了鲁迅天才之中的病态面:

> 仅仅把鲁迅看作一个吹响黎明号角的天使,就会失去中国现代历史上一个极其深刻而带病态的人物。他确实吹响了号角,但他的音乐辛酸而嘲讽,表现着失望和希望,混合着天堂与地狱的音响。③
>
> ……………
>
> 我也可以引出比这里谈到的更多的例证来说明他的天才的病态的一面,使他看起来更象卡夫卡的同代人而不是雨果的同代人,……我认为只去追寻鲁迅情绪的变化是不够的,因为他在某

---

① 鲁迅:《我怎么做起小说来》,见《鲁迅全集·南腔北调集》(第四卷),人民文学出版社2005年版,第526页。
② 转引自石天强:《作为文化隐喻的"无性人":论新时期以来文学治疗功能的衰败》,载《文艺理论与批评》2005年第3期,第61页。
③ 夏济安:《鲁迅作品的黑暗面》,乐黛云译,见乐黛云:《国外鲁迅研究论集(1960—1980)》,北京大学出版社1981年版,第374页。

些才华横溢的文章中不得不痛惜地驱散这些感情和思绪。①

但是,他却忽视了鲁迅所受世纪末思潮的影响。鲁迅在文学创作中看重陀思妥耶夫斯基、波德莱尔、安特莱夫,看重病态诗人王尔德,看重颓废厌世、放纵肉欲的阿尔志跋绥夫,鲁迅感觉"被绝望所包围",何尝不是他对自己"用了精神的苦刑"？高旭东先生认为,世纪末病态的"恶之花"系鲁迅天才中病态面的渊源所在②,似乎还有待商榷。鲁迅这种病态的悲观绝望情绪,根源在于自己身体病痛和精神危机的双重折磨,而世纪末思潮的影响是助推剂,促使他在文学创作"自治"中将医治对象由己及人,直至整个国民。

像克尔凯戈尔、卡夫卡、鲁迅等这样身为患者的作家,选择叙事文学疗愈自己,展开自己与心灵的对话,将自己所受的生理、心理疾病折磨拆解成可感知的字符,在叙述中发泄心中的消极苦闷情绪,升华病态化的情感,让心中压抑已久的本能欲望在"白日梦"中实现。以文学叙事这种最为常见的"自治"方式,在很大程度上发挥了文学的隐喻功能。然而,受情感、时代等主客观局限性制约,我们完全还原作家"自治"过程是不现实的,唯有结合作家自身健康状况,通过其叙事作品中字里行间的情感流露,分析揣摩那种苦闷忧伤、孤独无望情愫的排解与宣泄。更为重要的是,这种"自治"最终有意、无意间转向"他疗"。

(二)文学的"他疗"

德语中,"医学"有一种被称作"治愈艺术"(Heilkunst)的古老表达形式,使得医学与艺术得以通过语言文字联系起来,同时为文学"他疗"功能的合理性阐释找到一条别样的医学证据支撑。理论上讲,文学"他疗"符合伊塞尔的接受理论,创作者在建构作品意义的过程中,作为接受者的读

---

① 夏济安:《鲁迅作品的黑暗面》,乐黛云译,见乐黛云:《国外鲁迅研究论集(1960—1980)》,北京大学出版社1981年版,第381页。
② 高旭东:《鲁迅:在医生与患者之间》,见叶舒宪:《文学与治疗》,社会科学文献出版社1999年版,第167页。

者自己也同样得到建构,接受者通过与创作者的心灵对话,建构起内心丰富、健康的情感世界。

古往今来,文学"他疗"的形式多种多样,诸如圣经故事中弹奏齐特尔琴的大卫,通过自己的演奏为患病的国王扫罗成功驱除心中的郁闷,可谓"乐疗"。汉赋大家枚乘《七发》中的吴客,以"要言妙道"描述音乐、饮食、乘车、游宴、田猎、观涛之乐,循循善诱,最后向楚太子荐引"方术之士",终使太子"涩然汗出,霍然病已",可谓"赋疗";湖北脑瘫诗人余秀华,凭借《穿过大半个中国去睡你》声名鹊起,"睡你和被你睡是差不多的,无非是两具肉体碰撞的力,无非是这力催开的花朵,无非是这花朵虚拟出的春天,让我们误以为生命被重新打开",她的诗引起了部分读者思想的共鸣和消极情绪的释然,可谓"诗疗"。不论文本治疗以何种形式呈现,结果都是治疗对象通过阅读或倾听,在身临其境中产生原来不曾有过的感受和意义,目的在于能够治愈心灵痼疾。

根据日本医学博士春山茂雄的解释,当人们心情愉悦、心态放松时,大脑中会自然分泌一种类似吗啡的荷尔蒙——"脑内吗啡",其中最有效力的物质是β-内啡肽,这种有益荷尔蒙能够有效改善大脑;相反地,当人们怒气横生、激动紧张时,大脑中却分泌出一种剧毒荷尔蒙——去甲肾上腺素。[①]当读者欣赏优秀的文学作品时,人置身于阅读享受之中,此时β-内啡肽通过良性情绪改变身心状态,体内形成药物无法比拟的"制药厂",该场域行驶着人体的自然疗愈权,在利导思维驱使下,达到文学良好的"他疗"效果。

其实,春山茂雄的"脑内革命"理论在清人张潮那里就已然适用,不同之处在于,张氏巧妙地以"处方"形式拉开了文学阅读治疗的序幕。以《四书》《五经》为例,张氏如是描述:

【四书】有四种,曰《大学》,曰《中庸》,曰《论语》,曰《孟子》。

---

① 春山茂雄:《脑内革命:重新认识、开发、利用你的大脑》(第一卷),郑民钦译,中国对外翻译出版公司1997年版,第5—6页。

俱性平,味甘,无毒,服之清心益智,寡嗜欲。久服令人眸面盎背,心宽体胖。

【五经】有五种,曰《易》,曰《诗》,曰《书》,曰《春秋》,曰《礼记》。俱性平,味甘,无毒,服之与四书同功。①

张氏认为《四书》《五经》类"无毒"本草,能够对读者起到"清心益智""心宽体胖"之疗效,同时对《诸史》《诸子》《诸集》《释藏》《道藏》《小说》《传奇》的疗治功效分别加以说解,既肯定其"解烦消郁、释滞宽胸"之特效,又强调其毒性,规劝读者根据具体特点进行选择,对症下药,方得文学"他疗"之要领。可喜的是,张氏的"书本草"论传承至今,并被学者演绎发展为"三境界说":养命之上药——药中之君,即《四书》《五经》《圣经》《古兰经》等传统经典;养性之中药——药中之臣,即《水浒传》《三国演义》等公认名著作品;治病之下药——药中之佐使,即"诗疗馆丛书""心灵鸡汤"等通俗的心理调节治愈书系,以及武侠小说、笑话书等可以快速扭转情绪的书籍等。②

弗洛伊德认为作家有意借助改变和伪装手段减弱"白日梦"的性质,力图通过文学作品中的幻想表达提供给读者"美的享受或乐趣",以此使读者紧张的精神得到舒缓,从而实现"他疗"意图:

> 我们给这样一种乐趣起了个名字叫"刺激品",或者叫"预感快感";向我们提供这种乐趣,是为了有可能得到那种来自更深的精神源泉的更大乐趣。我认为,一个创作家提供给我们的所有美的快感都具有这种"预感快感"的性质,实际上一种虚构的作品给予我们的享受,就是由于我们的精神紧张得到解除。甚至于这种效果有不小的一部分是由于作家使我们能从作品中享受我

---

① 王晫、张潮:《檀几丛书·书本草》,上海古籍出版社1992年版,第459页。
② 王波:《阅读疗法书目》,载《高校图书馆工作》2004年第5期,第20页。

们自己的白日梦,而用不着自我责备或害羞。①

文学治疗深受精神分析影响,而精神分析所凭借的重要手段之一即是"宣泄"(catharsis)。弗洛伊德通过对"移情"(transference)的分析,将布洛伊尔的"宣泄法"进行根本性的革新,认为宣泄并非只借助于倾诉,从而得出了他自己宣称的"解释法"(interpretation method)②,这种解释给一些被"病人心理的腹地"所压抑的思想和冲动带来了光明,迫使他在幻想中体验到原先已经回避过去的某些事物以及能够对他后来逃避和受压抑的行为提供解释的某种东西③,而这正是文学"他疗"功能所要解释和体现的内容。

但我们必须警惕,虽然作家们的创作初衷具有利己利他性,但是在某些"治疗"阶段,读者或因服用"有毒"作品,或因操作不当等诸种可能性,导致情绪紧张、震惊或恐惧而加重病情或引起新的疾病。18世纪德国"维特热"大兴之时,有青年曾盲目模仿维特的方式自杀,这使得歌德不得不在1775年《少年维特之烦恼》再版时,特意添写卷头诗,劝告青年们"做个堂堂男子汉而不步维特的后尘"。④ 这种文学"他疗"所暗藏的安全隐忧问题,是积极倡导文学"阅读疗法"的古今学人所极力提醒并力求避免的。

很多时候,"自治"与"他疗"模糊甚至逾越了彼此的治疗界限,许多作家在自我治疗心理疾病的同时,或有意或无意间引起其他患者的治疗共鸣。另外一些作家本着人本主义精神关怀,刻意进行劝导性叙事写作,意在疗治身患心灵病疾的读者群。然而,治疗的效果却远超自己的预料,反过来深深地疗愈了自己。这种情况与荣格所提倡的分析心理学原理不谋而合:

---

① 弗洛伊德:《创作家与白日梦》,见伍蠡甫、胡经之:《西方文艺理论名著选编》(下卷),北京大学出版社1987年版,第10页。
② C. G. 荣格:《寻求灵魂的现代人》,苏克译,贵州人民出版社1987年版,第45页。
③ 罗伊·莫雷尔:《悲剧愉悦与宣泄疗法》,户晓辉译,见叶舒宪:《文学与治疗》,社会科学文献出版社1999年版,第107页。
④ 朱维之、赵澧:《外国文学史》,南开大学出版社1985年版,第238页。

(分析心理学)第四阶段(即转变阶段)不仅仅要求病人方面的转变,而且还要求医生反过来在自己身上应用他给每一个病人所开列的那一套治疗法。医生在对待自己的时候必须要象在对待他的病人时一样,也表现出同样严厉无情的态度、首尾一贯的精神以及不屈不挠的毅力。把同样集中的注意力用于对自己的分析,这确实不是一项微不足道的成就,因为他得高度聚精会神,集中所有批评性的判断力。①

　　在文学史与心理学史上,"自治"与"他疗"双向治疗命题的原理是完全相通的。美国存在主义心理治疗大师欧文·亚隆(Irvin Yalom)在小说《诊疗椅上的谎言》中,以自己为原型创造了主人公欧内斯特·拉许。治疗师拉许在卡萝·阿斯特丽德的治疗过程中,大胆尝试坦诚疗法,摒弃了传统的旁观者观察疗法,将自己放进医患关系之内,讨论此时此刻在模糊化的医患关系中发生了什么。他将这种坦诚疗法解释为"灵魂(soul)的碰撞"②,而非"脚跟(sole)的碰触"。历经卡萝的种种刁难,拉许最终赢得卡萝信任并将其成功治愈。同时,他逐渐消除对自己治疗方法的怀疑,这种敢于对心理治疗金科玉律即诚实的断言,并勇于时刻做好迎接真相准备的自信,当然也是"自我治疗"的一次成功救赎。

　　美国整体医学会主席西格尔(B. S. Siegel)博士认为,只有无法医治的病人,而没有医治不好的疾病。此说看似过于绝对,实则可以换新的角度思考。在文学治疗的命题下,无论创作者自身,还是作为接受方的"他者",都必须择良药而医,在"自治"与"他疗"的结合中,借助病理,找寻病因,最终达到疗治效果。

三、文学治疗的原生态回归

　　纵观整个人类文化史,我们可以推知,文学得以长存永续、不衰不亡的

---

① C. G. 荣格:《寻求灵魂的现代人》,苏克译,贵州人民出版社1987年版,第58页。
② 欧文·亚隆:《诊疗椅上的谎言》,鲁宓译,机械工业出版社2012年版,第371页。

根本原因在于它始终发挥着无可替代的巨大精神生态作用。人类所具有的精神性和超越性特征,能够将我们带向更高级的文学(艺术)精神家园①,其中最为关键的一步即是还原文学治疗最初的真实语境,让文学回归原生态文化土壤。

叶舒宪教授是文学治疗原生态回归的力倡者,他认为"人作为有机生命物中最复杂精微的一种,如果文学活动对于人的生命—精神的生存生态来说不可或缺,那么承担起包括治病和救灾在内的文化整合与治疗功能,也就是文学活动最初的特质所在"②。基于此,我们不妨试举两例,在原生态田野中真实感受文学关爱人的"人学"本质。

案例一　因伤心害怕而唱"魂歌"的印第安妇女

爱玲,一位四十九岁的北美土著印第安妇女,小学文化水平,有过两次不幸婚姻,且均作寡,现与第三任丈夫结婚逾十年。前后共育有十个孩子。常年患有关节炎,需要服用大量止痛药缓解症状。

一次,她照常服用了止痛药,然而手脚受药性影响而颤抖不止,精神亦出现恍惚,驾车很不稳定。警察疑其酒驾,不分青红皂白,将其关押进拘留所。爱玲在伤心与恐慌中,按照她们土著人的习惯,彻夜唱着"魂歌",以此慰藉自己受惊的灵魂。后来被警察误以为精神错乱送往精神病医院,最后白人精神科医师结合印第安部落文化背景,介绍土著医疗师为她训导,让其与丈夫一起参加原住民舞蹈仪式。③ 丈夫重新回归生活,愿意共同养育孩子,爱玲对丈夫、孩子带来的心理负担得以摆脱,关节炎症状也随之得到好转。

印第安原住民的"魂歌"旋律单调,我们已无法获知其具体文化内涵,但可以肯定的是,"魂歌"是印第安人的原住民族与文化的认同纽带之一,

---

① 武淑莲:《文学治疗作用的理论探讨》,载《宁夏社会科学》2007年第1期,第151页。
② 叶舒宪:《文学人类学教程》,中国社会科学出版社2010年版,第266页。
③ 曾文星:《文化与心理治疗》,北京医科大学出版社2002年版,第114—119页。

它给予爱玲的不是听觉上的享受,而是心灵上的保护和依靠。加之印第安医疗师的建议、原住民舞蹈的参与,爱玲一家开始重新按照印第安原住民的文化与观念生活。"魂歌"、舞蹈仪式等文学艺术表现形式,在原生态土壤中重新发挥起原始治疗功能,还文学以本真面目。

案例二 汶川地震中的国殇民族志

2008年的"5·12"大地震至今仍如梦魇萦绕在国人心头,是始终挥之不去的痛,此次地震给灾区人民造成了巨大的人员伤亡和财产损失,但是比这些更为严重的却是持续不断的精神和心灵创伤,尤其是中小学生群体。未成年人的心理尚未完全发育成熟,自我调适与释放压力能力明显不足。基于此,一大批掌握心理学和文学治疗专业知识的师生深入地震灾区,积极引入心理危机干预和介入方法,成功缓解并消除了灾民们的心理压力。在灾后救援工作中,师生们充分发挥心理辅导和文学治疗的功能,有效恢复灾区百姓内在精神生态系统平衡,他们的调研、辅导、治疗等救援行动深深谱写着灾难中不屈的国殇民族志。

汶川地震中,幼儿园废墟里的小女孩任思雨,面对险境反倒唱起儿歌,"两只老虎跑得快……",安慰着焦急的救援队员们,一句"我唱歌就不会觉得痛"将文学原生态的治疗功能展现得淋漓尽致。任思雨所唱歌词与哈萨克族祛病的阿尔包歌词[①]发挥了相同的治疗功效,缓解身体疼痛的同时,给予自己心理慰藉和希望,这些含有某种特定灵性的唱词将患者带到具有神秘力量的神圣治疗场域,并积极发挥了文学最初的治疗力量。

早在1999年台湾"9·21"百年罕见的地震中,台湾官方机构就在制订的《灾后心灵重建工作计划书》中明确指出,"借由阅读、文学及各类艺术活动的规划及推广,深入民众生活,俾为民众疗伤止痛,早日迎向光明人

[①] 叶舒宪:《文学治疗的民族志:文学功能的现代遮蔽与后现代苏醒》,载《百色学院学报》2008年第5期,第31页。

生",文学治疗成为灾后民众心灵重建工作的两大方向之一。① 如今,大陆地区正积极借鉴台湾的文学治疗经验并使之深入人心,在地震、滑坡、泥石流、洪水、火灾、车祸等重大自然灾难、人为事故中,运用日渐成熟的心理救援与重建方法,促使文学治疗原生态的回归。

自大传统中举行巫术治疗仪式的巫医,到小传统中施展"自治"与"他疗"医术的不挂牌医师——作家,他们在文学治疗功能发挥中,充当了类似"诗神"的角色,像"这块磁石(指赫拉克勒斯石),她首先给人灵感,得到这灵感的人们又把它传递给旁人,让旁人接上他们,悬成一条锁链"②,期望这种特殊治疗方法代代有序传承。在后现代文化寻根之旅中,人们开始积极找寻治愈文明病的药方,尝试采用文学、音乐、舞蹈、冥想、茶道、郊游等方式,恢复被现代社会剥夺的神圣治疗场。

作为文化医生的文学研究者们基于文化整合的治疗意义,强调文学治疗应该回归原生态传统,这既是对较为单调的宣泄疗法的有效补充,又是对文学治疗理论体系的有益建构。这就提醒我们必须尽快建立文学治疗民族志,重新体认其精神医学原理,进而重新认知理解"文学即人学"的学理实质以及其根本上所蕴含的精微生态原理,期待这种被遮蔽、被"失忆"的文学乱象实现自觉整治,从而实现人类精神的自我救赎。

---

① 曾宏伟:《文学治疗与地震灾区学生心理重建》,载《教育评论》2009年第3期,第64页。
② 柏拉图:《伊安篇:论诗的灵感》,见伍蠡甫、胡经之:《西方文艺理论名著选编》(上卷),北京大学出版社1985年版,第6—7页。

故事语言：一种神圣的治疗空间

麦地娜·萨丽芭/著；叶舒宪、黄　悦/译

　　从古老的部落社会到印度的史诗时代，再到今天的精神治疗学，故事讲述行为本身蕴含着对听者身心的巨大治疗能量。以印度史诗为题材的印度尼西亚民间皮影戏，就通过象征叙事来调动故事的神秘力量，实现对观众的精神净化与再整合。作者以精神医师的临床经历告诉人们：发掘文学叙事的这种治疗功能，能给当今社会中的心理创伤患者带来康复和愉悦。

　　据说，不论在什么时候，只要开始讲故事，夜幕就会降临。带着特定的意图，用特定的方式讲述某种特定的故事，可以召唤出那繁星点缀的夜空，还会有皎洁的月亮从黄昏或从天边升起，悬挂在听故事的人们的头顶上方。在故事的结尾，整个房间或者场地会充满黎明的曙光。也许会留下一个星星的碎片或者一线微弱的天光，用来显示一些了不起的事物或者了不起的人曾经来过，并与我们共度时光。不管所留下的是什么，都是给我们用来修补或创造自己的生活的。

　　　　　　　　　　　——克拉丽莎·品克拉·爱特斯《想象的剧场》

古老的文明都了解词语(故事)和歌谣(节奏)的价值,并在自己的仪式中反复运用。古人不惜花费时间来创造一个专门的特殊地点,在那个具有圣性的地方,通过一种象征性的语言来讲述传授生命的神秘。在全世界,有诸多的"古老方式",为故事的神秘力量提供了例证。澳大利亚土著居民长久以来保留了那些歌谣和诗歌,其中表现了他们的个人和那些与他们有着神话联系的动物——图腾。他们的世界之所以能够幸存下来,就是依靠那些围着火堆所讲的故事、所跳的舞蹈以及在岩石上做的画。美洲土著人也同样以舞蹈、岩画、沙雕以及围在火边和在月光下的小屋中讲故事来表达对宗教的虔诚。

纳伐鹤人的传统中记载最多的是关于草原狼的传说。路易斯·海德说:"在最简单的层面上,这些故事是有趣的,它们可以引人发笑;它们穿越了时间。"除此之外,这些故事还可以告诉人们应该如何行为举止。但是,海德进一步引用了民俗学家巴利·托肯的观点,巴利·托肯曾经在纳伐鹤人中间生活了许多年,他认为这些故事还有更重要的目的。纳伐鹤人的草原狼故事被用于治疗仪式。在无序和混乱给人带来痛苦之时,这些故事是用于重新组织和整合事物的一种药物。"事实上,如果没有这种道德的或者医治的目的来讲述这些故事,那对他们和他们的整个群落都会是一种冒犯之举"。[1]

我们自己的文化也提供了相同的例证。在印尼,皮影戏提供了一种精神性的、学习性的和治疗性的空间。在岛上的各个村子里,当地人,无论年轻还是年长,在某个约定的夜晚聚集在村中央的广场上,在那里焚香,演奏加麦兰乐器,在树之间挂起大块的白布,并用一个挂在树枝上的灯笼来提供照出皮影所需的光线。印尼人与美洲土著人和其他原住居民一样,为他们的皮影仪式创造出一个特定的、专门的神圣区域。

皮影故事的精髓来自于印度两大史诗《摩诃婆罗多》与《罗摩衍那》。[2]

---

[1] Lewis Hyde, *Trickster Makes This World: Mischief, Myth, and Art* (New York: Farrar, Straus, and Giroux,1998), p. 12.

[2] 印度两大史诗先后传入印度尼西亚,对当地文学艺术产生了重要影响。

如同一位爪哇教师给人类学家克里夫德·吉尔兹(Clifford Geertz)讲述的那样,这些故事的目的是"描绘出内在的思想和感觉的图景,从而给内在的感觉提供出外在的形式。更具体地说,他们描绘了一个人内心中想做的和他觉得自己应该去做的之间的冲突……所有这些愿望和意向每天都在发出威胁:它们毁灭个人,摧毁其思想,扰乱其行为"[①]。

在夜晚、加麦兰的节奏和叙述者的语调共同营造的神秘氛围之中,儿童们学到了,成年人也回忆起了生活的训诫。这些人都理解故事中的象征符号。人们都全神贯注于故事的语言中去,参与者可以问问题,并从中探寻他们生活的意义。正如心理学家和受人爱戴的医生克拉丽莎·品克拉·爱特斯(Clarissa Pinkola Estes)所说,这种时候正是"留下一个星星的碎片或者一线微弱的天光来显示一些了不起的事物或者了不起的人曾经来过,并与我们共度时光"。

在这种氛围中,在这种神秘的特殊空间之内所讲述的故事是具有治疗作用的。不是那种有针对性的治疗法意义上的治疗——这种针对性疗法先暗示某种疾病,然后再找出一个部位进行治疗:也就是所谓头疼医头,脚疼医脚——而是用那种将我们自身看成一个整体的方式。这些有治疗作用的故事告诉我们生命应该以一种协调的舞蹈方式运转,自我控制、牺牲和智慧之间的平衡都是用来强化我们的精神的,从而也就强化了我们的身与心。

当地人参加皮影戏时,都有着开放的心态和扩大对自身的理解的目的。故事中的事件被看作他们生活的一部分,而不是与他们分离的或者是发生在别人身上的。我们每个人的身上都存在善和恶的潜能,因此每个角色体现了一个完整的人的某一部分。皮影戏的故事戏剧性地表现了这些部分,用形象来提醒人们:他们会在哪里误入歧途,能在哪里找到力量。

比如,拿怖军(Bima)的故事来说,他是《摩诃婆罗多》中的一个人物(般度五子中的老二,以超常的体力和勇武而著称——译者注)。有人告

[①] Cliford Geertz, *The Religion of Java* (Chicago: University of Chicago Press,1960), pp. 27-71.

诉怖军,如果他能得到一种特殊的水并在里面沐浴,他就会变得刀枪不入,并能够在布拉迪斯拉发战役中战胜 Sujudana。因为怖军不知道哪里可以找到这种水,他就去找一个古鲁(印度教的宗教首领)寻求建议。这位古鲁接受了邪恶势力的贿赂,答应帮助他们将怖军置于死地。他告诉怖军这种水在一座非常高的山的山顶,但是他知道有两个非常强壮的巨人在那里冥想修行,如果怖军打扰了他们,他们一定会被激怒。

怖军去了,那两个巨人果然被激怒了并同他打斗起来。怖军已经快要被打败了,但他最终想方设法将两个巨人的头撞到一起,他们出人意料地变成了神。有时候神也会做坏事,这两个神做了错事所以被变成了巨人,现在怖军把他们两个从这种状态变了回来。出于感激,他们告诉怖军他被欺骗了。

怖军愤怒地回来找那个古鲁。古鲁辩解说自己让怖军去只是想检验一下他的勇气和力量,然后他告诉怖军去海的中央寻找那种水就能得到。他希望怖军会被淹死在那里。

尽管怖军的哥哥坚战(Judistira)和他的弟弟阿周那(Ardjuna)都说他又被欺骗了,恳求他不要去,但诚实的怖军还是执意前往海洋。但是当他到达海洋,他发现他必须与海怪战斗。他又一次赢得了战斗,当他正要动身进到水中去时,他发现了与他长得一模一样的一个神,只是这个神只有他的一个小拇指大。怖军告诉这个小神他的要求,这个小神说:"进到我里面来。"怖军照他说的做了,这个身材魁梧的巨人就通过嘴而进到了小人体内。在里面,怖军发现整个世界都包括在这个小神的身体里。当他再次出来的时候,这个小神告诉他其实没有什么神水,他的力量就在自身内部:"如果世界上到处都有神,那么他也一定在你体内,你必须窥视自己,看到其中的世界,然后你就能得到你要找的力量了。"于是,怖军就离开这里去沉思了。

皮影戏结束后,观众们会点头并陷入思考。他们学会了认识像古鲁这样利用他的知识作恶的人,他们也被提醒不要变成古鲁这样的人。他们讨论诚实对怖军起了什么样的作用,对他们自己会起什么样的作用。小神的象征意义呈现了内在的自我,这也是他们要讨论的。他们的讨论开启了在怖军的故事所提供的教训和他们自己的生活之间的一系列积极和消极的"反馈环"。这些反馈环具有确证和纠正的作用,正好用来启发和强化他们自己,并治疗他们在皮影戏中所目睹的各种弊病。

这些人从古代的故事中寻求保护和警示。他们相信疾病是人对于自身及怎样与家庭和社会相互作用的问题没有思考清楚的一种反应。皮影戏中的故事强化了他们的这种观点,进而使人们检视他们的生活并让人们看到他们应该怎样改变自己的单一的观念模式。他们告诉人们应该忠诚,因为所有的答案都来自内心。这种空间、故事和故事之后的讨论都是一个完整过程中的要素。在这个过程之中人们承担起自己的责任,不断做出改变和判断,同时使这种改变成为现实。

过去,在诸如上面所描述的这种群体中,故事是由老一辈的人、讲故事的人或家庭成员世世代代相传下来的。这种传统故事的许多线索已经失传,与此同时,听故事、理解和学习的能力也渐渐消失。生活在我们今天"分化了的"社会中,已经使我们不能从故事中和生活中去看到"我们自己"了。但是我们能够通过讲述我们自己的故事来理解"我们自己",通过听我们的模式(pattern),来看清这种积极或消极的模式如何使我们陷入麻烦,从而获得治疗。

这种模式是不能度量或者估量的。但是可以通过写作和阅读、再阅读和再写作,以及分享表现个人受折磨的疾病和痛苦的过程的故事来定位(mapping)。在这种定位的过程中,也会发现我们自己的"反馈环",这种发现提供了改变的可能性——为打破消极的模式并将某人自身引向平衡提供了条件。建立这种定位需要一定的时间,并且必须在像皮影戏那种充满信任和敬意的环境里才能实现。

整个群体,包括讲述者和听讲者双方,一开始都抱着治疗的目的。他们在一种使双方都感到舒适的环境里开始进行。随着故事逐渐展开,听讲者将它写下来。讲故事者在一种内心敞开的状态下徐徐道来而不是探寻或分析。渐渐地,生活中的酸甜苦辣喷涌而出。环境、地点、家庭、朋友、工作都进入了故事并带有他们自己的感情色彩。听讲者也成了故事的一部分,有感情、有反应并提出问题。写下来的故事是一张词语的地图,只有在随后再次阅读的过程中才能够被理解。这种阅读出现在暴露了固有模式的生活之后。

这种过程有别于心理疗法。因为心理治疗过程中尽管也会讲述那些痛苦的回忆,但治疗者是独立的,回忆中没有故事语言,回忆起来的事情没有书面记载,没有可重读的时间、环境,也没有注意他们之间的关系,也没有可以触发更多的记忆的隐喻。

故事语言将一个人置于一个更大的画面的语境之中:伤痛和疗救之间,永存的痛苦和超脱苦难之间的相互作用。故事语言中同时存在的距离感和贴近感使讲故事者最初产生不适甚至一种近乎混乱的感觉。但从混乱中形成一种洞察力,一种做出不同的选择的机会;形成一种新的模式,它能够转化为一个反馈环,即能够将行为、信仰、行动或生命的模式从消极状态转向积极状态。

我在最近的一次护理研究中采用了一种试验的治疗方法。我的一个病人 H 太太,患有风湿性关节炎。风湿性关节炎是一种很难治的病。这种病的病因尚不清楚,治疗也同样没有明确的方法。这种病被认为是以关节发炎为典型症状的系统免疫疾病。最近的发现表明,免疫疗法与心理活动有关,这项发现引发了对风湿性关节炎的心理病源学研究的热潮。①

大概在我对 H 太太施行试验疗法的同时,一个医生小组也在对 112 名哮喘病患者和风湿病患者进行同样的试验。1999 年 4 月 14 日出版的一期美国医学联合会杂志上,发表了关于他们让这 112 名患者写出他们的生活压力的效果的文章。他们发现这些患有或轻或重的哮喘和风湿性关节炎的患者中,那些写出了他们的生活压力的人同控制组的患者相比,在健康状况方面临床表现上发生了显著变化。这种结果 4 个月之后就表现了出来。在这期间,这些患者只是每周写 3 次,每次写 20 分钟。

这个医学小组的实验中让我感到悲哀的是,这 112 名患者就是坐在实验室里的私人空间中来写作他们不堪重负的生活经历的。写作时间(20

---

① Cliford Geertz, *The Religion of Java* (Chicago: University of Chicago Press, 1960), pp. 273-274.

分钟)结束之后,所有写好的文章(为了保密起见,都是匿名的)都被投进一个密封的箱子之中。悲剧性的是,没有任何一个参与者同这个实验的工作人员或其他参与者讨论过他们所写的东西。将一个人从像皮影戏之后的对话交流那样的团体性的治疗中剥离出来,这样做只能是强化了我们的个人主义的或"碎裂的"的社会观与其所使用的药物之间的隔绝。

我自己的研究,虽然与上述试验相同都旨在探索写作与治疗的关系,但不一样的是,我不仅重视故事的讲述,而且更加强调对故事的分享和重温。这种多重的努力取得了某种令人惊奇的效果。我的病人,H太太,多年来一直经历着这样的痛苦。她一边服用针对治疗的药物,一边不断寻找各种治疗方法,比如印度草药、螯合作用、顺势疗法等。尽管每种方法都在一段时间内减轻了她的痛苦,但这种病痛就如同她的无助和绝望一样,一直没有消失。她的针对性疗法的医生从没有打算停止给她开大剂量的甲氨蝶呤,这是一种高毒性的抗肿瘤药物。

在十五个月之中,即从1997年3月到1998年6月,我和H太太,每个礼拜会见两到三个小时。我们在她家见面,在她明亮通风的客厅里我们都感到非常舒适。我们放着轻柔的(一般是肖邦的)音乐,H太太很喜欢钢琴曲。我希望能创造出一个在身体上和精神上都有助于治疗过程的空间。由于在她家会见,H太太很放松,我也有机会看到、接触到、感觉到她生活的各个方面。治疗空间可以有多种环境,不仅仅限于在头顶悬挂着明亮的月亮的户外,也不仅仅是围坐在篝火旁听年老的人讲故事。治疗空间是创设出来的,最重要的因素是一切都是为了爱。

我们就这样开始了。

当我们的治疗开始的时候,H太太还在接受一位风湿病专家持续了两年的治疗,她当时还深陷于对刚刚死去的丈夫的哀悼之中。为她提供顺势治疗的医生告诉我,她已经治疗了H太太深层的疾病,现在最表面的疾病就是H太太想要倾吐她保守了差不多五十年的秘密。

很难找到开始一个故事的切入点。开头往往并不是开始,结尾也不是结束。H太太不知道从何说起,我也不知道该问些什么。所以我们就沉默地坐着。我看着H太太的脸,她的头发是一种自然的黑色,在她的肩头呈现出微微的波浪,衬托着一张苍白的、象牙色的脸。她的嘴唇,涂成了深红色,开阔但仍没有感情色彩地笑着。她的淡褐色的眼睛蒙着一层蓝色的阴影,虽然暗淡,但却有一种引力,似乎要将我拖入某种深藏的感情之湖中。她尽管坐在舒适的软床上,但身体还是保持着僵硬的挺直的坐姿,她的手规规矩矩地叠放在膝盖上。她的周围似乎笼罩着一种浓重的雾气一样的东西。

我拉过她的手,她变形了的指头又红又肿,微微地蜷曲着,似乎害怕我的触摸。

我问她:"像这样有多久了?"

"这个吗?"她从我的手中收回自己的手并举起来。"这是从1985年开始的,但是……"她停顿了一下,似乎在思考什么,在心中权衡着什么。她先是盯着自己的手,然后又凝视着面前似乎虚构出来的什么东西。"实际上,开始的要早得多,1959年……"

H太太的故事并没有向我预想的那样展开,我原以为她会从开始即她的出生讲起。她的故事以一种非线性的方式展开。刚开始,1959年在荷兰,她刚刚生了她的第二个孩子不久,她的整个身体受到病痛的侵袭。医生告诉她,这是由喉咙发炎所引发的并发症。她接受了六个礼拜的治疗后出院了,但她从来没有感觉完全康复。从这里,她一下子跳到了1985年,在南加利福尼亚,她的拇趾的手术,怀孕的女儿,脾气暴躁的丈夫,成为那段时间的标志,就是这些引发了关节炎的最初的征兆。

H太太说:"我害怕极了,但我知道我什么也做不了,除了吃那些作用迟缓的药物。"

然后,想了一会儿之后,她又将我引向了战后的印尼。她和丈夫、她的婆婆,还有两岁的女儿与一个印尼家庭共同生活。这也是无奈之举,因为在当时房子很难找,政府控制了房屋管理部门的一切事务。

H太太说话的时候,双肩很紧绷,她说:"我永远都不想再回到印度尼西亚去,那里到处都是奇怪的东西,伏都教(Voodoo)、魔法石和夜里飞来飞去的金匕首。"

我像一个孩子一样身子前倾着,急于想听到她的故事。

H太太说:"有一天,我的婆婆病了,她有多种腹腔疾病。我们把她送到医生那里去,但医生也帮不了她。于是我丈夫就找来了一个巫师(dunkun)。这个人把我吓坏了,他的眼睛又大又圆,飞快地痉挛似的将我们的屋子来回扫视了个遍。他的动作就像巴厘岛上寻找凶灵的跳舞者一样。他迈着缓慢的夸张的步子在我们的木地板上无声地走来走去,从一个角落到另一个,一边看,一边嗅,似乎在等待着某种我所不知道的事物。

"他告诉我们说有人试图用伏都教加害于我们。他把我婆婆平放在地板上。他在一枚新鲜鸡蛋上面画上一些奇怪的字迹,这枚鸡蛋是我丈夫早上刚从市场上买回来的。写完之后,他将这枚鸡蛋放在我婆婆的胃上。他只放在那里几分钟,但似乎是永远那么久。当他把鸡蛋打开的时候,那里面充满了黑色的粉末和生锈的钉子,我被吓坏了。"

我被吸引住了,当H太太继续谈到墓地和幽灵时,我就疯狂地记录了下来。

H太太继续说道:"因为我丈夫不希望再有人用伏都教加害于我们,他就决定学习做一名巫师。为了证明自己,他带着食物作为贡品,并将贡品装在一个棉布袋子里,到古代印尼国王的墓地去。他必须在夜晚的黑暗之中把这些贡品放在坟墓之上。他必须不借助任何亮光找到坟墓,任何多余的亮光甚至连香烟的火光都不能有。如果他受到攻击的话,他不能还手。他要在神灵面前表现自己的卑微和对这个地方的尊敬;他不能在这片范围之内杀任何爬行的虫子、青蛙或者蛇;不能吸烟、吐痰或者小便。

"我求他不要去,他不听,于是我劝他不要单独去。最后他带了一位朋友一起去,他是一个荷兰人,不相信这些巫术。

"那天晚上我没有睡着。

"等我丈夫回来的时候,他所带来的故事并不能减轻我的恐惧。那天晚上很黑,而且一直在下雨。墓地里鬼气阴森,好像有一千只眼睛在看着。我丈夫的朋友没有遵守规矩,他吸了一支烟。这支烟在他的面前被吹灭了。他躲到了大树后面。早上的时候,他的袋子里是空的。而我丈夫的袋子里有一个金短剑和一些石头——绿的,蓝的,黄的,紫的,我们的巫师朋友告诉我们,这是魔法石。

"我不想要那些石头或者短剑,它们使我害怕。我想远离这些渎神的事情,但我丈夫决定要继续他的训练,他认定自己受到了挑战,他根本不顾我的恳求。"

在接下来的几个月里,H太太的故事不断向前向后跳跃。从她在加利福尼亚医疗的噩梦,到她童年时代在印尼的噩梦。我很惊奇,当她讲述她的故事的时候,她的面部表情和姿势从不改变,而且,尽管她在诉说悲伤,却很少流泪。

她告诉我她是孤儿,并讲到她如何与一位婶婶共同生活,这位婶婶对待她的方式在我们西方文化中是难以想象的。

H太太继续说道:"我睡在车库里一个发霉的帆布小床上,但我并不在乎。最难的是上学之前还要去市场上买东西。7点上学,所以我必须早上最迟5点就离开家。我的婶婶让我骑一辆自行车去市场。那辆自行车破得可怜,它的轮子没有气而且不圆,但还是能让我在路上快一些。

去市场买东西是件很脏的事,那里通常又拥挤又泥泞。而且我的婶婶又要买那么多吃的——蔬菜、土豆、鸡肉、青蛙。自行车可以帮我搬这些沉重的、气味难闻的东西,但并不能减少它们的肮脏。被宰杀的鸡的血渗出来滴到我的脚上。我学会了不穿鞋,任由那种讨厌的液体滴到我的脚上并在我的脚趾间凝固。在去学校之前,我会洗掉脚上凝固了的泥和血,然后飞快地穿上我那双唯一的鞋。

"放学之后,我还有其他家务活要干:打扫房子、洗地板、跑腿。我都是半夜在油灯下写自己的家庭作业。我能怎么样呢?我别无选择。"

在讲她的病史的间隙,H太太穿插着她在印尼的故事。她诉说了日甚一日的痛苦的治疗过程、昂贵的注射、身体的衰弱,还有逼向她的无助的感觉:"曾有一度我非常迷茫,充满挫败感,我不知道该拿自己怎么办。晚上失眠折磨着我。我开始变得消瘦、消沉,我的牙龈出血。我去看口腔科医生,他建议我停止服用甲氨蝶呤,但我的风湿病医生说'绝对不行'。我很害怕,害怕服用甲氨蝶呤,又害怕不服用会很痛苦。"

然后,H太太用同样没有感情色彩的语调和表情继续讲述她在印尼时的故事。她快速地转换场景,就好像叙述的是不同的人一样。她讲到了集中营——日本人的集中营。在集中营中她和她的姐妹兄弟都是孤单的,直到有一个妇女可怜她,才把她从这样的生活中解救了出来。然而其他的人都因此而变得病弱。

H 太太说:"你根本不能想象集中营是什么样的。人们为了吃饭排队的先后而打架,为了洗澡的地方和时间而打架。幸好厕所在营地的另一边,但那就意味着要走很远的路。远得难以想象,因此越来越多的人都病了。我记得我必须在黑暗中赤脚经过苍蝇纷飞气味难闻的地方,我当时只有七岁。我想要爸爸,想要妈妈。"

H 太太讲述她的故事的时候,我的眼泪都涌了出来。但她还是没有什么感情的样子。虽然如此,我还是发现她的嘴和眼睛周围柔和了一些,那种沉重的气氛似乎好多了,而且笼罩着她的黑暗也似乎消失了。

我们就这样一周接一周地谈着,几个月过去了。我们之间建立起了一种关系。H 太太期待着我的来访,她很信任我。她讲述自己的故事感觉很好。有一天她给我讲到她的父亲是怎样被日本人抓走的:"当日本人 1942 年早期侵略我们的城市时,他们组织了经常的巡逻来找出那些哪怕是稍微和当地人长得不一样的人。荷兰人、澳大利亚人和印尼混血儿都被抓到集中营去。我们家极其小心地避免被日本人看到,但有一天他们出人意料地抓到了我们。一群日本兵踢开了我家的前门,我父亲试图保护我们,但他们的人太多了。"H 太太小声地说着,"日本兵打他,用枪托砸他,把他打倒在地然后踢他。他们叫嚷着把他抓走了。我紧紧地依附着我的姐姐。我们静静地站着,不敢出气,不敢动,害怕极了。从那以后,我们再也没有见过我们的父亲。"

我因为头脑中所浮现的残忍景象而感到下巴都很紧张。我想安慰一下 H 太太,但还是沉默地坐着没动。她的眼睛看上去还是出神的状态。她吞咽了几次,张嘴说话。最终,她艰难地呼吸着,讲述一个后来成为军人的印尼男孩怎样强奸了她:"他把我推到一个房间里,关上了门,把我打倒在地。他的手,紧紧地捂着我的嘴,我不能叫喊,不能呼吸。我被吓坏了。一切都变成黑的了,空气凝重。疼痛,那么疼痛,一次又一次。"

H 太太捂上了脸,我以为她会涕泗滂沱,但她竟然一滴眼泪也没有掉。

我用胳膊搂着她,对她说:"哭一哭好了。"但她还是不愿意,也许是不能够哭出来。她收回自己的眼泪,用里内克丝面巾纸拍着自己的眼睛并不断地将面巾纸塞进她的袖子里去。她一镇静下来,就又看着我,讲完了她的故事。"我妈妈在战前就去世了,我所能记起来关于她的就是肖邦的美妙的钢琴曲。我妈妈是一个音乐家。"

我深深地、长长地出了几口气。我看到了H太太所描绘的一切。我在自身之中感受到了她的故事,那种恐惧、孤独、那种被紧紧拥抱的需要。我做大量的笔记,尽管这些场景是杂乱的,我开始从中找到了一种模式。那就是一个别无选择的孩子,一个在生活中时刻充满了绝望和无助的孩子的模式。

我把H太太看作奥斯卡·王尔德的《道林·格雷的画像》中的格雷。她的脸就像格雷一样,平静而甜美,没有一点皱纹和痛苦或愤怒的痕迹。这不仅使她的心灵变得扭曲,就如同道林·格雷一样,更使得她的疾病隐藏了过去所有的愤怒、恐惧、痛苦和可怕得不堪回首的往事。

但是,不同于道林·格雷在面对自己的灵魂时肉体就枯萎死亡,H太太在讲述了她的故事之后,尽管是不动感情的讲述,但还是出现了神奇的转变。她进入了往事的一种混沌状态之中。在这种状态之中,她发现了一种分歧,即在自己生活道路上的岔路。她在这种经常笼罩的混沌状态之中开始发现自己生活中曾经碰到过众多的歧路,而且尽管她发现自己是一个幸存者,她还是不再继续自己以前的感觉模式。她从没有意识到自己还有选择。现在她走上了一条不同的道路,这条路将她从自己以前的模式中引开。

随着数月来的不断进步,H太太的生活故事变成了书面上的"英雄旅程"。她开始控制自己的生活。她现在参加晚上的圣经研究课,尽管以前晚上她非常害怕黑暗;她在暴雨中都照常出门,尽管从前这样的天气总是会加重她的关节炎;她要求她的医生并控制自己摆脱针对性疗法的药物。

在这种讲述故事的定期会见结束时,我把手稿的草稿交给H太太阅读,这下打开了闸门。这种客观化的表述改变了她与她所表述事件的关系。作为文学作品,这些故事——她的故事——将她引入一种感情的参与之中。治疗变成了一种外部的影响,来自于阅读的过程中而不是治疗的真实事件之中。她不再关注自己,而开始关注别人的生活。在那样的生活之中,H太太可以自由感受那些她在自己的生活中完全经历不到的东西。这种感情一旦现实化,就不可逆转。这就成为一个新故事、一种新模式的开始,当她再返回到自己的日常生活中时,这些新的故事和模式都随之而来。

当阅读用故事语言表述的她自己的生活时,H太太在一个更广阔的背景里来看待自己的生活。泪水一次次涌出来,H太太痛哭了一次又一次,常常不能自已。她为故事中的小女孩痛哭,这个小女孩失去了父母和兄弟姐妹,经受了集中营的折磨、强奸和自家人的奴役。这么多磨难打击之下的她,还只是一个孩子。作为孩子,她感受到自己的生活是那么的屈辱、那样的充满了凶险、那样的与幸福无缘。从一个成年人的观点看,她才能开始将自己的伤疤看成一种勇气的外衣。她新发现的力量给了她信心,她可以愤怒,可以宽恕,也可以开始新的无所畏惧的生活。

这部手稿也在她的女儿和儿子们中间依次传阅。他们也痛哭流涕,因为他们从来就没有这样了解过自己的母亲。谜团终于解开了,他们终于知道他们的母亲是什么人,她以往那样做是为什么,她为什么用那种方式养育他们。用故事的形式阅读母亲的生活改变了他们以往同母亲相处的方式。两个成年的孩子不再认为H太太有病,开始向她提供建议和帮助。H太太这种自尊自信的新感觉也吸引了许多朋友和亲戚,她一度孤独的生活又充满了活力。

讲故事不能使她变形的手和脚恢复正常。但是,由于某种神奇的巧合,她手上的一些关节炎的症状消失了。她的指头变得温暖,也不那么红了,她脚上的静脉也不再很粗很突出了。她也已经成功摆脱了所有的风湿病的药物,身体更加轻松更有活力。她也能更开明地理解她的孩子们了。

病痛么?当然,当她在花园里劳动得过于劳累,走路太多,提了太重的行李,有时她仍然会被病痛所困扰。她和我们一样,时好时坏,但她不再做噩梦了。噩梦都被记录在故事中了,被锁定在她的书——那些记述了她保守着自己的秘密的岁月的书中了。

这一年并不是只对H太太具有改变作用。在我们所创造的那个以爱、帮助和治疗为目的的环境之中,那种能量的流动是双向的。我也获得了对于人生、模式和我们与自身故事的不可分割性的更为深刻的认识。

古老的文明懂得故事背后所蕴含的巨大力量。美洲土著人的"圣环",印尼人的皮影戏,还有其他的传统形式,都足以使我们获得对那种伟大转变的清醒意识,那是一种根本性的和神圣的过程!它们连接起过去、现在和未来。理解的转变和庆祝这种转变是治疗过程中最重要的因素,这种治疗可以在对故事的讲述、阅读、再讲述、再阅读过程中实现。人类学家琼·哈利法克斯研究了众多的部落群体,发现"故事和神话是一种连接物,它们连接起了文化与自然、自我与他人、生者与死者,由此在他们的讲述之中将整个世界连为一体"①。正如《摩诃婆罗多》中的怖军可以进入那位小神身体里去看包含在其中的整个世界,我们也可以看到我们故事中的世界。

本文译自《文学与医疗》杂志,19卷1期,2000年。美国约翰·霍普金斯大学出版社。

(*Literature and Medicine*, vol. 19, no. 1, 2000, pp. 38-50. The John Hopkins University Press.)

[作者简介]麦地娜·萨丽芭,出生于印度尼西亚,1955年移民美国。她1971年毕业于圣佛那多谷护理学校,之后从事特别护理直到辞职。1994—1998年她是《圣芭芭拉评论》的助理编辑,这是一份文学艺术期刊。1997年12月,她出版了自己的第一本书《皮影戏》,回忆了她妈妈在二战期间在印度尼西亚的生活。1998年她关于用诗歌和散文进行整体治疗的护理论文获得肯定。她现在是"种子与桥梁——整体护理教育中心"的教师。她的书《石头的秘密》《风湿性关节炎的旅程》于2000年出版。她正在写作《美国蜡染》,这是一本由诗歌和短故事组成的自传,讲述她的移民生活。

---

① Joan Halifax, *The Fruitful Darkness: Reconnecting with the Body of the Earth* (San Francisco: Harper San Francisco, 1993), p.104.

民间文学的文化生态
——人类学的研究

李亦园

一、前言

早期的人类学校着重于原始民族或简单文化的研究,并对无文字记录的口语传统文化积累长久的研究经验。但是自从第二次世界大战以后,人类学家也开始转向于研究复杂文化的民族,尤其是着重于复杂文化中"小传统"(little tradition)的研究。所谓"小传统"的文化,也就是指一般所说的民间文化(参看李亦园,1993:7—17),因此当代人类学的研究中很重要的一个领域就是民间文化的研究,其中尤以民间文学更是不少人类学家终生从事研究的项目。

其实,在美国式的人类学研究领域中,很早就把"民族学"(folklore)包括于其中(Finnegan,1992:11—13),而民俗学的范畴虽也包括许多风俗习惯与民俗文物的研究,但是无论如何,民俗学研究的核心仍然是传说、神话、谚语、歌谣等"民族文学"(folk literature)的素材。而所谓民俗文学,其实也就是民间文学,其间也许只是字义上运用的差别而已。

不过,人类学的民间文学或民族文学研究却也有其独特的方向,与文学家的研究有其不同之处。一般说来,文学研究者研究民间文学较着重于其文学的、艺术的、美学的意义,而人类学家研究民俗文学则较着重于其文化意义的探讨,这是两大领域之间最大的歧异之处。但是,两个不同领域之间却也有其相通的地方,首先是民间文学的研究不论是人类学为出发或文学的立场大致都有比较的观点,人类学的研究一向都是持比较不同文化的立场,所以其比较的观点是很明显而浓厚的。文学的研究不一定都有比较的倾向,但是民间文学的研究因为要克服主流文学的优势力量,所以倾向于不同文学形式的拓展与发现,也就经常有了比较研究的趋势。可是,人类学研究与文学研究在民间文学的领域中,其最主要的相通之处,则是在田野资料的搜集上,因为在很多时候都是要靠实地田野工作才能采集到民间文学第一手的材料。人类学家的看家本领本来就是从事长期的田野工作,在这样的长期田野调查中无论是民间文学、民俗习惯以及其他文化素材,都会一并很仔细地采集记录下来,以供作全面性民族志资料之用。而从事民间文学资料采集的文学研究者,也同样要"下乡"去实地工作,在时间上也许没有人类学家那样长久,而实地访问采集的意义则并无不同。

实地田野调查、访问与采集,主要是为了得到第一手资料,但是更重要的是采集的过程。过程是一个动态的现象,作者、听者、读者、接受者都可以与采集者有互动的现象出现,这一互动的过程正是当代人类学田野研究的关键概念所在,因此也是本文所要深加讨论的重心。

二、口语与书写

人类学的研究既然是起于原始民族,所以无论是在早期还是现代的对"小传统文化"的"文学"研究,都较着重于口语传统资料的采集与分析,而称之为"口语文学"(oral literature),使之有别于用文字书写的文学。"原始民族"一词在当代文献中已较不常用,而以"简单文化"一词代替之,但其原意却来自无文字书写系统的民族,所以人类学家向来习惯于从口头语言中发掘其类似于文学的资料,包括传说、神话、故事、歌谣、谚语、谜语、童谣、祭词、绕口令等等。而在研究复杂社会中的"小传统文化"或"民间文化"时,虽然知道这些社会中的"大传统"或"士绅文化"已有很成熟的书写文学,但是在小传统之中,却因未必能完全把握文字内容,有时也不愿受大传统形式的束缚,所以仍然保持其口语的许多传统,因此人类学家即使研究有文字社会的"小传统"或"民间文化",也很普遍地偏重于口语文学的采集与分析研究,甚至进而探讨文字与口语之间的交互关系。

但是"口语文学"一词却是有争议的,因为正统文学的研究者认为"文学"(literature)一词在字源学上本来就含有文字书写的意思,所以认为不用文字来表达怎能算是"文学"呢?(Sweeney,1987:9—55)例如 Webster 大字典对"literature"的定义是:

> "撰写工作的产品"(The production of literary work)。"以某一种语言或在某一个国家、某一时代,以书写工作所产生的作品"(The body of written works produced in an aparticular language, country or age)。

但是这种西方正统的文学定义不免是含有浓厚的文化偏见的,而人类学研究最重要的命题就是要超越文化范畴的有限。因此人类学家认为如此划地自限于书写形式的定义,不但使文学的形式与内容自我缩小,而且也不能拓展文学作品的许多动态意义,以及书写与口语形式之间的互动关系。当然,这种形式的争辩在较近代已逐渐平息,例如在中文的大辞典中所列文学的定义已有明显的改变。台北三民书局出版的《大辞典》对"文学"的定义是:

> 以语言文字来表达社会、团体、个人的生活、思想、感情的艺术,包括诗歌、散文、戏剧、小说四部分是为纯文学;其他应酬书札、新闻报道而有艺术价值者,称杂文学。

上海出版的《汉语大辞典》,则说"文学"是:

以语言文字塑造形象来反映现实的文学。

以上这两种辞书的定义虽未把文学的内涵扩展到许多可能的新类型，可是在形式上已把语言，也就是我们所说的"口语"，部分包括于其中。其实在人类学的研究中，口语文学研究如何能拓展文学的范畴与视野已有许多很清楚的论述，也为许多正统文学家所接受。我本人在多年前的一篇题为"从文化看文学"的文中即有如下的说明：

> 世界上有许多民族没有自己的文字，所以他们没有书写的文学，但是世界上没有一个民族是缺少口语文学的。口语文学有许多不同的形式，包括传说、神话和故事，以及诗歌、歌谣、谚语、戏剧、谜语、咒语、绕口令等等。这些口语文学不但在形式上与书写文学有相同之处，例如韵律、声调、风格、排列、情节等方面，口语文学的表达都与书写文学一样，而且口语文学在作为调适心理需求上，尤较书写文学发挥更大的作用。
>
> 书写的文学作品大致都是一个作者的作品，而口语文学作品则经常是集体的创作。个人的创作在某种情形下通常都不如集体创作那样能适合大众的需要。而且书写文学一旦印刷出版，就完全定型而不能有所变化了。——换而言之，从这一角度而言，口头文学是一种活的传统，而书写文学则是死的作品，口语文学是一种多形式的存在，书写文学则是单形式的存在。（李亦园，1975：164—166）

三、口语文学与口语传统

前文我们虽然努力要说明口语文学是文学的一部分，但是在这里我们却也要说，并非所有的口语资料都是属于文学的，例如民间艺术中的绕口令、歇后语，以及说唱艺术等，就不一定被认为是文学。因此有些人类学家就建议另创一新词汇,称之为"口语传统"(oral tradition),而在口语传统之下再分为两大类:一类是真正的口语文学;而另一类也就称之为"口语艺术"(verbal art),包括前述的绕口令、歇后语、说唱艺术等等。

说到口语文学与口语艺术的分别,也就不能不说到人类学研究传统中另一种基本概念的分野。前文已说到,美国式的人类学研究常把"民俗学"(folklore)也当作其主要的分支之一。民俗学研究的范围最重要的当然包括神话、传说、故事、谚语、谜语、歌谣等,所以一般都认为民俗学即是研究民间文学的学科,甚至认为民俗学与民间文学是二而一的事。其实严格地说,民俗学也和口语传统一样,包括了若干非文学的部分,那就是民间的风俗习惯、民俗祭仪、民俗文物等等。这一些若从艺术的立场来看,自然不属于文学的范畴,但是若从文化的观点而论,它们却是与神话、传统、谚语、歌谣,以及咒语等文学产品的背景有非常密切的关系。我们也许可以把民俗学与口语传统、口语文学的关系表示于下:

$$
\left.\begin{array}{l}\text{民俗学(folklore)}\\ \text{口语传统(oral tradition)}\end{array}\right\} \left\{\begin{array}{l}\text{风俗习惯、民俗祭仪、民俗文物}\\ \text{口语文学(民间文学)}\\ \text{口语艺术}\end{array}\right.
$$

四、民间文学的展演

人类学和民俗学学者对民间文学的研究有长久的历史,他们的研究大都着重于基本素材的采集与分析,也就是文学作品本身的研究,包括作品的形式及内容等等,这一类的研究自然是初期工作的基础,没有作品本身完整的搜集,则形式的分类、内容的各种分析乃至跨文化的比较研究,都无法完成。这些工作在超过一世纪的研究中,有很大成就,无论在资料的累积还是理论的拓展上,都为人类学界其他分支研究者所称道(Finnegan, 1992:20—28)。

但是,近代的研究者认为民间文学的研究,特别是偏向于口语文学的研究,作品的探讨固然是很重要的工作,可是作品形成的过程也是很值得探讨追寻的一面。就如我们在前文所引拙作《从文化看文学》一文所提示的，口语文学不但在创作过程中就是一个活的传统，因为口语文学的创作经常是集体的，即使是一个人的创作也是经过其他人不断的传诵。一旦经过不同人的传诵，就会因个人的身份地位以及传诵的情境而改变，所以口语文学的作品比起书写下来就定型的作品要灵活得多。而且口语文学既然是用口传诵的，所以其对象是听者，而不是读者。听者与读者的不同，是作者或传诵者随时可以感受到其对象的反应，同时也可借这些听者的反应而改变内容以及传诵的方式，而这些过程中的种种反应、修改、体认与再修改，确是了解口语文学生动一面的重要部分。

然而，口语文学最引人入胜的却另在于其所谓展演（performance）的形式，这也是当代人类学者乃至民俗学家、戏剧学家最着力而有精彩表现之处。所谓"展演"指的就是一种沟通（communication）与表达（expression）的方式，这种方式最适合于口语文学的传诵，因为口语文学既然是口传的，就不受到固定书写版本的束缚，因此如何用语言以及语言以外的方式来表达与传递就成为很重要的因素，以展演的观念来探讨口语文学的传诵过程，也就成为当代研究口语文学的主流。对口语传统的展演研究最用力的学者 Richard Bauman 曾说道："从这样来理解，'展演'实际上是一种语言运用的款式，一种言述的风格——'展演，其实已是口语艺术领域中沟通表达的首要成分了'"（Bauman,1977:11）。展演理论作为一种探讨口语文学沟通表达的基础概念与架构，其着重的要点大致围绕着下面各问题：

（1）传诵讲述口语文学作品时的技艺与其所含意义，包括讲述时的音调、速度、韵律、语调、修辞、戏剧性与一般性表演技巧等等。

（2）传诵过程中所有参加者，包括"作者"、讲者、听众、助理人员，乃至研究者之间的各种互动、反应行为。

（3）不同类型的口语作品的界定与意义有时不单靠口语的表达，其他各种非口语（non-verbal）的因素，包括姿态、表情、动作，甚至于音乐、舞蹈、服装、布景、非口语的声音、颜色等等，也非常有传递、表达的含义。

（4）传诵者的个人特性、身份背景、角色以及其文化传统更是关键要素。

(5)此外,讲述传诵时的情境(context)也是重要的项目(Finnegan,1992:93—94)。

由于展演理论的这种着重于沟通表达的种种过程,由于它的强调其行动的实践意义,所以民俗研究与人类学研究的社会剧(social drama)学派如 Victor Turner 等人遂有合流的趋势(Turner,1987),而戏剧学者如 Richard Schechner 等人也参加到这一传统之中(Schechner,1990;Beeman,1993),因此使展演的理论就作为人类学领域中很突出的理论派别,反过来也促成了很多颇具启迪性口语文学的研究。

五、国内展演研究实例的探讨(一)

国内以展演理论的观点来探讨汉族口语文学与口语艺术的作品尚属有限,其中最受注意的是容世诚先生在麦田人文系列中所刊出的《戏曲人类学初探》一书。在本书中作者探讨的许多地方戏剧中演出者与祭祀者、观众与信众交互间的微妙关系极为精彩。但是最值得用来作为我们这里讨论的,却是他书中最后一篇题为"程式/即兴、口语/书写——评陈守仁著香港粤剧研究"的评论作品。在这篇书评论文中,容先生一面推介陈守仁君的粤剧研究内容,同时也很精辟地阐释他所谓"程式/即兴、口语/书写"两组概念间的辩证关系。用我们本文所用的术语来说,陈守仁所探讨与容世诚所阐释的粤剧或广东戏,在早期的形态上应是属于我们所说的"小传统"的戏种,也可以说是一种介乎书写剧本与口传制度之间的传统。因为要顾及行内从业人员偏低的教育程度,他们的传承并非完全建立在文字上,而是要借动作和语言与精简文字来维系。在文字之外,演员还利用口传制度来学习剧本内容及排场。可是由于剧本文字的精简,而在依赖口传的学习中,遂有很大的空间可以提供演员们在不同情景之下作不同展演的机会,这也就是所谓即兴的演出,而剧本中所列的内容与排场是较固定的节目,即所谓的"程式"。对于这样的程式与即兴的辩证统一,容先生有如下的说明:

即兴是一种个人的临场即时创作。而这一刹那的决定,由决定到选择、到组合种种程式,都需要以内化的、经过漫长岁月积累沉淀而成的表演传统为基础。因此,"传统常规"和"当下创作"是对立而统一、辩证地结合在一起。——总的来说,粤剧演出中的"即兴性"传统,和这表演艺术的传授,以及传授以后的知识储存方式,有一定的关系。戏班保留了口传文化的特征,整个演艺传统的传递,是以口传为主要方式。至于学习的单元,以整套程式排场为主。在这种文化模式底下,书写文字的影响力降到最低。正因没有文字媒体的作用,演出固定在唯一的式样,粤剧艺人便能临场视乎当场观众的反应,利用已经内化的知识,作即席性的临场演出,同时也丰富了整个演出传统。这也是"传统常规"和"即兴创作"在另一层次上的辩证关系。(容世诚,1997:277—279)

容先生又把"即兴表演"与"传统常规"交互作用的关系加以表述,如下图所示(如上引:p. 279):

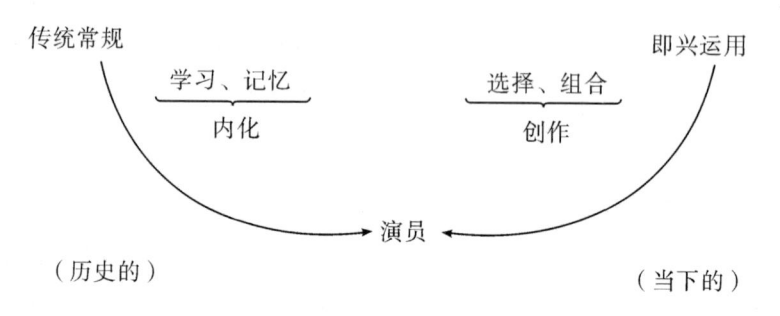

```
传统常规                          即兴运用
     \  学习、记忆      选择、组合  /
      \    内化          创作    /
       _____/
                   ↓    ↑
                   演员
   (历史的)                    (当下的)
```

广东人常称上述那种当下的即兴表演为"爆肚戏",这就可以看出演员在允许个人即兴创作所表现的展演动作是如何受到观众的喜爱与认同。容世诚先生所阐释的广东戏演出可以说是典型的在有文字的社会里,小传统的演员们如何利用书写与口传剧本之间的微妙关系,展现其个人创作的技巧与艺术,以发挥民间演艺传统的展演意义。容教授也在他文中提到广东的另一种被称为"南音"的说唱艺术,也是一种即兴展演的民间文学传统。这种"南音"的说唱艺术,演唱者都是盲人,故称"瞽师"或"盲公",说唱时用古筝伴奏,并用传统的"拍版"作节拍,他们大都能说唱一百则以上的曲词。这些盲者自然不能自己读曲词,系由师父口传嘴授。当被问起如何能记忆如此多的词句,有一位有名的瞽师杜焕回答说,"我并非背诵这些作品。它们中大部分十分相似,大都由相似的片段所组成——我只需要记得这些片段而在适当的时候运用出来,我的演唱就像煮菜一样。一个厨子只有有限的材料与调味品,但可以用不同的方法及次序调烹,煮出很多不同的'菜色'"(容世诚上引文,p. 271)。这样的答复说明展现民间文学时,演出者或传诵者可以运用其个人的才能,并在不同的情景下,展演出不同"菜色"的技巧。这应该也就是民间文学传统引人入胜之处。

六、国内展演研究实例的探讨(二)

台湾的南岛民族,是典型口语传统的民族,因为他们之中,无论是高山族还是平埔族,都是没有文字的民族。有关南岛民族的口传文学研究,以往已有不少材料的累积,但较少涉及其展演动态的探讨。去年在中研院民族所主办的文化展演与人类学研讨会中,民族所同事蒋斌与胡台丽两位,都有一篇涉及这方面的论文,很值得提出来作为例子加以探讨。

蒋斌先生研究的是关于排湾族一个部落建立的传说。排湾族是一个有贵族传统的民族,一个部落中都有一个或数个贵族家族存在,他们是部落的主人,而每个部落都有一套传统讲述部落历史与贵族家族形成的过程。这些传说及故事自然都是口传的,并无文字记载。在日据时代与光复后,学者们或有以中日文把口传部落历史记载下来,但都属学术著作,很少为族人所用。他们大都利用自己的口语传说流通传诵于族人之中,并用来作为部落内权利义务运作的根据。蒋斌教授在排湾族中做了很长时间的研究,与排湾族人有很好的友谊关系,他的友人之一前年当选S乡乡长(原文为尊重研究对象,采用代号),想有点行政上的表现,所以委托蒋先生为S乡编写该乡乡志。乡志之撰写原是有文字民族的文化产物,特别是汉族政治体制下的传统,与排湾族的口语传统并不很符合,因此蒋教授在写完一个称为 G 村的部落形成历史之后,为了尊重口语传统的习惯,就希望能与部落的长老们会面访谈,以确立文字书写与口语传统的一致性。蒋先生进行统合文字书写与口语传统的工作,是通过乡长安排分作两阶段进行的。首先是邀请两位部落中主要系统拉瓦尔(RaVal)亚族的长老来访谈,他们对早期日本学者民族志中所书写的传统内容无太大的疑义,只是增加了一些细节的补充。其后乡公所又安排了一次扩大的座谈会,有了更多人的参与,而且包括了部落另一系统布曹尔(Butsul)亚族的重要人物。座谈会中许多人对前民族志中记载部落形成的历史有不同的意见,纷纷提出不同的看法与补充资料,展现出口语传统在传诵中参与人物的展演过程,最终参与的人虽勉强得到共识,但是这一村落的传统历史几乎是重新写过了。蒋教授在论文的最后是这样做结的:

> 透过 T 君的参与,我们对 G 村的认识,由一个同质性,主要由大社移民(拉瓦尔亚族),或附加上少数"原来被欺负的"布曹尔 T 村居民构成的村落,扩大为一个平民、头目都来自四面八方的异质性极高的村落。也可以说,由日据时代以来,研究者对 G 村的历史知识,多少受到来自大社的 Tangiradan 家的某种垄断。直到座谈会之前,我们的记载都来自这个家系的报导人口中,因此故事的主轴一直是"大社平民出猎——来此建村——邀请大社头目前来——附带邀请势单力薄的一小群布曹尔人参加并提供祭仪"。T 君出身于 Duvung 头目与布曹尔联姻建立的 Zingeru 家,因此提供了一个很不一样的景象:"布曹尔人来此开垦最早——大社人来建猎屋(工寮)——布曹尔人鼓吹大社人以他的名义建村(因为土地属于大社的)——布曹尔人带来建村所必备的制度与祭仪——大社另一系统 Duvung 的头目与 Talimalau 头目不合——Duvung 头目带 M 乡同属布曹尔系的平民加入 G 村——Duvung 系统与布曹尔系统联姻——原大社(Tavalan)系统的居民感到威胁因而邀 Talimalau 头目家小弟前来立 Tangiradan 家。"不同的历史景象,当然和口述者的家系效忠有直接的关系。
> (蒋斌,1997:1 8)

蒋斌到底是一个人类学者,他在厘定了排湾族 G 村的新部落历史之后,还是未忘了借此得到一些有关排湾族文化的基本逻辑材料。但是,作为人类学家,蒋斌在这一场部落建立传说座谈的展演过程中,他所扮演的角色,仍属较消极的参与。而在下文我们所要讨论的另一例子中,人类学家胡台丽,则是扮演了很积极的参与,甚至可以说是干涉的角色了。

在同一研讨会中,胡台丽女士提出《文化真实与展演:赛夏、排湾经验》一文,探讨她在赛夏族矮灵祭与排湾族五年祭中参与运作展演的两种不同经验。

赛夏族虽是一个小族群,但是他们的矮灵祭 pasta'ay 却是很具族群文化特色的年祭仪,其中尤以十五首、廿四节的矮灵祭歌最具口语文学辞意、音韵、旋律与神圣意义,所以一直是民族学家、民俗学家与民族音乐家所注意的对象。排湾族则是南部的大族,如上文所述,他们是一个贵族社会,同时也以精致的木雕、陶壶、服饰等物质文化广为一般民众所知,他们的五年祭仪式虽也甚盛大,但却不如赛夏族矮灵祭之具有神秘性而引人注意。

胡台丽女士在近几年来辅导"原舞者"青年舞蹈团,企图借年轻族人学习他们固有的歌舞,以体会各族的传统文化精神,团员由各族青年组成,并不是单一族群的团体。原舞者在胡教授领导下开始学习赛夏族的矮灵祭歌舞与排湾族五年祭歌舞,这些歌舞与祭词都非常冗长,好在歌词、乐曲都先经过研究者的记录、并音、录影,而且青年人学得快,虽经长久困难的阶段,但大致都能克服练习成形。可是就在正式公开演出时,却发生了事件,而其间赛夏族与排湾族负责祭典的长老有很不同的反应与表现,这也就是胡台丽教授在本文中所要强调的不同经验之处。

原来赛夏族把矮灵祭的举行看作是神圣的仪式,无论是歌曲、歌词、服饰、道具等等都是很具神圣性的,他们要唱这些祭歌、进行舞蹈时,无论是练习或正式的举行,无论是族人或外人,都一样要极为小心,并事先要向矮灵祈求允许才行。原舞者于 1994 年在国家剧场演出矮灵祭歌舞,虽说是部分演出,但族人却怀疑其间道具(包括祭祀礼仪中度用的植物)的取用未经神灵许可,因而引起争议,其间且有主祭者之妻不幸死亡,更引起问题的严重性,使胡教授深受困扰。另一方面,排湾族的五年祭则与赛夏族对矮灵祭的态度颇不相同。排湾族的祭司、巫师们虽然也视五年祭若干祭歌为神圣者,不得随意念诵,但是他们却很明显地分清楚正式祭仪与平常练习,更是把外人的表演与族人的行祭看成完全不同的事实,因此"原舞者"无论在台北或排湾族部落中演出时都未发生任何事件。胡台丽称这种不同展演的经验为"叠影的"或"交融性"的展演,以及"非叠影"或"区隔性"的展演。所以胡台丽在她的文中有这样的说明:

> "原舞者"在赛夏和排湾的展演经验促使我更直接而尖锐地面对"文化真实"的问题。我惊异地发现"展演"如同催化剂,将该文化强调的一些基本价值,以及对"文化真实"的看法更清楚地激发出来。何谓文化真实?展演的目的是否在反映文化现实?能否反映或突显了怎样的文化真实?舞台展演所呈现的真实与现实生活中的祭仪歌舞有怎样的关联性?"展演"对当地社会有何意义?当展演的构想付诸实践时,这类问题随之浮现。
>
> 在舞台展演转化的过程中我深刻体会到不同文化对展演的真实有不同的看法与诠释,这影响了研究者、媒介者,演出者与该族群的互动关系。同样是面对神圣祭仪歌舞的展演问题,我们在赛夏体验到"交融性"的文化真实,亦即真实与展演、我群与他群的界线模糊。但是在排湾族经历的则是"区隔性"的文化真实,其主要特色是真实与展演、我群与他群的界线清晰。作为一个研究者、演出媒介与编排者,我在整个情境中无法置身事外,常常主动或被动地对自身和接触的文化作许多反思。(胡台丽,1997:2)

七、结论

人类学一向被认为是一门过分宽广的学科,且不说体质人类学、考古学与语言人类学等分支学科,即使在文化人类学中,其所涉的范围亦甚广,而且其研究的核心,向来是以家族、亲族、宗教、经济、政治、生态以及医疗人类学等等为主，即使在这种情形之下，民俗学、口语文学以及民间文学的研究仍可以说是人类学领域中很受重视的一个分支，再加上人类学的这种较宽广的视野，使人类学者涉及口语文学或民俗文学时，也颇能发挥其特色。

就如我们在本文中所提到的，首先是人类学在早期以研究原始民族入手，因此能对无文字的口语传统特别注重，而对口语传统，特别是口语文学的深入探讨，不仅为文学的范围开拓宽广的领域，摆脱了文化偏见的有限，也为文学的形成与内容拓展了新的空间。其间更有意义的是，当人类学家进入有文字民族中去研究"小传统"文化时，也能把研究口语传统的经验带入，因此发现口语与文字之间发生交互作用的辩证关系现象，使民间文学或民俗文学的研究更趋活泼，进而拓展了新的研究视野。

其次，对口语传统的研究，促使人类学领域中展演理论的蓬勃发展，而展演理论的兴起，不仅改变了此前仅注重作品研究的风气，而且发掘与探讨了文学的发展过程，并进而导引人类学本身及相关学科，包括仪式研究、戏剧学、艺术人类学、文学人类学等大步跨进了动态、实践研究的境界，使民间文学的研究在宽广的人类学领域中，占有了一席之地。

丁丑年除夕完稿于南港中研院

参考书目

李亦园

1975　《从文化看文学》，《中外文学》第四卷第二期，162—170页。

1993　《从民间文化看文化中国》，《台大考古人类学刊》第四十九期，7—17页。

胡台丽

1997　《文化真实与展演：赛夏、排湾经验》，《文化展演与人类学研讨会》论文，台北："中研院"。

容世诚

1997 《戏曲人类学初探》,台北:麦田出版社。

1997 《口述历史的舞台》,"文化展演与人类学研讨会"论文,台北:"中研院"。

Beeman,William O.

1993 The *Anthropology of Theater and Spectacle*, Annual Review of Anthropology,22:369 – 393.

Bauman,Richard & Briggs,Charles L.

1977 *Verbal Art as Performance*, Rowley, Mass: Newbury House.

1990 *Poetics and Performance as Critical Perspectives on Language and Social Life*, Annual Review of Anthropology,19:59 – 88.

Finnegan,Ruth

1992 *Oral Traditions and the Verbal Arts*, London: Routledge.

Schechner,Richard & Apple,Willa(eds.)

1990 *By Means of Performance:Intercultural Studies of Theatreand Ritual*. Cambridge University Press.

Turner,Victor

1987 *The Anthropology of Performance*. New York:PAJ Publications.

艺术与 EUPSYCHIAN

鲁枢元

——作为艺术作品的人的实现,是生存的最为辉煌灿烂的景观。

"健康"的误区

健康,正在成为当今社会上个人关心的头号问题。人们谈论健康,比谈论"总统选举""世界大战"更热心。然而,在健康问题上人们更容易踏入一个又一个的误区。

只要稍稍留心观察一下,你就不难发现,"健康"已经成为市场上家庭开支的重要项目。据统计,上市的"营养口服液"已达1600多种,从鸡精、蛇精、鳖精、鹿精,到燕窝、鱼翅、牛鞭、狗肾,到人参、灵芝、虫草、枸杞,包装精美,价格昂贵。林林总总的保健器械,从按摩器到跑步机,从保健口杯到保健坐垫、保健肚兜、保健裤头,保健手镯、保健项链,几乎任何商品都争着贴上"保健"的标签。日新月异的新药、激素、维生素、皇宫秘方、民间祖传、科学新发现,就连治伤风感冒的药片每三五个月就要来一次"更新换代"。

在健康问题上人们忘记了,对于人的身体而言,害病亦是正常现象,不少病痛属于人的机体的自我调节,可以不治自愈。还有一些疾病属于机体的自然衰竭,治亦无效。世界保健组织不久前的一份报告中指出,只需201种药剂就可以满足人类医药的基本需要。但是,在日本、美国以及其他发达国家市场上出售的药品,已达20 000种之多,其中荷尔蒙、维生素就达3000种。这在很大程度上是商业性促销的结果。

一个显然的事实是,世界各地的"百岁老人",其所以健康长寿,没有一个是因为多吃药的。在中国古代,皇帝拥有的医药条件最好,然而,中国历代皇帝209人的平均寿命不到40岁,其中因吃药太多而丧生的不止三个五个。在当今国外,滥用药物给人们带来的"继发失调症",已成为十大致病因素之一,服药造成的危害已被列为仅次于烟、酒的"第三公害"。

我们不能轻易听从某些药物制造商的建议:"把健康事交给药物或营养液。"健康,并不仅只局限在身体的生理方面,人们往往忘记了守护自己心理的健康、精神的健康,要比仅仅维护身体的健康困难得多。正如马斯洛指出的:现代人只注意到生理需要"维生素",而忘记了人们更需要"爱"。

身体的涵义

健康当然与"身体"密切相关。比如"文革"中我们常说"祝林副主席身体健康、永远健康!"指的就是身体的健康,并不包含健康的心理。在常人眼里,健康就是指身体的健康。

其实,人类的身体早已不那么单纯。人类的身体中已浸透了文化的、历史的、哲理的、精神的涵义,人类的身体不再只是一台生理机器。

对于人来说,全部奥秘也许就在于人能够感觉并意识到自己的身体,能够对自己身体的存在进行反思,即心对身的反思,人类的身体因为有了这种"形而上之思"而拥有了特殊的意义。

身体对于那个占据这一身体的个人来说,首先是一个最具体、最切实的存在。毛发肌肤、五官四肢、五脏六腑、血脉筋骨处处连心,连着人的情绪和精神。只因为有了"身体",吃喝拉撒、衣食男女便给了我们多少美妙的感官享受;只因为有了"身体",饥寒病痛、迁徙别离又给了我们多少难言的心灵悲苦。一位虚无主义的哲学家什么都可以否认,包括人的肉体,但是,只要在他右手的小拇指尖上扎一根小小的芒刺,就足以搅得他心烦意乱。没有灵魂和精神的身体常被人们称作"行尸走肉",而一个没有身体的灵魂一定也是一个索然无味的虚空。

身体对于那个拥有身体的人来说又是一个非常有限的存在。人的寿命,从出生到死亡,科学的推算方法有两个:哺乳动物的寿命是它性成熟年龄的十倍,或为其生长期的七倍,无论怎么计算,都不会超过一百六十年,实际上能活到这个年龄的,便可以上吉尼斯世界大全了。"百岁老人"万不挑一,一般人活到八九十岁已值得庆幸,死了被称作"喜丧"。对一般人来说较为现实的期待值是七十五岁,七十岁上死去已不算短命,活不到七十岁的大有人在。

"人生几何?"七十块钱。全是本金,没有利息,花一块少一块,大限一到,一笔勾销,没得商量。君不见高堂明镜悲白发,朝如青丝暮成雪。一生中身体的最佳状态更是不多,对于男人来说可能有几年,对于女人来说可能只有几个月,还有人说,只有几天,真的就像一枝含苞欲放的花。

这个切实、有限、属于你自己的身体,又是一个很偶然的存在。你从哪里来?三十年前、五十年前你在哪里?三十年后、五十年后你又将回到哪里?生于无,死于无,来无影,去无踪。所谓"青史垂名"也不牢靠,翻开《二十五史》,唐代宰相的名录密密麻麻排满了几页书纸,真正"垂"在人们心目中的又有几人!

稍稍往深处想一想,一条生命的问世更是让人感到惶恐。所谓在母腹中结胎,那只不过是一个特有的"卵子"与一个特有的"精子"的偶然结合。说白了,你的生命是来自某一个晚上心血来潮、春心大动的父母们床上的一场震颤与悸动。错过了这个时辰,你就不再是你。父母的结合、祖父祖母的结合也很偶然,一旦错过,也便没有了你。男人的一次射精,精子的数目约为三亿,能进入卵子的通常只有一个,如果不是这个而是那个,便也没有了你。这第一个确切无疑的你,却原来是一个偶然而又偶然的偶然!无论是你、是我还是他,我们各自的存在都是一个侥幸。

生命对我们每一个人来说,是一个如此具体、有限、偶然的存在,人们没有理由不珍惜它。如何活得更好一些,便成了人生的第一要义,也成了人生的第一难题。

东风、西风

从大的方面讲,由于地域、历史、民族、文化上的差异,东方人与西方人的生存观念很不一致。

东方人珍惜生命,看重内敛性的摄养,法于阴阳,和于术数,抱朴怀素,藏愚守拙,修性以保神,安心以全身,饮食有节,起居有常,恬淡虚无,清静无为,随遇而安,循时而行。龟者寿,中国人的生命哲学大致可以"乌龟"作为象征。

西方人珍惜人生,则热衷于外向性的扩张,惯于冒险,勇于拼搏,以征服为荣,以竞技为乐,将生命燃成一团光灿热烈的大火。

以性生活为例,中国道家的"房中术"讲究精气内敛,还精补脑,体内循环,"九女而不泄",最怕肥水外流,把性交当作体育操练。西方的精神分析心理学则反对性压抑,主张性升华,认为积聚的体液不及时宣泄出来就会得精神病,把性交当作精神游戏。如果一时找不到对象,自己对自己动手也是可以的。

东方人最高的生存境界是轻天下、细万物,齐生死、同变化,取消主体、化归自然,天人合一,超然物外,游于太虚,修炼成一个"至人""真人""神人"。

西方人最高的生存境界是启知识、役自然、倡科学、聚财产、优用劣汰、弱肉强食、创造价值、实现自我,做一个"能人""富人""强人"。

东方世界真人、神人的代表人物有《庄子》一书中讲到的许由、接舆、渔父、庖丁、抱瓮老人;西方世界能人、强人的典型则有庞贝、恺撒、培根、林肯、富兰克林、拿破仑。

从人类社会以来的发展情况看,西方人的人生观使西方越来越富裕强盛,东方人的人生观使东方越来越贫困衰弱,不是东风压倒了西风,而是西风压倒东风,于是,西方的人生观渐渐成了整个人类的人生观。

心灵残疾

西风烈,看似强大、优越的西方模式,在节节胜利时却面临严重挑战,靠大规模掠取。自然资源以无限制扩充人的物欲的西方生存模式,不但给地球造成难以支撑的重负,同时还使人在单向度的发展中陷入严重的心灵危机。

以往,只说贫穷会给人的健康带来问题,现在看来,富裕也会给人们带来健康问题。

一位医生告诉我,以往的疾病多是由于食品匮乏、营养不足、卫生条件不好引起的,如霍乱、伤寒、痢疾、疟疾、肺结核、黑热病等,现代人的疾病多半和物质营养过剩、精神因素失调有关,如高血压、脑血栓、心肌梗死、癌症、糖尿病、肥胖症、神经官能症等。从新近的情况看,由于现代工业造成的环境污染,诸如"埃博拉""疯牛症"之类的怪病已经接踵而来。天知道,照此速度发展下去,在下个世纪里还会冒出哪些大量索取人类性命的疾病。到了那时,人类至今设置下的保健措施与医疗措施可能会像多米诺骨牌的倒塌一样,一下子失去效用。

上述这些大多还只是生理性的疾病,种种迹象表明,现代社会中的人们在心灵与精神方面病得可能更厉害些。

"暖风吹得游人醉",所谓"商品经济",在使许多中国人从物质上"脱贫"的同时,急剧沦入精神、伦理、情操上的贫困。

一件事是发生在我的故乡河南省会郑州的丑闻:陕西"老孙家饭庄"在郑州市文化路正式开业,为招徕顾客,三日内免费品尝羊肉泡馍,不料第一天上午就拥来上千名白吃的食客,秩序大乱,交通堵塞,几位衣着体面的女士还挤掉了高跟鞋。

另一件事发生在历史文化名城南京,一家大剧院的经理不知出于何种原因,推出了"先看演出,后酌情付款"的营销新招。结果,一场精彩的法国芭蕾舞团的首场演出下来,回收的是大量的人不花钱白看。通常只说是"奸商宰客"下手太狠,由此观之顾客的心肠也并非不奸,一旦有了机会,宰起对方来手也不软。

第三件事是广东省汕头特区爆出的新闻,第一批每张售价一百万元的24K黄金铸造或镶嵌的豪华睡床被认购一空。同时,就在距汕头特区不远的潮阳山区,许多贫困的小学里由于没有钱购买课桌课椅,不得不让孩子们坐在冰冷的地面上。睡在这张价值百万的黄金床上真的就会幸福百倍吗?如果说睡这样价值昂贵的床并不只是为了身体的舒适,同时还是为了炫耀自己的豪富、抬高自己的身价,那么从心理意义上看,床主人更加贫乏与病弱。记得身体残疾的著名小说家史铁生说过:"残疾人"并不一定等于"人的残疾"。那么,睡在这张,"百万黄金床"上的人即使四体健康,依然可能是一个残疾的人,而且是可怕的心灵的残疾。

EUPSYCHIAN

EUPSYCHIAN,音译"尤赛琴",这是一个英语词汇,但在一般英语辞典中却查不到,这个词,是美国人本主义心理学家亚伯拉罕·马斯洛(Abraham Maslow)自己制造的。词头"eu"取自希腊语,是"好"的意思,后边的"psyche"是英语中的"心灵""灵魂""精神",连起来就是"好的灵魂",即"健康的、优美的卓越的心灵和精神"。

在马斯洛的心理学中,这是一个很重要的概念。他关于"尤赛琴"的大量论述,从提高人的精神素质,协调人际之间的关系的层面上,对美国社会产生了巨大影响。

以前的许多心理学家,尤其是弗洛伊德,关注的总是人的病态、变态心理,马斯洛关注的则是如何使健康的人更健康,更优秀,更完美。

EUPSYCHIAN更多地关注着现代人类的心灵健康,马斯洛在谈到自己的人本主义心理学时常常显得激情澎湃。他说:这是一场革命,是在伽利略、达尔文、爱因斯坦、弗洛伊德、马克思革命路线上的继续革命,这是一种对于人类现状的超越,一个关于崇高和美好的理想,"它是理解和思考的新路线,人和社会的新形象,伦理和道德的新概念,以及运动的新方向",它是"普遍世界观的一个方面,一种新的人生哲学,一种新的人的概念,一个新的工作世纪的开端"。马斯洛与他的人本主义心理学家的同伴们要做的,是在西方高度发达的科技社会、商业社会、物质社会中,寻回失落已久的心灵美德,寻回人的天真、质朴、正直、善良,寻回人的自尊、自信、理想、信仰,寻回人的爱的能力,寻回人的创造精神、献身精神,寻回人和人之间的和谐、人和自然之间的平衡。EUPSYCHIAN可以看作是一个"优美心灵"的再造工程。在依靠科学技术拯救人类社会的理想破灭之后,马斯洛把希望寄托在对于"人文精神"的张扬上,这已经使他的一切努力饱含了"重建乌托邦"的意味。

在许多情况下,马斯洛的"EUPSYCHIAN工程"表现出对西方人生价值理论的挑战,对东方生存智慧的借鉴。"东风"与"西风"成了一种"对立"而又"互补"的关系,人本主义心理学在"东"和"西"的碰撞中形成一股"旋风"。

针对西方社会的"科学进步"观,马斯洛提出了"健康的倒退";针对西方社会的"科学理性"观,马斯洛提出了"健康的无意识"。而这两点重大发现,则是马斯洛关于"高峰体验"研究的两个"副产品"。

马斯洛把"高峰体验"定义为人生中这样一种奇妙的时刻:最快乐的时刻,最着迷的时刻,最销魂的时刻,同时也是一个人最成熟的时刻,最个体化的时刻,最完美的时刻,最富有人性的时刻,"一句话,最健康的时刻"。这个时刻当然也是最"尤赛琴"的时刻。"高峰体验"并非只有天才可以感受到,它也可以在普通人的生活中不期然地出现,它可以来自男女之间情笃意浓的片刻,可以来自母亲分娩后的微笑,可以来自旅游中豁然呈现在眼前的一片森林、海滩,可以来自科学家、哲学家对于真理一瞬间的洞察顿悟。可以来自手工艺人专心致志、得心应手的操作,可以更经常地来自诗人、艺术家全部身心投入进去的创造的境界。马斯洛说:"高峰体验可以比作去拜访个人意义上的天堂",高峰体验就是一个人生命中最富有意义、最富有价值的时刻。

我相信,每一位读到这篇文章的朋友在自己过去的人生岁月中,都会保留一些"高峰体验"的记忆。

马斯洛在对"高峰体验"进一步的心理分析中发现,这一人生最健康、最有价值的时刻,并不总是一种"激昂""亢奋""勇敢""坚强""进取""扩张"的状态,相反,它在很多时候体现为"平和""宁静""顺从""谦让""退隐""淡泊""守护""依附",体现为一种"返璞归真"的愿望,一种渴望"羽化""圆寂"的倾向。与那种"进取向上"的心理姿态不同,这是一种"回归倒退"的心理意向,一种向着赤子之心的回溯,马斯洛把它叫作"健康的倒退",这很可能反映了马斯洛对现代工业社会那种"攻掠式的进取"的不满。马斯洛同时还发现,"高峰体验"状态并不全是一种"理智清明""心启聪慧"的状态,更和那种"算计的""世故的""功利的"心态无缘,反而更经常地呈现出"神秘""混沌""陶醉""不自觉"的状态,有时甚至表现为时间空间上定向能力的丧失,进入一种类于"禅定""涅槃"的境界。与现代社会中占据主流地位的"理性主义""功利主义"的心理流向不同,这是一种在窈冥中潜意识支配下的自由自在的心理活动,是"原始思维"方式在现代人经验生活中的复归,马斯洛把它命名为"健康的无意识"。

中国古代的哲学家老子认为"清静为天下正","窈兮冥兮,其中有精",主张人生的最高境界是"复归婴儿""复归于无极""复归于朴"。马斯洛的"健康的倒退""健康的无意识",使得这位西方20世纪的心理学家差不多回到了东方古老的思路上去。

艺术:生存的神话

于回归中求爱,于混沌中求真,其实又是艺术与审美的必由之路。

马斯洛通过对"高峰体验"的研究,非常自然地得出这样的结论:美的理解、美的创造、美的高峰体验,是人类生活以及心理学、教育学的中心部分,而不是边缘部分,那么,艺术与审美就可以看作"EUPSYCHIAN"的核心,艺术创造与审美体验就是向着健康的身体、健康的心灵前进,就是健康本身。

美好的人生,应当是自己动手创造出一件艺术作品。

不幸的是,关于艺术的真谛已经长久地被误解被遮蔽了。长期以来,文学艺术被要求用来为政治服务,为战争服务,做教育的工具,做斗争的武器,现在又被要求服务于搞活经济,作为商品营销的手段,作为消遣娱乐的媒体。在当代医学界,艺术甚至又被当作医疗保健的处方和器械。贝多芬的《欢乐颂》可以治疗忧郁症,阿炳的《二泉映月》可以催眠安眠。日本的一位医生发现,莫扎特欢快跳跃的乐曲可以给秃顶的病人施加音乐按摩,使"荒山秃岭"上重新长出"新秀";俄罗斯的一位精神病学家则通过指导病人自我塑像以恢复主体意识。艺术,很快又要变成类似于"鳖精""保健坐垫"一样的商品。

艺术在履行自己的种种"服务"职责时已经忘记了什么是它自己,而我们在拥有过多的"艺术作品"时却失落了"艺术的精神"。

艺术当然也可以用来服务于政治、服务于经济,但是,艺术难道只有通过"服务"于别的什么才能展现它的意义吗?艺术作为人类的生命活动、精神活动,为什么不能直接"服务"于人类自身呢?要知道,就人类的生命与精神而言,在许多情况下是不能由别人代你"服务"的,别人不可能代替你兴奋或者悲哀,不可能代替你交友或恋爱,不可能代替你去思考、想象、憧憬、梦幻,不可能代替你在临终弥留之际去面对死亡的召唤,这些全靠你自己身体力行,无法指望别人为你服务。

艺术并不仅仅是工具,甚至也并不总是"作品",艺术在本质上是一种生存方式、生活态度,是生命赖以支撑的精神。

在现实生活中,远不是所有人都能够创作出成功的艺术作品,没有几个人能画出达·芬奇的《最后的晚餐》,没有几个人能谱写出贝多芬的《命运》,没有几个人能雕塑出罗丹的《思想者》,没有几个人能写出托尔斯泰的《战争与和平》。甚至,在以往的年代,还很少能有人欣赏到这些作品。但是每一个人都可以拥有艺术的精神,以超越功利的、发自内心的、充满喜悦与感激的心态对待生活,这样的人即使一字不识,他也仍然是一位艺术家、一位诗人。

三十多年前,我在豫东一个偏僻的乡村插队,房东是一位七十多岁的老人,贫困加上疾病已使他身体十分虚弱,从床上坐起来都需要儿媳搀扶。

但他每天还要坚持到菜园里干活。他说,他只要把腰带用劲紧上一紧,只要双手一握住锄把,身上就暗暗生劲,一畦畦青枝绿叶的蔬菜,看一看就长出许多精神,似乎不是这些蔬菜需要他的照料,而是他的生命需要这些绿色生灵的支撑。在一个雨后的黄昏,他倒在一架黄瓜下,再没有起来,手里握着那柄锄头,脸上没有任何痛苦,夕阳的余晖宁静地铺洒在他的躯体上,他就像一位忠于舞台的表演艺术家,以这样的方式告别了自己的舞台。

我想,这位老人在菜园里的劳作,其意义可能有这样三个层面:①劳动的果实填补了一家人的饥寒;②娴熟的技艺博得村人们的称赞;③对这些绿色生命的创造,与这些绿色生灵的共处,成了老人内在的需要、精神的满足。第三个层面是属于艺术的。我看到了,老人以艺术的姿态攀上了生命的高峰。"作为艺术品的人的实现,是生存的最为辉煌灿烂的景观。"那些在现代化蔬菜生产流水线上为完成定额忙碌工作的人们,恐怕已不太容易看到这种生命的景观;而那些在灯红酒绿下吞吃着西餐大菜或满汉全席的都市骄子们,与这种生命景观更加无缘了。

艺术并不只是一种职业一门技能。艺术还应当成为一种人生态度,这意味着独立自主、自得其乐、自我完善。艺术还应当成为一种生存境界,一种流连忘返、沉迷陶醉的高峰体验。艺术本质上是肯定,是祝福,是生存的神话,是人们的自我救治、自我保健。无论你从事的是什么职业——国家总理、公司经理、大学教授、工程师、泥瓦匠、理发师、厨师、饭店服务员、种庄稼种菜的农民,只要你能够走进这样一种人生境界,你的生命就是富足的、健康的、美好的、充满诗意的,你也就在心灵深处实现了 EUPSY-CHIAN。

谁来忏悔
——读"ABSOLUTION"

墨哲兰

题解：如果人性是要治疗的，那么这里描述的是对治疗的治疗。

有一所天主教学校，从内到外都按照圣洁的原则进行着教学与管理。一片树林将它同外界隔开。但不知从哪里贸然闯来了一个流浪汉，他骑着摩托，带着三弦琴，想找一份适合他的工作，如修整花木，建造喷水池等。然而这个天主教的学校早在修整美丽之前就已经修整美丽了，无须一个流浪人来充当"园丁"。

哥达神父主管的班上有两名学生。一名叫班吉·史丹弗，年少美俊，成绩优异，是哥达神父的弥撒辅佐，事实上也是哥达神父心许的神职候选人。另一名叫亚瑟·戴森，跛腿近视，性情执拗，常常陷入枝节纠缠而不通大道，屡遭哥达神父的斥责与惩罚。

哥达神父总是额外地给史丹弗讲授拉丁文诗词，一次在念完"美丽的肉体终归空无"的诗句后，问史丹弗如何体会它对生命的解答，史丹弗说："应将美丽留给上帝。"

有次，哥达神父在课堂上与学生们一起讨论"第二种对罪恶的赦免那就是告解"。神父问学生们,告解时的栅栏或垂帘起什么作用?有的回答"怕被勒索"。当问史丹弗时,史丹弗回答:"为了向上帝告罪。"神父极为满意:"很好,这就是重点。"因为神父只是有罪的告解者同上帝之间的中介人,这里只有罪人与上帝之间的忏悔与赦免的关系。"上帝决不会放弃一个真心悔改的罪人。"为此,仅作中介的神父,其道德责任只能是为告解者提供真心悔改的条件,那就是"绝对守秘"。

有一个学生举了一个例子问:"神父,我绑票了一个人在自家的地下室里,向你告解了,你也不会向警察举报吗?"

神父说:"不会。"这时戴森站起来问:"如果你对另一个神父说了,而另一个神父去报了警,这违不违反道德原则呢?"神父有点不耐烦地说:"我说的是一个神父决不能以任何理由任何方式去泄露这种秘密。"

早锻炼时,同学们在林中发现了露营的流浪人。摩托车和三弦琴引起了史丹弗的兴趣,史丹弗接受了流浪人的邀请,开始同他偷偷往来。结果还是被哥达神父知道了。

哥达神父问史丹弗:"我听说你交了一个新朋友,除了小偷小摸,还有什么打动你的吗?"

史丹弗:"是在森林露营的流浪人,他叫布莱奇,他有丰富的经历,他诙谐有趣,我很羡慕,而且他很自由。"

神父:"自由是那些没有道德感的人最喜欢打出来的旗帜。"

神父要求史丹弗从此不再去见他,并表明心迹:"我求你,我对你寄托了很高的希望。"史丹弗答应了。

另一面,神父对戴森却没有同样的耐心,当他看见戴森使用保养男性的香剂时,忍不住说了一个古老的法则:"过去时代不允许残疾儿童活下去。"

史丹弗仍然到森林中去了,并把神父的警告告诉了布莱奇。当时布莱奇身边有个女友,她听后大笑,要史丹弗同那老顽固开个玩笑,就说我们三人在一起玩裸体派对。布莱奇补充说,你要在告解时对他说,他就不敢向教会当局告密了。

史丹弗果然照样做了,下面的故事便在四次告解中推向高潮,或不如说推向深渊。

一次告解

史丹弗在哥达神父的训导室里进行,史丹弗跪在一个毯子上,哥达神父坐着,用手遮着脸。

"神父,我有罪,犯淫。我去了布莱奇那儿,在他的指导下,同他的女友做爱。"

神父虽然没有告发史丹弗,却通过学校要两名警察以侵犯私地的罪名驱逐布莱奇。警察在执行过程中打了布莱奇,还砸了他的三弦琴。

当史丹弗再去看布莱奇时,布莱奇正打算离开森林。史丹弗哀求布莱奇带他一起走,他受不了这种刻板压抑的生活。布莱奇怎么会要这个什么事都不懂的累赘,生气地把史丹弗推倒在地。史丹弗恼怒地从地上捡起一块石头……

二次告解

史丹弗向神父要求忏悔,神父要史丹弗中午到教堂的忏悔室去。史丹弗在忏悔室里向神父告解说:"神父,我犯有重罪,杀人。我到森林里去向布莱奇解释,他生气地认为是我向警察告的密,把我推倒在地上,我当时发火了,捡起一块石头向他头部砸去,我不是有意的,我不知道怎么就发生了。请帮助我,神父。"

神父宽慰地说:"我曾经碰到过这样一件事,有一个人做梦杀了人,他以为是真的,跑去向神父忏悔罪行。……"

史丹弗说:"不,神父,我不是做梦,我把布莱奇的尸体埋在森林中一棵倒下的大树旁,你可以去检查。"

神父要史丹弗留在教堂祷告,请求上帝宽恕,等他去看了回来再决定下步怎么办。

当神父带了锹去指定的地点挖开查看时,只有一个破南瓜埋在那里,而且森林周围似有窃笑声。哥达神父恼怒地喊叫着史丹弗。他回到训导室,从来没有经历过的谎言与恶作剧使他怒不可遏,"这是开上帝的玩笑"。史丹弗吓得在他面前痛哭起来:"对不起,神父,我没想到你如此伤心,我后悔极了。我一向把你看作我的父亲,我只是对你的严厉管教不满,寻求报复。我向你保证,再也不会这样犯错了。"史丹弗用手去触摸神父的手。神父推开他说:"我不是你的父亲,我只是你的精神导师。"

史丹弗回到宿舍问同学们他的"眼泪功"是否成功,他又来到戴森的床前,向戴森对自己白天的行为表示道歉。因为白天戴森找到史丹弗,称赞他的勇敢,并表示自己愿意参与为他承担责任。当时史丹弗不仅把戴森推倒在做假的坟坑里,还骂他是自己鞋上的臭狗屎。

现在史丹弗对戴森说:"你可以去向神父告解,这一切都是你策划的,从此神父就不敢轻视你了。"

当戴森去向神父告解,说这一切都是他的主意时,神父惩罚他去念五遍玫瑰经。

三次告解

仍然是教堂里的忏悔室。一个黑暗中的声音在向神父告解。这声音听起来显然是史丹弗的:"神父,我这次真的犯了杀人罪。我到森林里去找布莱奇,他喝醉了,冲着我发火,我忍无可忍用石头打死了他,尸体就埋在原来那个地方。神父,你一定要去证实。"

神父又去看了,果然是布莱奇的尸体,额角上有一个洞,眼睛睁着。神父用手合了他的眼,埋上土,求主的宽恕,自己却无力地瘫倒在坟坑之上。待他回到忏悔室时,那个声音又继续向他告解:"最糟糕的是我杀了人后有一种快感,而且还想再干一次。我想杀亚瑟。他既软弱又讨厌,像跟在我后面的一条野狗,只有杀掉他我才感到愉快。"

神父:"孩子,你已经掉进了罪恶的深渊。你要尽快请求仁慈的主宽恕你。你还信任我吗?你还相信我的指令吗?告解完毕后,我带你去自首。"

那声音说:"不,我才不愿意坐牢哩,我不会去自首。我知道,你有你的责任,你不会去告密的。"

神父恐惧极了,回到宿舍查看,史丹弗却已睡着。不一会,戴森才回来,他说他去了厕所。

第二天,神父在三楼从窗子里看见空荡荡的操场上走着两个人影,一个跛腿,另一个回头向窗口看了一眼——正是史丹弗!神父吓坏了,紧张地冲下楼,冲向操场,却不见人影。神父跑到对面的林边,问同学们看到史丹弗与戴森没有?"没有。"从此,戴森不见了,在宿舍里不见,在教室里也不见。神父恐惧得无法可想,偷偷打破了学校火警警报器,使得全校师生都跑到操场上集合。戴森仍然没有出现。最后神父只有主动去找史丹弗,直接问他是否杀了戴森。

史丹弗说神父患了幻想症,要他去看心理医生。神父再也控制不住自己:"你打倒不了我,我是魔鬼的克星。"当史丹弗从神父的手中挣脱时,神父口中还念念有词:"耶稣,耶稣,给我力量!"

四次告解
一个声音在忏悔室里告解说:"神父啊,在外面我不能不否认,为了保护自己,但在这里只面对你就不同了。我恨亚瑟。他总是跟在我的后面,像一只断了腿的小羊。他跟着我进了树林,看见我蹲在布莱奇的身边,眼光像冻结了一样,我抓住他的头向树上撞去,撞呀撞呀,直到他倒下。"

神父说:"你知道他发现你杀了布莱奇,怕他去告密?"

声音说:"我还没这么想。我只觉得当时杀了他才是唯一正确的。他就埋在离布莱奇不远的地方……"

神父赶到他指定的地方用锹掀开浮土,发现了戴森跛腿上的假脚,这时神父又听到史丹弗偷看的动静,他狂呼着"史丹弗"。史丹弗从树的背后走出来,神父发疯似的拿起锹向史丹弗的脸上砍去。史丹弗倒下了,神父还不停地把史丹弗的脸砍了个稀烂。

神父跑回教堂,向仁慈的上帝忏悔:

"主啊,你不会拒绝一个真诚悔改的人,原谅我,怜悯我……"

这时,教堂里出现了史丹弗的声音:"我的尸体还在冰冷的土地上冻着,我的灵魂看见你跑到河边洗净手上的血迹。你别想在忏悔中过关,我是来拿你的命的。"

神父惊恐地四周寻找,看见戴森从门道里进来。

"戴森,"神父简直不能相信,"我刚才还看见你躺在森林里。"

戴森:"你在森林中看见的是我的设计。布莱奇是我用弹弓射死的,除了两次,往后忏悔室里告解的声音全都是我模仿史丹弗的。你听,'他总是跟在我的后面,像一只断了腿的小羊,……我抓住他的头向树上撞去,撞呀撞呀……'"

神父:"你怎么有这样的恨?"

戴森:"我崇拜你,神父,可是你却每天伤害我、侮辱我、惩罚我。"

神父:"我的孩子,是我的错,我愿意去自首,布莱奇和史丹弗都是我杀的,你只需向仁慈的上帝请求宽恕。我们祷告吧。"

祷告。戴森依偎着神父。神父说:"感觉到了吗?上帝的爱是否流进了你的血液?"戴森突然站起来:"不能让你这样轻易过关,上帝救不了你。我看你只有两条路可走:一条是去自首,由于你不能讲出原委,别人会把你当作疯子关进疯人院度过残生;另一条是自杀,堕入地狱。你的信仰坚定,走第二条路要轻快得多。"

戴森走了,神父退到基督耶稣的十字架前,伸开两手,发出了僵直的惨呼……

幕并未迅速落下,当镜头推成全景,像是十字架上的耶稣俯看神父。镜头由推变成摇,从殿堂摇向过道,戴森边走边扶正挂歪的圣画,还吹着轻快的口哨……

故事完。

1997 年 12 月

一

影碟名叫《魔鬼的忏悔》。实际片名是"ABSOLUTION",意即"赦免",或"忏悔"。"魔鬼"两字是广告效应,或者也是对内容的"误读"。

不,我说"误读"是否太早,还是先作一个说明。影片是西方的,而且是有关基督教的。用黑格尔美学的"类型说"分类,它属于"浪漫型",即理念超出形式。但论起理来,一个几乎不知道宗教生活为何物的中国读者,究竟如何解读它? 或者说得确切点,如何能不误读它?

后一个问题隐含着自我肯定的反诘:误读是可以避免的吗?

既然是这样,我反而没有负担了,不考虑天主教的义理,也不追究生活情节的真实,总之不管是宗教片还是谋杀片,我只需问,你能感受多少? 感受的方式与能限何在?

在如实陈述了感受后,再问:感受这些感受的自我有多大的经验真实性与交互性?

本文以此为限。

二

影片《ABSOLUTION》(或简称 A)在结构上分为前后两半。前半以哥达神父为中心,从正面传授教义,重在于言,主要是人或戴罪之人同上帝之间的忏悔与赦免的告解关系;而作为中介的神父,除了通达告解而不能有丝毫的泄密,否则有悖神职,为圣俗不容。后半以史丹弗(其实以戴森)为中心,从负面实证教义,重在于行,反映了承担神职的神父是人,也会犯罪的事实。

(不不不,别这样,别这样教科书式,老实说你看到什么? 从最尖锐的说起。)

是感觉的尖锐,还是反思的尖锐性?

感觉的尖锐不是哥达神父用锹劈史丹弗的脸,不是哥达神父绝望的惨叫,而是结尾:字幕后面,长长的过道,戴森走着,若无其事地扶正圣画,漫不经心地吹着口哨,离去。

两个人,为什么一个神父最喜爱的优等生死了,被遗弃的残缺者却活下来了?

反思的尖锐性正从这儿开始,它不停留在戴森的行为上,也不停留在史丹弗的想象里,判定这两种报复的罪恶太容易了。它进到哥达神父的两重世界:他是人,却扮演神职。这是可能的吗?

（我熟悉你这种追问方式，不追问恶，而追问善。为什么善易自欺欺人？）

从神的一面说，它既存在于人忏悔的真诚中，也存在于人忏悔的虚假中。前者不必说了，人没有不忏悔的，因为人的缺陷与有限以及它所招致的过失与罪恶是不可避免的。特别是现代社会处在普遍的分化中，它既突出了各种分歧，包括一个人自身的欲望的分歧，欲望与理智、信仰的分歧，又迫使分歧不得不在冲突与障碍中妥协以寻求更新的交往与联结，由此而出现各种偶在性。这就是现代社会中现代人的处境。① 后者无非是罪行的延续，它的恶果不管是自食还是他食，都是人的承担，为此人不得不从自身的苦难中反省罪行。区别只在于，为此罪行，有的人承担法律责任，而有的人承担道德责任或信义责任，谁也逃避不到这两种责任之外。难道无辜的犹太人真的能逃避到纳粹的罪行之外吗？难道无辜的中国人真的能逃避到"四人帮"的罪行之外吗？不逃避的无辜者才真正承担了人的责任。在这个意义上讲，战后我们对德国民族的称赞要远过于对日本民族的称赞。所以不管是承担还是不承担，神都在。神有足够的耐心等待人反省自己对过失与罪恶忏悔的真诚与虚假，因为人既不能放弃对幸福的追求也不能放弃对罪恶苦难的承担。人类的生存不可能一假到底，正如林肯所说："你能够在一个时间里愚弄所有的人，也能把某些人老是愚弄下去，但是你不能永远愚弄所有的人。"

反过来，从人的一面说，作恶者、说谎者、行骗者，他们用对罪恶及其责任的有意逃避直接承担着罪恶自身。这是容易明白的事实。除此，浑噩不知其可的沉沦者像泥土一样承担着这个世界的不幸与不义，他们只是无言罢了。剩下的，最难理会的是这样一种人，他们是人，但又自觉担任着神职、圣职、伟职而成为神人、圣人、伟人。他们在今天不仅是人的"精神导师""灵魂领导者"，而且还是"人间天国的缔造者""理想的实现者""完美的体现者"。他们是"真理的化身"。

---

① 参见 Helga Cripp-Hagelstange, *NIKLAS LUHMANN——Eine erkenntnisthe-oretische Einfuehrung*, Wilhelm Fink Verlag Muenchen 1995, p.97.

这种人，像 A 片中的哥达神父，最清醒、最真实，但奇怪的是同时又最自欺、最虚伪，因而在神面前最需要忏悔。告解的应是他们，为了把他们从自欺中赦免出来。

但是，谁能使他们从自欺中醒悟而忏悔呢？他们自己吗？他们自欺着。他们的理想、信仰与导师吗？他们构成着。他们的批判者吗？他们被斗争着或被镇压着。只有他们的"人民"，对他们所承担的不幸、不义与罪恶进行反叛时，他们的神人、圣人、伟人的自欺才在他们标榜的"拯救人民于苦难"的目的破灭中破灭。……但是能否反省自欺而还原到反省信义，还是在反省自欺中重建新的自欺模式，其间的界限与区分，尚不知历史能否将它带来。

然而，我可是决计在自欺的反省中把信义押到忏悔席来告解，只是不要任何中介而直接面对神。

三

不要中介必须拆除中介。

A 片中的哥达神父为我们提供了一例个案。

我不知道天主教会的告解制度，更不理解忏悔者告解时的心情，特别不理解神父在听忏悔者告解内容时的心情。例如，当忏悔者在告解奸淫罪行时，神父说"罪行是不能想象的"，这是为了向上帝袒露罪行的性质、方式与程度呢，还是为了便于神父的分析、怜悯与指导？或者，还有神父的"面具"（或"角色""身份""名义"）下的人欲的好奇、联想、同感、羡妒、报复、幸免、嫌恶等等，三者的界限是否划分、取舍得清清楚楚而没有一丝的粘连？更不用说无意识的潜抑隐伏可能导致的失控冲动。

神父终究是人。你看，他作为中介，一面按教义讲授悔罪人的告解与上帝的赦免。也就是说，神父的神职要求他绝对守密，为了消除忏悔人的任何顾虑以便向上帝袒露罪行。上帝要的是拯救人的灵魂，它并不关心世俗社会的法律责任，所以神父严守秘密是必需的。另一方面，神父的神职要求他应对忏悔者进行精神引导。神父只能用教义去平息、赦免悔罪人的邪恶欲念与负罪感，以便灵魂净化而回归救赎之道。除此，他本不应该介入世俗对罪行的揭发、侦破、审判、量刑、定罪的法律程序。但神父的神职是否要求他去阻止罪恶念头的实行与发展，神父有阻止的手段与权力吗？如果告解者只告解罪恶的动机过程与结果，神父绝对守密的神职使他不可能借用他人与社会的权力，他就只有靠自身的个人行为去隐秘地制止。这时，神父是否能分清他的行为的动机究竟是神的指令还是人的好恶意志，特别是他是否能够分清他的行为的分寸，究竟怎样才不越界而把神职的拯救变成人意的惩罚？

一旦进入个人行为的隐秘制止，马上产生两个问题：一是个人行为完全世俗化了，不仅带入个人的意志，而且进入社会人的关系网络；二是个人行为的私密性质使得行为的执行尺度与判断尺度完全处在独断论中，既无法用神学解释，也无法用社会学解释。要么他独断地取代两者，要么他无法解释而被两者任意解释，使这个人成为无可告者。

哥达神父不幸落入最后的不可告者中。他发现他作为神父不但制止不了告解者史丹弗，作为个人还承担着同谋的负罪感。他只有牺牲个人即被个人的情感冲动驱使去执行制止罪恶的犯罪行为——以恶制恶，杀死史丹弗。

史丹弗一面对教义敏悟极高，一面又自由不羁而心生叛逆，这说不定就是哥达神父走过的道路，至少也是哥达神父恪守神职而应全力教化的对象。所以，在对史丹弗的态度上，哥达神父毋宁说是自恋与自抑的双重身份，而且又总是重复着从自恋到自抑的转化。只有自恋其善才能自抑其恶。特别在"性"与"死"的原罪上，哥达神父或许早在自我战胜的经历中深藏"情结"，以致面对史丹弗的恶像面对自我的恶一样，乃是一场不能完结的战斗，除非死。

如果仅仅是哥达神父同史丹弗的教化与反叛，则几乎可以看成某种自我关系的忏悔行为。事实上，史丹弗的两次忏悔都是想象的，即意念上的罪，包括有意的欺骗和恶作剧。偏偏旁边还有一个戴森，他的客观化使情况骤然复杂起来。

戴森是一个证据。尽管哥达神父恪守神职，但他只是人，因为在戴森身上,哥达神父表现出太多的个人的嫌恶与不公,从化装表演、护肤用品到课堂讨论,几乎没有看得顺眼的,而且还有一个判断:从生理缺陷推论到"心理不平衡"。

哥达神父之所以害怕史丹弗杀戴森,是因为他知道史丹弗从厌恶戴森到杀死戴森其间有一条可体验的情感逻辑,而且这种体验说不定就存在于自身,它才那样真实可信,那样轻易受骗。这里隐含着史丹弗与哥达神父的某种情感同谋,一旦史丹弗见诸行动,犹如自己见诸行动一样的危险。反过来,史丹弗"真的"杀死了戴森,哥达神父扼制不住冲动地杀死了史丹弗,这对哥达神父来说,有两重意义:用惩罚来制止罪恶于他人,就像用惩罚来制止另一个同谋而有罪恶感的自我一样,同时这种双重的用惩罚来制止罪恶的行为因而获得了象征的表现,即向神"忏悔—告解"。所以,杀死史丹弗后,哥达神父跑回教堂向上帝告解的用语是:"主啊,你不会拒绝一个真心悔改的人,原谅我,怜悯我……"

如果这仅仅是"史丹弗—哥达神父"的封闭关系,哥达在上帝面前的告解其实是有效的!

但不,这不是自杀性的。有戴森在一旁成为他者,"史丹弗—哥达"就构不成任何形式的自我关系。换句话说,一切自我关系的自明的可解释性立即成为不可证亦即不可信的独断论。反过来,"他在"的证词不仅使自我关系的自明的独断论瓦解,而且骤然间自我关系成为不可解释的,即不可言诉的。有三层意思参考:首先,死,仍然只能向上帝告解,而不能向世俗公开;其次,前述自恋向自抑转化的自我关系,更不能推诿成为神制恶、为人除害;最后,那个原本构成罪行而同谋而自惩及其忏悔而告解而赦免的他者,不是一个被遗弃了的无言的对象,甚至也不是一个遗漏或死而复活的单纯受害者,他是罪恶回复自身而不被扬弃的确证者。然而自我关系所掩盖或拒斥的正是他者的确证,因为我的罪恶危及对象但并不危及自身,相反,如果用忏悔的形式回复自身,那毋宁是自我的告解,这是一种可以被"宗教罪"赦免的"道德罪",总隐藏着自我在自我否定中的解脱而使心灵获得涤罪或净化的自欺。

现在,这种忏悔隐喻的把戏戳穿了。我的罪恶危及对象到这样的程度,对象沿着罪恶的逻辑把罪恶延伸到我,就像我是我的罪恶危及的对象一样,我成为罪行与罪证的自确定者,剥夺了我的涤罪所必需的忏悔与告解。戴森所做的不能单纯看成是一个受害者的报复,他在忏悔室中的告解也不是他的编造与设计,那不过是他揭示的史丹弗与哥达神父两人之间的某种同谋,甚至连史丹弗也不过是哥达神父自恋而自抑的某种化身或变式。他不仅说出来了,而且实行了,使隐藏在自欺中的罪恶感直接对象化为罪行与罪恶,无可逃遁。但哥达神父的自欺是很深的,当戴森揭示了真相,哥达神父还做了两个相关的表现。一个是惊讶:"你怎么有这样的恨?"一个是他仍然固守神父的立场,要在他人罪恶的承担中自我献身于神而告解自己的罪恶:"我的孩子,是我的错,我愿意去自首,布莱奇和史丹弗都是我杀的,你只需向仁慈的上帝请求宽恕。我们祷告吧。"……"感觉到了吗? 上帝的爱是否流进了你的血液?"

如果戴森一直依偎着神父祷告,并接受了神父的指引而感觉到上帝的爱流进了自己的血液,那么,戴森的他者的资格就被剥夺了,并同化到哥达神父的自我关系中而恢复哥达神父的"忏悔—告解而赦免"的自我扬弃、自我净化的涤罪模式。戴森立即领悟到这是哥达神父自欺式的告解方式。他马上抽身出来,坚守他者的非同一性位置,硬逼着哥达神父正视自我的处境:要么自首但不可解释,杜绝忏悔中的赦免,要么自杀而不必解释,因为这是自我确证的了断。

与其说,这是戴森的逼视,不如说,这是哥达神父的良知或神性。

结尾的口哨声多么简明而清朗。

(我把一个可能的反问放在注释里。

反问:你是不是混淆了哥达神父的过失、史丹弗的恶念、戴森的罪行三者间的界限与性质?

回答:你的排列正好是"信义—意识—行为"的现实化的偶在关系,它在社会生活中是随时发生的。我们经历得已经不少了。)

四

中介拆除了,信义还在吗?

信义虽然不等同于神父,但它能从神父的神职中抽身出来吗?

我不想抽象地去论理信义,我仍然按现象学存在论的方式,还原哥达神父的自欺现象,看信义在自欺构成中的位置以及对神父而言实在的属性是否必然。或者说,"必然实在"的一定是"必然实在"的吗,还是"偶然偶在"更真实?

哥达神父明确表示,神父不是肉体父亲,而是"精神导师"。前者是世俗的,后者是属于神的。因为只有后者才可成为人—神的中介,将人引向归神的救赎之路。

基督教世界,特别是天主教,神父虽然不是神,但却是"引导"俗人如何救赎而归神的,因此是俗人超生、再生的精神父亲。

在教会与教义中,神父的神职规定了神父与上帝的"合法"通道,此"合法性"当然深入到作为神父的这个人如哥达的意识信念中,并成为意识活动自身的构成性与目的性,即意识活动的意向性向神的目的构成着它的意向对象。

否则,不是"神父",就像胡塞尔的意识不是中国人王阳明的意识一样。这里的自明性,胡塞尔是永远明证不清楚的。如果胡塞尔说王阳明的意识"还原"得不"纯",反过来,王阳明会说胡塞尔的意识也还没有"纯到家",即"格物至诚"。

意识不是固有的抽象物,就自身的意向性、构成性、目的性而言,意识的功能系统并无"我有你没有"这样独有的差异性。但这决不等于说,其功能系统的质性、形态与层次都是一样的,都应该像胡塞尔那样的"纯"法,或都像哥达神父那样的"纯"向上帝。如果这样要求,胡塞尔就是这样要求的,那么,意识本身的历史差异与教化差异以及历史教化到无意识层次的成长机制(参阅利科),便都在胡塞尔的意识之外黑暗着,为胡塞尔所无意识,因而他的意识的自明性无非是他的意识的限度而已。这是题外话了。

一旦哥达神父在天主教的历史与教化中意识到自身的根据是上帝,作为目的论,他的意识便整个笼罩在上帝之目的的光芒中,它整合着哥达神父的社会人的意识与个人意识。然而所谓整合即是抽象的拔高与具象的抑制。一旦越过忍受的限度,两者同一地合成为创伤积压到无意识领域,成为潜伏着的"情结"。

这里,把"上帝"换成人义论的种种"主义""理想",情况也会一样。凡是超个人有限性的完善化的人为的"神义""主义""理想",都会构成个人意识的自欺根源或根据。在这个意义上,可以说,自欺是个人意识构成中不可避免的渊薮。问题只在于我们的意识在现代性的转型与教化中,能在多大程度上意识到至善隐含的虚妄及其可能的防范机制,而不同于古典时期,把它视为"当然""必然""颠扑不破",遭损害的永远是个人。

哥达神父恰恰就是把上帝的神义视为当然。这种当然有时会当然得全无界限,分不清教会教义与个人意识中建立的对象、意义是否符合上帝目的的神义与信义,以及符合到什么程度,还有没有遗漏的中间环节。没有这些中间环节,合目的性的意向逻辑不过是一种偶在,只是意识尚无意识才在意识中把"偶在"当作"必然"而陷入自欺。可悲的是,中介环节永远不充足,因为当作意向目的或根据的自明性上帝永远在论理的暧昧不明中。上帝可以在超验域中与信仰直观照面,却在经验域中让出偶在的地盘。所以那些动辄把上帝纳入理性逻辑建构中的人,"自我与上帝认同",总难免落入时间的反讽。

顺便补一句,不管"神义论"的教徒中,还是"人义论"的信徒中,都会有些人像"拉摩的侄子",以懂得恶玩弄恶而高于恶的方式去懂得"上帝""主义""理想"而玩弄"上帝""主义""理想"。这种虚无化的"不受骗意识"看起来没有自欺,其实,它是以"否定即限定"的形式仍被"上帝""主义""理想"的人为限定自欺着,而且正是他们准备着、证明着、召唤着"上帝""主义""理想"的重新来临。但这是另外的问题了,此处暂不理会。

神父的存在,似乎已经表明这条路线的唯一合法性:"俗人—神父—教会—上帝"。有一个历史时期的确如此,连世俗的王权也臣服其中。

但它的必然是偶性的。政教分离了,教会调整了自己的职能范围,教皇也不再永无谬误。随着十字架上基督死而复活意义的启明,教义中的"上帝"也逐渐改变了审判者、惩罚者的严峻面容,它开始在自己的苦弱中显示出爱的赦免性与自赎性。无教会的基督徒出现了。

于是,"俗人—神父—教会—上帝"的路线中,"神父"的必然性脱落了,"教会"的必然性也脱落了,剩下人直接面对上帝,即剩下人与上帝的直接关系——信仰。

换句话说,当信仰脱去了教会的垄断解释,脱去了神父的垄断解释,也就是脱去了这种句式:"上帝是——","我说上帝是——上帝就是——",信仰还会更真吗?

与此相关,许许多多人为的"上帝""主义""理想"褪去了,"上帝""主义""理想"还有吗?还会更真吗?

假若,人像指称"物"一样地去指称"上帝",并在这种确定的、实指的指称中建立崇拜与牺牲的信仰方式,属于古典信仰范围,或早或迟地总要褪去,而虚无主义又只是古典信仰的重复契机,所有这些我们都意识到了,也能区分,那么,我们要在一种怎样的信仰方式中生活,才能防止人的僭越而保持人与上帝纯粹的信仰关系?

这个问题当然超出了"ABSOLUTION",但它的回答方向,作为一种偶然性,已无疑预设着,而且,回答的人选,史丹弗、戴森、哥达都一个一个地淘汰了,或者分解了。让法律、道德、管理各司其职,剩下的只是信仰的自家事,理应由信仰来告解信仰。

语言的双重异化之诊断
——论 纲

王 宾

(1)当代西方文学研究以语言学批评为范式(paradigm),形成一种科际整合型的泛文化学术运动。其触角所及,遍涉人文社会各学科。另一方面,文学经典(literary canons)曲高和寡,批评理论艰涩奥玄。此反差如何解释?

经典是以现代派诗文为主干,自我定位于艺术的象牙塔,不屑与媚俗粉世的文字为伍。其言说方式与语言和阅读习规相悖,尚可体谅。批评的宗旨是要拆除一切象牙塔,消解等级二元(hierarchical arrangement of opposites),为压在底层的"边缘话语"(marginalized discourses)张目,而说出来的话怎么存心不让人懂,从而将广大读者"边缘化"了呢?20世纪60年代以来,它造就了一批又一批以精英话语来批评精英主义的当代英雄;在两大宏伟叙事没落之后,又建构了一种反宏伟叙事的宏伟叙事。此悖论又如何解释?

(2)问题来自语言。所谓的"语言学转向"提供了另一种批评的视域。在此视域内,文学经典的形成、哲学的主体性难题、真理的客观根据、意义的外在指称、文化的精英霸权、政治的专制独裁等等,统统化简为语言问题并与"权力"(power)有切不断的关系。

如果说索绪尔提供了新的"语言"的概念(la langue)——应运而生的是语符学(syntactics)和经典结构主义的叙事学,如果说奥斯丁和维特根斯坦分别以"言语行为"和"语言游戏"的方式引入了语用学(pragmatics),那么,后结构主义的"话语"(discourse)概念则试图在文学/文化批评的层面打通语符和语用。这是在语言批评范式内如何把握福柯所言的"话语意志"(will to discourse)和"话语权力"(power of discourse)的关键。

支撑此"意志"和"权力"的社会物质基础,是笛卡尔以降的写作和阅读习规(conventions)。后者又集中体现了各种社会的和意识形态的习规。另外,写作和阅读习规又与现存的语言模式同构。语符、语用和语义学关心的语境问题都包括进去了。于是,"冒犯"(offend,已成为中性词)既定习规或"游戏规则",颠覆被常识视为当然的语言结构及意指方式(signification),遂成为当代(又称"后现代")文学/文化批评实践的重要文体学特征。

(3)它不是近代"认识论转向"(the epistemological turn)以来形成的"批判"——批判还得依靠写作和阅读习规。它也不仅仅是解构——解构是一种哲学姿态或阅读策略,并不构成文体风格本身。这是一种针对语言本身的病理学"诊断"(diagnosis)和"治疗"(therapy)。福科在《知识考古学》的结束语部分用"诊断"来界说自己的"话语"的性质。(Foucault:1972,p.206)拉康和德勒兹两人的文本更是大幅度地凸显病理学"诊断"的维度。(Lacan:1977;Deleuze:1977)诊断出什么病?可称之为语言的异化。

(4)顺当代批评理路,言说者无法超越他身处的"文本""话语形态"或"语言的牢笼"。如果语言异化了,批评家们又如何能凭这个异化物来描述它的异化呢?"艾滋病"无法用来描述/诊断艾滋病。诉诸元语言(metalanguage)?这等于自打耳光——当代批评自以为已经戳穿了元语言的神话。只能在文本中对付文本。办法是:既然"语言的异化"已被习俗视为当然和正常,病入膏肓还以为健康,那就只能以毒攻毒,将"正常"扭曲异化。为了名称的对应,这种"治疗"策略(与"诊断"无法绝对区分)可称为"异化的语言"。杰姆逊挑选了一个医学术语来指代它:顺势疗法(homoeopathy)。(Jameson:1989)以异化对抗异化,原本是现代派文学的惯用手法:以异化的形式——刻意扭曲的句法和词义,来批判异化的社会和人生;以无意义的文本,来"再现"或"表现"或"反映"世界和人生的无意义性。

身处"语言牢笼"中的你和我,如果不觉得有病(语言的异化),又岂能承受作为"诊断"和"治疗"的异化的语言?称之艰涩奥玄是客气,诉诸直感,则会反指批评家们神经有毛病。凡说话颠三倒四、令人不知所云者,还会有其他什么毛病呢?到底谁有病?"医生"/批评家,还是语言/读者?仁者见仁,智者见智。

(5)语言的异化,是指语言与实在(reality)、语言与心灵(mind)的关系被扭曲。由语言创造的大千世界和受制于语言规范的心灵活动,反过来凌驾于语言之上。语言沦为手段或工具,其功能降格为"反映""再现""指代""符合"实在或者心灵。语言内在的创造力被语言的创造物束缚。此说的锋芒所指,包括了近代认识论(即知识论)视域内的一切唯物(实在)和唯心(心灵)一元化简论(monistic reductionism)及其政治意识形态。传统异化说只谈人的异化,而人的异化却源于语言的异化。

(6)从霍布斯到前期的维特根斯坦,凡涉及语言问题时,哲学和语言哲学均以心灵或者实在为第一性。欧陆传统中最具影响力者是胡塞尔,而他的庞大的现象学体系正是建立在"意义先于语言"的幻觉之上。英美分析哲学中的所谓"意向性"意义理论,与胡塞尔的"意向性"基本一致。前期维特根斯坦认为语言和世界之间有严格的对应模式,因此"名称意指对象,对象就是它的意义"。因此,命题的真假和信念的真假也就全在于它们与外部世界是否相符。此说虽然没有直接断定"实在先于语言",但是"指示"和"符合"的方向都表明是语言去指示/符合实在。这是一种精巧的语言工具论。罗素还嫌此工具太粗糙,是历来哲学麻烦的根源所在。他希望能发明一种具有真正的逻辑形式的"理想语言"。以后兴起的"日常语言分析派"则认为工具(日常语言)没有问题,是工具的使用者(哲学家)滥用工具。

如果哲学果真扭曲了语言的性质,结果是什么呢?哲学史就是语言的异化史。

(7)被当今文学共同体视为永恒的"文学"概念并非永恒。它起始于19世纪30年代。(Eagleton:1983,p.18)浪漫主义批评'断定文学为有机整体,而这个有机整体又是艺术家心灵的表现,心灵之内含是天然的情感。被取代的新古典主义同样视文学为心灵的外化,只不过心灵被解释为理智。现实主义小说以再现客观世界之本质为己任,对客体细节的逼真描述乃度量作品优劣的重要尺度。再现实在(现实主义)和表现心灵(浪漫主义),是本体论时代"艺术模仿自然"的两个侧面:外在自然和内在自然。语言呢?它最初被亚里士多德归于修辞学,与哲学/逻辑的"或然律"(the probable)相关。后来,它蜕变为纯修辞格的划分,因此到19世纪中叶便失去进入大学课程表的资格。(Ricoeur:1986,pp.9-11)

文学史也是语言的异化史。

(8)先知先觉者是宣告"上帝已死"的尼采。他提醒世人:所谓客观存在的"真理",追到底只是一个暗喻(metaphor),语言符号的使用而已。他用另一个暗喻来抗衡:语言的牢笼。当我们言说真善美时,只能按语言规定的方式在语言划定的范围内言说真善美。道理似乎很简单,但说早了几十年:先知先觉者被认为是疯子。

索绪尔悬搁了言语(la parole)。共时性(synchronical)语言的先在性,为言说者(心灵)的言说方式和可能的内容划界设限。索绪尔又悬搁了语言之外的指称对象(referent),将注意力转向语言系统内符号和符号之间的运作过程,即"意指活动"。于是,意义(meaning)便归属于"所指"(signified)。(Saussure:1960)这里没有形而上思辨,没有诗歌的想象,只有对语言的科学分析。社会和人文学科的范式大转换开始了。

现代语言学的诞生隐含了对"语言的异化"的回应:凡实在,就是语言的实在,非语言的实在不在研究之列,只能悬搁不议。凡心灵,就是言说者的心灵,必然受制于先在的语言系统。语言和言语,谁先谁后?语言和人类,谁先谁后?对不起,这是个"先有鸡还是先有蛋"的问题,是发生学或曰历时性(diachronical)的问题,必须悬搁。

海德格尔的"此在"(dasein)重铸了哲学本体论。"此在"观的意思包括：凡存在(being)，一定也只能是被理解的存在，而理解一定也只能在语言中完成。与其说"人说语言"，毋宁说"语言说人"。这正是结构主义的语言观。如果"语言说人"，那么人是否也说语言呢？其实这是个假问题，因为在语言学意义上，人只能说"言语"(la parole)而不能说"语言"(la langue)。德里达批评海德格尔仍保留了一个在语言之外的"先验所指"(即being)。这才是打中了要害。不过，一旦承认还有无法用语言来表述和界定的"大道"(老子)，传统本体论的大厦就坍塌了。

前期维特根斯坦也承认有语言无法企及之物："凡无法言说的东西，我们必须保持沉默。"(Wittgenstein：1988，P. 7)这就为反本质主义(antiessentialism)的《哲学研究》敞开了大门。后期维特根斯坦的"意义"不再是实在或世界中的"对象"，而是语言的"使用"。语用者(游戏中的"心灵")无法超越先在的游戏规则——索绪尔语言观的语用学表述。既然不同语言游戏之间无共同本质，那么在各自的"使用"中产生的"意义"也就无法归属到本质主义的"心灵"或"实在"。(Wittgenstein：汤潮等译，1992)同属分析哲学阵营的当代著名学者古德曼(Goodman)更直截了当：语言创造了世界，而且是复数的世界；非语言的实在是心灵的幻觉。命名(naming)在过去意味着语言工具论，而在古德曼看来正是语言创造力的表现。

语用学的另一位先驱人物奥斯丁令人信服地将一切"指陈性语句"(constative)在语境(context)中转化为"行事性语句"(performative)。指陈性语句涉及命题的真假，它支撑着意义指示论和真理符合论。一旦变成与真假无关的行事性言说，其后果可想而知。另外，他提出的"言语行为理论"，也绝对不是要突出被索绪尔悬搁的历时性"言语"。他是在语用的层面抽象出言语行为的一般性结构特征，以说明"各种具体的言语行为如何是可能的"这个先验性问题。言语的行为者——作为"心灵"的你和我，必然受制于某种先在的社会约定俗成的言语行为模式。(Austin：1962，Culler：1985，p. 111)

早在20世纪初，弗洛伊德阐述的"无意识"之控制力就已经质疑了"意识"的独立自主性。19世纪心理学只研究"意识心理"(consciousmind),"意识"是"心灵"的同义词,"无意识"概念不被接受。《释梦》第一版只印了六百本,却用了八年时间才卖完。到了20世纪60年代,拉康将无意识重释为"语言结构"(Lacan:1977),完成了从"语言/言语关系"(索绪尔)向"无意识/意识关系"的过渡(其实,"语言""语言游戏"以及乔姆斯基的"语言能力",都已隐含了"无意识"的维度)。在弗洛伊德那里,"凝聚"(condensation,即多个意象 images 被压缩到一个单一的意象之中)和"置换"(displacement,即一个意象被另一个意象替代)是"梦"亦是"无意识"活动的基本方式。这也就是语言——"无意识"已与语言共构——的误用。这时的"误用"不再是 abuse,而是作为修辞手段的"误用":catachresis。在拉康、福柯、德里达、巴尔特、德曼等批评家们看来,catachresis 不仅仅是修辞手段,不仅仅是语言创造力之所在,而且是人类文明存在和发展的前提。(Sturrock:1984)原罪的起因不是偷吃了禁果,而是获得了语言。

(9)语言的异化,编造了一个"先验主体"的神话,虚拟了一个客观的世界,直接受益者是统治阶级的意识形态。

有关真理(认识论)和正义(政治/伦理)的话语,本来是语言创造了意义世界的佐证,却被误认为是永恒的"真理"和"正义"本身。当我们不假思索地接受牛顿经典力学的话语和卢梭社会契约论话语时,一切与之相悖的言说就作为非真理/非正义而被排斥。

19世纪现实主义文学以再现"客观世界"的方式,将资产阶级理想王国自然化和神秘化,它后来又沦为斯大林的"党文学":"社会主义现实主义"。"再现"就是歌功颂德、粉饰现实。所谓"文学源于生活但高于生活"编织了一个弥天大谎:体现了统治者利益的文学话语就是生活的本质。"人类灵魂的工程师"(斯大林)是为"帮凶"设定的任务和桂冠:作家和知识分子要以语言为工具,主动挑起世俗神父的担子,按统治者的意识形态去塑造芸芸众生的灵魂。

发端于19世纪且延续至今的所谓"历史哲学",企图告诉我们历史如何起源,抽象出历史发展的内在规律以指导当下的行为,设定唯一的历史最终宏伟目标。它将基督教的创世论、目的论和乌托邦末世论统统世俗化了。从雅各宾专政到"古拉格群岛"再到十年"文革","历史哲学"毁灭了多少肉体和灵魂!

我们之所以感觉不到语言的异化如何为显学意识形态服务,不仅是因为未能将问题化为语言游戏,而且是因为上述有关"真理""正义""历史""文学"的话语或叙事统统被机构化/制度化了(institutionalized),即通过教育和大众传媒,渗透进且牢牢控制住民众言语行为的每一个角落。这就是福柯揭示的话语和权力之间的关系,它震撼了整个西方知识界。

由此可见,语言的病理学"诊断"绝对不是形而上哲学象牙塔里的清谈。一旦为群众所把握,它将会焕发出何等创造性或破坏性的物质力量?

(10) violence(暴力、破坏,等等)成了常用的文学/文化批评术语,或多或少中性化了。批评家们对街头暴力革命不感兴趣,尽管他们几乎全都是1968年"五月风暴"的狂热支持者。因为在语言的异化状况下,任何改朝换代都不会触动话语和权力的关系。只有文本革命——以"异化的语言"来破坏"语言的异化",才是真正的灵魂深处的大革命。德勒兹似乎没那么乐观:"神经质"(schizophrenic)反抗只能在资本主义生产方式的结构内部来激活新的欲望,因此只是一种求存活的反抗。("a way of surviving under capitalism")(Jameson:1984)它的要领是:冒犯写作和阅读习规,对虚幻的"常识"施以"暴力",使已熟悉从而视为当然的东西在"震荡"(shock)的刹那间被"陌生化"(defamiliarization)。晚期资本主义(即"后现代状况")的最高原则是"效率就是一切",此原则被贯彻到一切语言游戏之中,是对智性的"恐怖"(terror)。(Lyotard:1984,p.24)知识分子只好借助"小叙事"(little narrative)来以"恐怖"对付"恐怖"。

"陌生化"概念出自俄国形式主义文学批评,针对的是十月革命后的"常识"。布莱希特从马克思那里获得灵感,在社会主义阵营内部(前东德)挑战史坦尼斯拉夫斯基大一统戏剧理论和社会主义现实主义的权威,重提"陌生化"问题,并将之描述为"异化的效果"。它与西方现代派文学对现实主义的抨击,有异曲同工之妙。生活在斯大林独裁专制下的俄罗斯和东欧知识分子为当代西方文学/文化批评理论提供了意义深远的批评术语。同一个阵营内的中国知识分子反其道而行之:将陌生的东西、与个人灵魂自由格格不入的东西,通过学习和再学习去"熟悉化"、自然化、永恒化。这就是"思想改造"的全部含义。

当代批评追求的异化效果主要不在内容而在形式。从亚里士多德开始,形式主义批评就将形式视为一种建构力,而不单单是外在的形态。形式就是内容,康德在《判断力批判》中对美的分析也是沿这个思路展开的。西方艺术史的演迁主要是艺术形式的革新。如今针对的是语言结构的形式,这就必然会破坏按此形式运作的逻辑思维的合法性。虽然不用流血,但震荡的深度和广度绝不亚于改朝换代的暴力革命。

(11)"异化的语言"或文本革命的始作俑者不是德里达和解构主义,而是经典结构主义批评。

结构主义语言学开山鼻祖雅柯布森挪用传播学分析模式,抽象出语言的六种功能,为欧陆符号学奠定了理论基石。其中第四种功能"美学功能"被界定为"讯息(message)与其自身的关系"。这里的"讯息"与内容无关;内容属于第一种功能(指代功能)。"讯息"指由能指(signitiers)构成的纯形式。索绪尔告诉我们,意义是由符号/符号之间的关系决定的,是差异的产物。雅柯布森的语言第四功能却认为能指就是它的指称对象(referent),"讯息"指向自身来形成关系。能指被实体化(hypostasis of the signifier)。(Jakobson:1960)此乃能指"自恋"(narcissism)的开端。这不仅仅为传统的"为艺术而艺术"再讨一个说法,更重要的是为后结构主义"能指游戏""语言自恋"语言的"不及物性"(intransitive)开辟了道路。后者将"美学功能"扩展为语言最基本的功能,消解哲学/文学等级二元。现代派文学的言说方式,成了一切话语的言说方式。能指和所指分裂后又被政治化,以"能指的自由"来反抗代表了社会习规的"所指的专制"。读不懂批评家的文字?那是因为你落入了"所指的专制"而不知。只有在体会到"异化的效果"之后,方有重获"自由"的希望。虔诚地拜读却越读越糊涂,怎么办?是自己傻,还是被批评家们弄傻了?这又是一个见仁见智的问题。"stupefaction"带有"恨铁不成钢"和"铁总会炼成钢"的多层非辞典性含义。"能指游戏"玩到这个地步,确实已炉火纯青、无懈可击了!

"异化的语言"将语法规则修辞化,破坏既定的句段结构,要按乔依斯的风格来言说世界和人生。不过,将逻辑(语法)/修辞等级二元颠倒过来,不还是一个等级二元吗?如何贯彻"在文本中反抗文本"呢?后结构主义的办法是:语法的修辞化(极端)和修辞的语法化(传统)同时进行。乔依斯的语言并没有与既定的句段关系彻底决裂,而是一边利用一边颠覆。于是,德里达的风格表现为"写"和"擦"同时进行(writing under erasure),在使用一个概念的同时又抛弃这个概念。(Spivak:1976)于是,罗兰·巴尔特主张言说者要敢于自相矛盾。(Barthes:1975)于是,德曼认为文学语言永远是最严格因而也是最不可靠的语言,区分文学话语和文学批评话语只不过是一种幻觉。(DeMan:1979;1983)于是,福柯和拉康便将discourse(话语)按其辞源义来使用:Run + in all directions(跑 + 不同的方向)。他们的"discourse about discourses"(关于话语的话语)变成了天马行空,以消解本质主义对"深度"真理的偏执。(Sturrock:1984)

(12)记得乔依斯曾说过,或许百年之后他的小说才会被人读懂。现在不仅有一大批能读能释乔依斯的专家,而且还将他的小说译成了多种文字。真懂还是假懂根本不是个问题。小说创造一个世界,针对小说的评述也可以创造一个世界。这两个世界之间并没有本质的联系,因为都是能指的游戏。这不是挖苦,而是当代批评为自己设定的任务。透过它深刻的哲理/审美洞察力,仍可发现若干理论的盲区。

单个符号本身无任何意义。是符号和符号之间的关系为意义的生成提供了可能。抽出一个符号,然后像变戏法似的诉说能指是如何的自由,以说明能指和所指的分裂不可避免,这是语言学意义上的分析吗?将"一词多义"解释为"一个能指代多个所指"以说明能指和所指可以分裂,也站不住脚。形式主义语言分析可以悬搁指称对象,但不可以离开语境(语义和语用问题)来分析一词多义。意义一旦确定,能指和所指就不能分离;意义不确定,是因为引入了无穷的语境。每引入一个语境,不仅所指发生变化,而且能指(心理印迹)也发生变化,尽管纯物理记号没有变。从机械唯物论出发——将能指视为纯物理意义的记号,得出主观唯心主义的结论——批评家手中的 free play of meanings。这是解构的悖论。

用转喻和暗喻来描述句段/联想关系,这本身就是在使用暗喻,即以一物来代替另一物,两者之间无内在的必然联系。可以像乔依斯或者马拉美那样破坏约定俗成的句段结构。但是,以暗喻的普遍性来说明破坏句段的合理性却是不合理的。因为暗喻不是联想段。推而广之,当代文学/文化批评的活力在于它的语言学范式,而致命弱点亦在于此。正如反对者所指出的:在当代批评家那里,"语言学"是作为暗喻来使用的,因为哲学或文学不是语言学。此批评虽过于简单化,却是釜底抽薪的一击。

"异化的语言"突出了语言的自涉性(self-referentiality)。它是内在于语言的一种属性,不受心灵或实在的控制。这又引发了另一个麻烦:虽然反本质主义的批评家们像躲瘟疫一样小心翼翼地与"本质"保持距离,但他们的批评实践恰恰表明语言的自涉性就是语言的本质。人本位(心灵,唯心)和物本位(实在,唯物)是一元化简独断论,是本质主义,那么语言自涉、语言创造一切,不也是一元化简吗?这是一种什么样的本质主义呢?

"先验自恋"(福柯语)和"主体自恋"已被揭露得体无完肤。有趣的是当我们在批评家们的帮助下认清了先验和主体自恋是怎么一回事后,就很容易发现在每一篇"语言自恋"的文本后面总是跳荡着一颗焦虑不安、渴望自我定位的纯粹经验性的个体"心灵"。所谓当语言指向语言自身时的"文本的癫狂快感"(Barthes:1975),并不是"文本"自己的感觉。"能指的自由"也不是能指真有什么自由,而是某一个或某一类人的感觉和自由。这是标准的主观投射(subjective projection)。于是,批评向批评的对象回归。当然,是在另一个层面。

(13)对语言的"诊断"和"治疗"并没有让整个社会感觉到"异化的效果"。它在历史进程中的作用,类似索绪尔意义上的先锋派"言语"或者后结构主义意义上的"事件"(event)。它要冲破封闭的成规习俗,颠覆种种限制想象力的游戏规则。能否成功?能否为"语言"或"中心"所接受?得由历史来下结论。不过,一旦成功,它马上就会成为"语言"和"中心"的一部分,反过来去排斥不合规范的"言语",扑灭造反的"事件"。这道理索绪尔早已在《普通语言学教程》中讲得一清二楚。

理论语言学可以悬搁历时性的"言语"或"事件",将它留给语文学和辞源学去研究。挪用到以语言学为范式的社会人文批评,"悬搁"就意味着压迫。承认"文本"共时性和先在性(语言、传统、社会、习俗等等),又不愿意被"文本"窒息。这不仅是当代批评家们也是全人类面临的两难境况。知识分子是站在"语言"一边,还是站在先锋派"言语"一边?这是个人的选择。不过,笔者相信:真理之声总是发端于"边缘"而不是"中心",推动历史进程的是"言语"的悲壮而不是"语言"的秩序。能否一生甘居"边缘",视"事件"为乐,与"中心"和"语言"保持清醒的距离,这才是更艰难的选择。"在改造客观世界的过程中改造自己的主观世界"是中国大陆知识分子熟悉的口号。将"改造自己的主观世界"换成"不断地重构扩展自身的主观世界"则是当代批评给我们的启示。"先验主体"是启蒙运动建构的"文化神话"(巴尔特语)。尽管它将人类从上帝/教会统治下解放出来,却给"以小道冒充大道"提供了方便。经验性个人的你和我,虽然无法超越身处的文本,却必须以小道——利奥塔称之为"小叙事"和各种冒犯习规的 paralogy——来挑战各种仍在冒充大道的政治/经济/科学/文学意识形态,为未来的范式转化开辟道路。这一过程是没有终结的。个人的自由首先是智性的自由(intellectual freedom),包括认识到自己的不自由以及不自由之所在和原因。这是贯穿当代批评理论的一条主线。这也是一种精神,自由的精神。形形色色的当代腓力斯人(Philistines)——无论来自左边还是右边,缺少的也正是自由的精神,从而为当下的既得利益——学术的/政治的/经济的等等,放弃对自身"主观世界"的不断重构。"改造"是统治者的话语,"重构"是批评家的话语。明于此,对福柯、巴尔特、德曼、利奥塔等已故的当代批评家,我们能不肃然起敬?

参考书目

Austin J. L.　*How to Do Things with Words*, Oxford University Press, 1962.

Barthes Roland　*The Pleasure of the Text*, Hill and Wang, New York, 1975.

罗兰·巴尔特　《符号学原理:结构主义文学理论文选》,李幼蒸译,生活·读书·新知三联书店,1988。

Culler Jonathan　*On Deconstruction:Theory and Criticism after Structuralism*, Cornell University Press, 1985.

Deleuze Gilles(with Guattari Felix) *Anti-Oedipus: Capitalism and Schizophrenia*, 1983(reprint of 1977; Vikingedition).

De Man Paul *Blindness and Insight: Essays in the Rhetoric of Contemporary Criticism*, University of Minnesota Press, 1983.

De Man Paul *Allegories of Reading*, Yale University Press, 1979.

Derrida Jacques *Of Grammatology*, The Johns Hopkins University Press, 1976.

Derrida Jacques *Margins of Philosophy*, The University of Chicago Press, 1972.

De Saussure Ferdinand *Course in General Linguistics*, Peter Owen Limited, London, 1960.

Eagleton Terry *Literary Theory: An Introduction*, University of Minnesota Press, 1983.

Felperin Howard *Beyond Deconstruction*, Clarendon Press, Oxford, 1985.

Foucault Michel *Madness and Civilization*, Vintage Books, 1988.

Foucault Michel *The Archaeology of Knowledge*, Pantheon Books, 1972.

Guiraud Pierre *Semiology*, Routledge and Kegan Paul, 1981.

Hacking Ian *Why Does language Matter to Philosophy?*, Cambridge University Press, 1978.

马丁·海德格尔 《存在与时间》，陈嘉映、王庆节译，生活·读书·新知三联书店，1987；《诗·语言·思》，彭富春译，文化艺术出版社，1991。

Jakobson Roman *Fundamentals of Language*, Mouton, The Hague, 1965.

Jakobson Roman "Linguistics and Poetics", in *Style in Language*, ed. T. Sebeok, MIT Press, Cambridge, 1960.

Jameson Fredric "Regarding Postmodemism—A Conversation on with Fredric Jameson", in *Postmodernism / Jameson /Critique*, edited by Douglas Kellner, Maisonneuve Press, 1989.

Jameson Fred "Foreword", for Lyotard's *The postmodern Condition*, 1984.

Lacan Jacqure Ecrits *A Selection*, Norton, New York, 1977.

Lyotard Jean-Francois *The Differend: Phrases in Dispute*, University of Minnesota, 1988.

Lyotard Jean-Francois *The Postmodern Condition: A Report on Knowledge*, University of Minnesota Press, 1984.

Ricoeur Paul *The Rule of Metaphor: Multi-disciplinary Studies of the Creation of Meaning in Language*, Routledge and Kegan Paul, 1986.

Spivak G C "Translator's Preface", in Derrida's *Of Grammatology*, 1976.

Sturrock John *Structuralism and Since*, Oxford University Press, 1984.

Wittgenstein Ludwig *Tractatus Logico-Philosophicus*, Routledge and Kegan Paul, 1988.

维特根斯坦 《哲学研究》，汤潮、范光棣译，生活·读书·新知三联书店，1992。

语言中的主体与感觉的回归

L. 沃特斯/著；段从学/译；叶舒宪/校

  小说家 J. G. 巴拉德(Ballard)写道:"(20)世纪最不幸的灾难"是"感觉的死亡"。当人们对艺术所能做的一切就是沉思——沉思是把握艺术的"正确"途径——那么，人们也就只能以平静的沉默和理智的鉴别来面对艺术。如果对艺术的体验真的就是去获得外在于我们的某种事物的概念，那么旧的美学关于主体/客体和内在/外在的划分就是正确的。但如果它与感觉相关,那么思考这些问题的传统方式就完全错了。这里的关键是"相关性"(aboutness),即事物间的相互关联。再次用德曼的术语来说,"真正的美学"主要研究的将不是主体或者客体,而是联系事物的共时性和历时性关系。美学真正要讲述的,不是关于人和与人毫无联系的结构,而是关于人与组织、结构之间的相互作用。人与非人(humans and non-humans)之间存在着不一致的冲突。人对此的感受会变得越来越强烈。

  但这些感受向谁而生呢？我认为人的自我已经消散在语言中,并且被送进了废品堆。断言德曼和其他后结构主义者取消了自我是错误的。德曼所做的一切不过是将自我重新描述为从外部而不是从内部来界定的事物。笛卡尔及其追随者们向内部寻找自我,把我们变成艾丽思(Alice)并且让我们相信奇境(Wonderland)乃是一片内在的风景。笛卡尔让我们在位于人内部、对人来说深不可测的洞穴中寻找心灵的位置和人类理性的起源。这个矮人在我们体内,就像漂浮在一个大瓮之中的一块脑子一样。然而内在/外在的对应划分是不恰当的误导。德曼坚持的是自我与非自我结构这样一个完全不同的构造方向。风水要求的建筑术对建筑物方向的重视与西方建筑术对建筑物空间的重视是不一样的。德曼的情形也是如此。

理解自我的第一步是把"非自我"(non-self)当作"非自我"[1],或者,用雷特尔(Latour)的术语来说,是"让本体论回到非人类实体"。这是建构一种语言的第一步,这种语言将不用抽象的内在心理状态术语来描述人类行为,并且让感觉的回归成为可能。一股微风出人意料地开始飘入内室——那个自我独居的,一向只有幽灵或者像幽灵一样行动的人来造访的密室。德曼从本杰明那里发展出来的语言哲学,使他得以将自我当作由它与非自我相关联的结构所界定的东西来谈论。除某些无关紧要的方面之外,自我并不先于这些结构而存在。自我仅仅是作为我们在行动中观察、理解、感受换喻和比喻(the tropes and figures)时认识到的东西而存在。正如心理学家迈连·唐诺德(Merlin Donaid)指出的那样,我们是一场持续了许多世纪的进化过程的产物,这场进化是人类和他们存储的非人类表征之间制造比喻的方法的变化。我们所知道的并不是个人自己。德曼说:"个人观念、人类主体,作为一个特殊的视点,仅仅是一个隐喻,借助于这一隐喻,人类通过让自己的一套意义诠释与他的意义幻想相一致来改变他在宇宙秩序中短暂而偶然的存在,从而将他从自己的无意义中解脱出来。"[2]如雷特尔所说:"没有谁看见过人。我们只看到群体、危机、争吵、虚构、妥协、替代、转化,以及越来越复杂、涉及的要素越来越多的秩序。"最关键的是这种相互作用。你从哪里开始并不重要——在根据传统西方人的方向或者风水绘成的地图上——如果你真正地追溯相互作用,不给任何一面以

---

[1] Paul de Man, *Blindness and Insight* (Minneapolis: University of Minnesota Press, 1983), p. 207.

[2] Paul de Man, *Allegories of Resding* (New Haven: Yale University Press, 1979), p.111.

特权而只考虑与"物和人混合在一起"的群体的话。

那和我们混合在一起的东西便是词语。语言是我们呼吸的空气,我们在语言里发现自己"像他者中的一个实体一样在世界里"。我们仅只是世界里的众多之物中间的一个实体,但我们又是独一无二的,因为语言赋予了我们反思意识,这种在语言里和世界相互作用的能力,把我们和其他一切构成非人类的实体区别开来。[1] 值得深思的是,那些力图超越人工智能(Artificial Intelligence)视域者所奉行的新近的当代哲学,似乎又以和德曼与本杰明相一致的方式重新回到了语言上来。近年的哲学时尚一度是人工智能,但是现在——沉浸在理解意识的关键在机器自身而不在于机器与人的相互作用的观念终结后的迷人的嬉戏中——哲学家们,诸如丹尼尔·迪奈特(Daniel Dennett)和安迪·克拉克(Andy Clark)等,正在回归语言。差不多一个世纪前,本杰明就抱怨康德仍然抱着"认识论神话"的主体/客体,因为他未曾考虑到语言的作用。他声称"即将到来的哲学的视域",将转向对语言不仅使"新的知识概念,而且也使新的体验概念"成为可能的方式的关注。迪奈特、克拉克、克里斯·高克尔(Chris Gauker),以及其他一些人都正在努力这样做,他们中的不少人并没有忽略从海德格尔到德里达和德曼的这条探究线索。德曼对精确的修辞格的关注,使他得以更为准确地界定人类与非人类之间在运用语言结构上的界面(interrace)。

在从1969年开始的一系列"暂时性的修辞"研究中,德曼转向了对修辞作为描述人类与非人类的互动关系的最佳方式的探究。迪奈特要追问的是心灵视域中的哪些方面放逐了意识。德曼的回答是,在历史之中存在着大量的诸如反讽和拟人之类的修辞。一旦我们使用它们,将人类引入了超越自我与反观自我的双重过程,就是所谓的意识:"语言内在地将主体划分成沉浸在世界中的经验自我和试图区分与自我定义的符号般的自我。"[2]词语的结构一旦显现,就拥有自己的生命,再也不能像第一次那样

---

[1] Pual de Man, *Blindness and Insight*, (Minneapolis: University of Minnesota Press, 1983), p.213.

[2] Pual de Man, *Blindness and Insight*, (Minneapolis: University of Minnesota Press, 1983), p.213.

被使用。每次都是一个事件。我们与产生着和拥有着自己的生命的词语联结在一起,因为"符号间"确是"指涉物与他们的个别意义的联系的关系","已经变成了第二要素"。① 迈连·唐诺德所谓的外部储存造成了可能的变化,而变化只能发生在时间里。由于这个原因,德曼认为,我们使用语言,这揭示了自我与一个"牢固的暂时困境"(authentically temporal predicament)纠结在一起的事实。在这一过程中,词语之物显现为超过心灵的他者,而不是像天生的超自然主义者所声称的那样,恰好与心灵一致。安迪·克拉克把德曼描述为"似乎有理由被认为是人类文化发展中的外部框架的形式和种类的名副其实的爆炸之根源"的情形,称之为"次级认识动力的出现"。他进一步写道"这是因为我们能够审思(think about)"——如德曼所说,关键是"相关性"(aboutness)——"我们自认为我们能够按照促进、支持和扩展我们自己的认识成就的意图来积极地组织我们的世界"。"认识"一词是错误的,正如我接下来要指出的那样,但这句话的其余部分,则恰如其分地描绘了德曼置入第二层次的悲剧语言中的反思是怎样构成了修辞的基础。"自我的整个构架是被拆开的和分散的"②,德曼说,但那只是我们刚刚清除的一般意义上的自我。

"认识"是一错误的词语,因为引导我们意识到自身之为自身的经验,并非我们完全能认识的。我们只能体验和品尝到这种经验的果实。我们关于我们的框架结构(scaffolding structures)和工具、比喻在世界中的功能之限度的经验,对我们是直接的,我们感受自己的方式是直接的。他是无可争议的,但其他的一切则是间接的。这里是感觉真正回归美学之处,美学在这里不是某种从属于经验自我的"感觉印象"(sense impression),而是在我们的生活和它自身中都具有极端重要性的东西。它是事件,是发生。它是不可逆的,然而又是非累积性的。你现在的体验方式将来不能被他人用同样的方式体验到。这样一种时刻必定会到来,我们意识到我们发

---

① Paul de Man, *Blindness and Insight* (Minneapolis: University of Minnesota Press, 1983), p. 207.
② Paul de Man, *Blindness and Insight* (Minneapolis: University of Minnesota Press, 1983), p. 215.

展出来的用以协调我们在世界中的位置的那些比喻和形象宣告破裂。安迪·克拉克谈论的"次级认识动力",实际上是康德所说的反思判断的第一层次,而不是为了审美判断的生成而必须获得的第二层次。

这就是当你意识到事物与你的心灵不一致时所发生的真实情况。事物或许可以被安排得与你的愿望一致,但即使最大的独裁者所能想象出来的一切,也远远无法与你心灵的控制欲和命令欲相比。这就是我们的定义的一部分:"我们因此可以不再问为什么这是我们,作为主体,选择赋予意义,既然我们正是由这个问题来定义的。"形式、结构、构形是我们的创造物,但形式自身有我们不能完全适应和接纳的生命。框架结构是一门接近事物的艺术。语言是我们一直使用着的工具,它像一支射向从未被击中的公牛的眼睛的箭一样,从来未抵达它之外的目标。作为语言的特别构形,文学是用具,它的工作是让我们知道,即使是我们的终极用具为我们所做的一切,也是有限度的。由事物构成的网络,不会一直停留在向心的状态上,而是随时会走上逃避(waywardness)的离心状态。这对思想的修辞和语言的修辞都是一样的。

[编者按]本文节译自《感觉的美学》("The Aesthetics of Affect"),原文系作者1998年5月在北京大学的演讲稿。作者沃特斯(Lindsay Waters)博士现任美国哈佛大学出版社人文部主任,著有《德曼阅读之阅读》("Reading de Man Reading")等书。《感觉的美学》共分三部分:①感觉的放逐与西方传统势力;②现代主义者的视域:还我以古老时代的信仰;③感觉的回归:你体验过吗? 本文译自第三部分。作者对西方美学传统的理性化偏向做出诊断,主张美学回归主体的感觉和体验。

由死而歌
——哭丧礼仪与身心治疗

徐新建

谈到文学与疗治,不得不先对"病"做出解释。因为疗治者,病也。但什么是病?回答却难以一致。东西方的理解与说法差异也很大。东方重修养,西方重疗治;一关注的是"身",一偏重的是"病"。

简单些说,正常是健康,非正常即为病。那么对大多数人来说,情由境生,哀从心起,由此产生出兴、怨和群,叫作正常。反之,不能作如此之正常反应者,即为病(病态、病状)。这样说来,歌者本身就已属疗治范围,广义的诗—文学也即是对病的避免和防治。

一

据《读书》杂志介绍,1994年,由荷兰艺术节制作的瞿小松的独幕歌剧《俄狄浦斯之死》给批评界和观众留下了深刻的印象。剧中,俄狄浦斯的终极平静被描写为禅者的大彻大悟。在接受采访时瞿小松说:"一切都是神秘的。当俄迪浦斯离开了他的儿女们,他异常平静。……实际上,在他真正死亡之前他已触到了死亡。他到达了最终的了悟。"①

我想起了十年以前,小松父亲因病去世,我们几位朋友一同去他家协助料理后事。熟悉的长者离开,心情总是难过的。但我们当中大多数人都在"文革"中成长,与民间传统离得太久太远,已不懂得起码的料理常识,举手无措,相顾无言,既不知怎样表达自己的哀思又不知如何传递对朋友的慰藉,弄得家中临时搭起的"灵堂"气氛沉闷而压抑,彼此都很不好受。

幸好尹光中在场,他带头唱起了"孝歌",屋里的境况顿时为之一变。尹光中搞砂陶艺术出身,画过油画当过兵,也做过苦力埋过死人,懂得从神话歌谣到红白喜事等许许多多的民间艺技。阿成曾评价说,尹光中好就好在没有"文化",意思是他不像通常的知识分子那样受"精英文化"的束缚过深。尹光中在屋里随手抓起一个盆子,以盆代鼓,击"鼓"而歌。歌辞都与死者生平有关,却全是即兴编创的。他先自己尽兴唱上一段,然后叫家属和在场的众人相继跟随。这样唱唱和和间,不但灵堂的气氛不再沉闷压抑,彼此的心情也不知不觉恢复了平静和坦然。

二

汉文化圈里的孝歌传统可谓源远流长。广义的孝歌所涉及的事项包括从丧葬到祭祀等一系列完整过程。其基本功用可概括为:因死而起,为死而歌。用儒家诗学的经典"话语"来说,属于"怨""兴"及"群"的范畴。《诗·大雅·凫鹥》所唱叙的"公尸燕饮,无有后艰"便是早期与死亡相关的祭奠场面。在这样的祭奠场面里唱歌,其作用不仅在于缓解恐惧消除悲伤,更在于营造出庄严神圣的氛围,以利于参加者们实现神人两界的彼此相通;而且其歌、舞相随的种种表演,构成了令人类学家们十分关注、认为

---

① 瞿小松、格兰·桑德斯:《关于〈俄迪浦斯之死〉》,载《读书》1997年第11期,第105页。

能导致参与者性情改变的仪式过程。① 不过后来因儒家"敬鬼神而远之",并强调农耕宗法制社会所赖以维系的祖宗崇拜,中原早期的祭奠"圣歌"便渐渐让位于更具孝敬观念也更为普及的"俗唱",即后世所谓的"孝歌"传统。这一传统经道佛两家性命观念及生死道场的浸润补充,在民间变得更加丰富多彩起来。

孝歌也可说是生者为死者而唱和晚生唱给长辈听的歌。其"歌"、其"辞"、其"唱"、其"听"等等都值得细细言说。就时间方面而论,孝歌一起,长者去世这一事实便再次得到确定:事件已经发生,生命无法挽回,以往的延续骤然中断;接下来唯有一件事可做,那就是面对死亡。此外,无论布置多么简单,孝歌一唱,作为缓解因陡然离别而产生情感"断裂"的过渡空间——"灵堂"也随之得到认可。从很大意义上说,灵堂是被"唱"出来的,死者是被"颂"走的。因为歌是一种过程,在一遍遍不断唱出的歌声中,死亡事项就被人为地组合在有益于生者心安并有利于生命延续的特定时空里了。

在这样的时空里,唱者每每分为两类,即自唱和他唱。"他唱",也就是早期巫觋一类的神人中介。他(她)能代人而歌,并且所唱之辞多为世代流传,积聚着普遍认同的祭奠功能,常人一般难以习得。后世发展出在丧葬仪式里专门替别人捉刀的"哭丧能手",似乎也与此相关。虽然对当事人来说,"他唱"毕竟属于代言,只能使自己成为听众,从而减少了通过"自唱"起到宣泄、抒发和排解等直接的"怨"与"兴"的作用,但借助于对代言者这种"他唱"的旁观领悟,其身心也得以重新整合,即获得了"群"的疗治。这里的"群",即指当事人面对死亡时前后不同自我的合一——以前的"我"有父(母),如今的"我"丧父(母);同时还包括了整合与依然在世的亲友间的身份、情感关联。

---

① 关于《诗经》中诗与祭祀关系,叶舒宪做过仔细的分析。参见叶舒宪:《诗经的文化阐释:中国诗歌的发生研究》,湖北人民出版社1994年版。

三

  1995年的秋冬两季,我在贵州省的黔中一带布依族村寨考察,亲历的几起丧葬仪式中都见到有"孝歌"的不同诵唱。罗吏目岩角寨有专门的"唱手"——主持丧葬仪式的摩公。他们从头到尾唱了几天几夜,最后又用当地流传的"分花歌"和"分街歌"为死者引路。问其作用,回答说是为了让亡灵顺顺当当地去到该去的地方,不要回来打扰家人。这时候的听者既有假定中的"亡灵"(不过摩公们是当其确实存在来对待的),又包括了在场的所有参与者。歌唱的功用使生者们感到普遍的心安:一方面尽了子孙孝道(满足了社会文化上的心理需求),另一方面免除了对亡灵骚扰的恐惧(获得了肉体存在上的生理调适)。

  作为一种较为完整的丧葬仪式,当地的孝歌还包括了当事人的自唱。分析起来,其自唱的对象大致有三:一是"死者",其为对尸而唱。这时在唱者心目中,亲人去世还是一件突如其来的事项,无法理解,不能接受,因而视尸如故,面对其身就是面对其人,歌辞中也就多有第二人称的呼语指代以及对话"文体";当死者以不能回应作为一再的提醒,"对话"一次次失败,唱者才逐渐从一侧面体会到死亡的含义。二是"自我",即自唱自听。唱者自叙因死亡事件而遭受的打击,并倾诉心中的悲哀,类似于"独白",其中每每还穿插有叙述体的短小"故事",讲述死者的生平经历及彼此间的骨肉亲情。三是对用作牺牲的牛唱。在当地的风俗习惯里,人死归天,要用牛来祭祀。土话叫作"砍牛"。作为牺牲的牛拴在砍牛场中间的柱子上,死者亲属跪行向前,面对祭牛低语轻歌。这时唱的是对牛的感激和怀念。然后又是摩公们高声接唱的"砍牛歌"此起彼伏。歌声回荡山寨,把死亡的沉闷化为寄托情怀的阵阵音响。①

---

① 参见徐新建:《罗吏实录:关于黔中一个布依族社区的考察研究》第六章"砍牛祭祀　多教混合",贵州人民出版社1997年版。

四

人是能发声的动物。在能发声的动物中,人又因会动情并能让有意义的语辞加入其声而产生了"歌"。歌是人唱出来的,且因情的不同,可有欢歌和悲歌等不同类型(状态)。与单纯的书写(作词、记谱)不一样,唱是完整的表达。它首先是呈现,即在唱的过程中呈现自己;其次是传递,在唱的过程中实现交流。并且,由于声音的作用,唱还把"辞"延伸乃至改变了,唱出的是语辞说不出来但人耳却听得进去的东西。同一件事、同一首歌,可有各式各样的不同唱法。有念、诵、吟、独唱、齐唱、重唱、对唱,还有种种强弱、停顿与反复;既有低声轻语又有呼天嚎地;若再加上环境的变化,则极可能此时刚旭日高照一会儿又成了彼时的毛风细雨,在此地是人山人海在彼处却只有孤单只影。唯有那歌那唱是始终延续的——尽管其中有的千古流传有的稍纵即逝。

文学专业的学者们习惯于从歌中剥离出"辞"来进行文本研究,将它们分别归为诗、词、唱本、剧本等类型,但忽略了所有的歌,其根本特点就在于唱。而唱的起因与动力在于生死,在于爱恨,在于人情。其中面对生命的终结形式——死亡,人类唱出的歌最为古老也最为悲壮。流传于世的古希腊悲剧几乎全与死亡有关。只不过它把现实的唱变成了虚拟的演,通过一次次可重复再现的音响场景为观众提供出可间接体验的剧中之"情",从而使因死而起、为死而唱的"歌"成了陶冶性灵的观赏艺术。

在 20 世纪中国黔东南苗族地区十三年一次的"牯脏节"中也有类似的变异。人死而歌,但不是在当时而是在事后。每十三年一次,后辈祭祀祖先。由牯脏师"演唱",唱的是世代流传的祭辞。"舞台"是露天的,四方的人们都可来观看。只不过持续几天几夜的仪式中,难以辨别何为体验何为观赏、何为歌唱何为扮演。唯有一点是明白的,那就是由死而歌,为死而唱。①

对于歌的研究,人类学与文学(诗学)的角度和方法既有不同又有交汇。如果说后者关注"说唱文学"的话,前者则剖析"文学说唱",并且把其置于同"现实说唱"的比较之中。

用当代人类学的"过渡理论"来看②,两种说唱都可界定为起到使参加者产生"分离—转变"作用的整合仪式。以此分析由死而歌现象:现实的说唱是"哭歌",即因死而哭,由哭而歌,属于哭出来的歌;文学的说唱是"歌哭",即以歌叙哭,以哭演歌,乃唱出来的哭。"哭歌"是当事人"自唱","歌哭"为歌手"演唱",介于二者之间是巫师式中介者的"他唱"。

在"哭歌"的自唱状态中,歌作为仪式"间离"了死亡(或者说因间离死亡而成为仪式),使当事人(歌者和听众)在唱的过程中产生自我分离,进入似是而非模棱两可的中介状态,然后通过身心过渡,成为"新人"(无父或无母者),接受并习惯死者离别的事实。

用西方理论来解释,相比之下,"歌哭"的仪式作用与所谓的"艺术白日梦"和"酒神精神"等渊源有关。在由死而歌的类型里,"歌哭"就是把他者之死作为表现的对象,并且倘若现实"素材"不够的话还可通过想象性创作虚构出来。弗洛伊德分析过艺术创作与作家(包括读者、观众)"白日梦"的关系。他指出:

> 语言给那些充满想象力的创作形式起了个德文名字叫"spiel"(游戏),这种创作要求与可触摸到的物体产生联系,要能表现它们。语言中讲到"lustspiel"(喜剧)和"trauerspiel"(悲剧),把从事这种表现的人称为"schauspieler"(演员)。然而,作家那个充满想象的世界的虚构性,对于他的艺术技巧产生了十分

---

① 参见徐新建:《苗族祭祖:月亮山牯脏节考察》,载《民俗曲艺》(台北)1997年总第110期。
② 人类学中的"过渡理论"最早由范根纳普在其论文《过关礼仪》中提出。W. 利奇作了发展,参见后者的文章《模棱两可:过关礼仪的阈限时期》,转自《20世纪西方宗教人类学文选》(下),上海三联书店1995年版,第512—530页。

重要的效果。因为有许多事物,假如是真实的,就不会产生乐趣,但在虚构的戏剧中却能给人乐趣;而有许多令人激动的事,本身在事实上是痛苦的,但是在一个作家的作品上演时,却成为观众和听众乐趣的来源。①

席勒的《论悲剧艺术》一文认为,只要是人,看到(表演中的)大流士惨遭厄运,都会感动流泪。即是说这里不仅以哭为歌(演员),而且促使由歌而哭(听众)。这就产生出另一种形式的"过渡仪式",使这种仪式得以在剧作家—演员—观众中形成的基本原因在于对他们产生共同作用的"酒神精神"。酒神精神不但使艺术的参与者在"表演"和"观赏"的仪式中产生自我分离,即尼采所说的,当酒神精神达到极点时,"就会使主观消失在完全的自我忘却之中";并且通过这种"忘却"获得相当于儒家所谓的"群"的重新整合:"在酒神的陶醉下,不仅人与人之间重新团结了,而且被疏远了的、敌对的或被征服了的大自然,也再度同她的浪子也就是人庆祝和解。"

当然,至于使艺术得以从现实说唱中升华出来而起到另一层"中介过渡"作用的巫师他唱,其与天地关联的"通神功能"需要这样的"话语"体系方可理解和解释。有资料表明,"至今在有些印第安人的社会组织里,祭神的歌唱和舞蹈,还被用于治疗那些西医无法疗救的心理症状"。与此同时,"巫师"们演唱过程中以歌"通神"的自我经验却是旁人不可体会的:

> 当你唱和舞的时候,你的呼吸开始时是颤抖的,一会儿,它进入了你的身体。你试着唱,你的颚骨是抖动着的,但你把它唱出来,你就不觉得了。②

---

① 弗洛伊德:《创作家与白日梦》,转引自童庆炳:《文学理论新编》,北京师范大学出版社2010年版,第238页。
② 参见高小刚:《图腾柱下:北美印第安文化漫记》,生活·读书·新知三联书店1997年版,第133页。

六

对古希腊悲剧人物俄狄浦斯之死的东方式处理,尽管基本的表现形式仍然是歌和唱,但是瞿小松引入了佛道两家的观念。在他改编的歌剧中,戏的结尾,没人看到俄狄浦斯的死。"俄狄浦斯"只是一个标题,而不再是一出悲剧。瞿小松自己解释说,在与瑞典歌剧院排演歌剧《俄狄浦斯》,他"让戏剧尽可能地呈现自己","只需要很少的、单一的声音,以及这些声音之间的静默",因为老子说:"大象无形,大音稀声。"[1]

在由死而歌的艺术形式中,瞿小松已开始寻求连作为符号的声音都要超越的境界。到达那里,一切将归于无。

---

[1] 项杨:《新音乐在中国:浅论荷兰新音乐团演奏中国作品》,载《国际音乐交流》1997年第4期,第20页。

第二编 文学的精神医学原理

文学治疗的跨文化"译介"作用

章米力

自从文学治疗作为一个专门课题被学界提出以来,它的研究重心集中于文学的心理学功能,以及从治疗角度来解读文学文本。本研究认为,文学治疗在跨文化医学的交流中可以并且应当起到重要的译介作用,本文分析了跨文化医学交流的实际需求,主要通过译介学理论来论述文学治疗在医学实践中作为译介者的功能。

分娩是不是疾病?癫痫是不是疾病?世界卫生组织(WHO)编制的《国际疾病分类》(ICD)和少数族裔部落居民会给出截然不同的答案。始于1853年的ICD目前已发布了第10版。"它对用于统计和流行病学、卫生保健管理、资源分配、监测和评价、研究、初级卫生保健、预防和治疗等领域的卫生信息进行组织和编码。它帮助展示国家和人群的总体健康状况。"[1]现代西方医学把疾病分类学的奠基人确立为18世纪意大利病理学家莫尔迦尼,他当时按器官病理解剖定位原则划分。19世纪中叶以后,由

---

[1] http://www.who.int/features/2012/international_classification_disease_faq/zh/.

于细菌学的成就,疾病开始按病因学原则分类。即使在医学领域中,疾病分类也没有放之四海而皆准的标准。我国传统医学的分类观在《内经》中已明确体现出来,至明代张介宾撰写的《类经》则更为细分。世界各地的民族医学同样有足够的证据证明疾病分类学的古老。当前医务人员严格遵循的WHO分类标准,是由医疗的国际化标准所决定的,这是在西方临床医学所主导的医学文化中的通行证。这个标准在实际医疗实践中被严格遵循,但在文学治疗的研究过程中,却往往成为一剂迷幻剂。这剂迷幻剂恰恰成为文学治疗被重新认识的机会:当文化成为疾病语言和理解沟通的壁垒时,能够打破这个壁垒的,就是文学治疗;能够担当译介媒体的,就是文学治疗的方法。

止步于心理学作用的文学治疗

虽然文学与疾病的关系早已被重视,文学、社会学和人类学者都有重要著作对此加以提及,但直到1998年叶舒宪明确提出"文学治疗"这个专有名词之后,才出现了集中的学术论文对此主题详加论述。在论文《文学与治疗——关于文学功能的人类学研究》中,叶舒宪围绕"文学幻想的治疗原理",认为语言虚拟的文本对人类精神生存的生态功用在过去的文学史中没有得到足够的重视,从发生学的角度看,借助于人体象征性动作的仪式行为发生在先,借助于语言符号的文学发生在后。作为语言艺术的文学最初旨在解决危机,与仪式表演密不可分。[①] 巫医同源、巫医不分的远古事实亦是明证。

搜索围绕文学与医学的数百篇论文,发现其主题基本上可以归为五类:

(1)文学的心理学功能,包括精神分析;
(2)从治疗的角度来解读文学文本;

[①] 叶舒宪:《文学与治疗:关于文学功能的人类学研究》,载《中国比较文学》1998年第2期。

（3）由文本来分析创作者的精神与心理状态；

（4）民族志与田野考察；

（5）医学实践和临床实验的统计与结论。

在以上主题中，第一类和第二类占有绝对比重，第五类最少。反映出目前关注文学治疗的研究者仍然集中在文学专业，医学界的研究者身份局限于精神科医生、心理医生和心理咨询师，以及传统医学医生（中医和少数民族医学研究者）。

论文的主题分布折射出另一重危机，即文学对治疗的效用尚未被医学实践者普遍认可，即便作为补充疗法开展，也被界定在仅对心理意识起作用。心身医学的整体观是传统医学的指导思想，近年来也逐渐受到重视，但即便如心理学，也仍然是处在现代医学边缘的调剂品。相反，基于严格实验室数据基础上的认知神经科学，正获得越来越多的研究力量加以投入。在科学方法论的统治时代，文学治疗恰如无须被论证的宗教般的存在，但在目前情况下，满足于这样的存在，便无法发挥出服务社会的实用功能。这是笔者写这篇论文的主要原因之一。

在现代医学的视野里，心灵创伤本身不是病，而由心理问题引发的一系列生理不适才是疾病，文学治疗被认为对应心灵，不对应生理。之所以落入这样的困境，主要原因有两个：第一，研究客体被现代医学的"词与物"系统牵着鼻子走；第二，研究者本身对疾病界定含混不清。

在以儒学传统为主流的中国社会发展过程中，文学与医学的关系可从范仲淹"不为良相，宁为良医"的评价中得以一窥，文学对治疗的作用被放置在个人层面及群体层面得到双重解读，疾病延续着原始社会发展而来的道德审判象征，于是，当文人指摘并试图纠正政治上的病态时，也自发地参与到了个体的疾病治疗事项中。文学的美学、心理学影响在一代代文人的实践过程中继承下来。与此同时，引起医学史家们注意的，是文人的医疗实践活动。宋代，文人医家越来越多地提倡文本、诊脉、处方才是正确方法的理论，把其他技术丢给"俗医"，从而和目不识丁的从医者拉开了距离。儒医所获得的信任和尊重是一般民间草药医生所不能企及的，至明代这种价值取向达到了顶峰。梁其姿认为这种儒医传统的确立，是在排除古代医学的某些方式上完成的。手艺性质的技术,包括自古传承的针灸、眼科等外科技艺,以及巫术疗法被边缘化,在宗教人士和社会精英眼里,这些手艺类似于迷信。① 文人医家典型的代表之一是宋代大学士苏轼,在佛道医学思想的影响下,苏轼等对医疗的直接介入既有作为惠民措施推广的积极一面,但也避免不了政治家从医的负面效果。苏轼的"圣散子方"成为宋代医学影响巨大的失败医案,费振钟认为这类失败的文人医疗暴露了文本知识维度下医学面临的自我否定和破坏,但"这个时期的医学已不可避免地走向知识分析,走向'思辨理论',走向'形而上学',走向哲学'乌托邦'。当临床医学越来越走向边缘,越来越显萧条冷落之时,'文字医学'则带着儒学的思想光环大显其道"②。

19世纪中叶以后的细菌学发展,终于把文学治疗赶回情志论领地,中医的情志论与西医的身心医学是同一事物的两种说法,在疾病和治疗的世界里,文学的作用日趋抽象,它作为文化现象大有可探究的地方,作为医学实践工具却少人敢触及。

综上所述,文学治疗的发扬与没落都与大传统的继承与断裂,人类社会认识论的发展,以及社会政治气候的变化息息相关。在中国社会,它表现为从巫术技艺,到道德审判,再到心理治疗的发展路径,而今,它的定位面临着有史以来最大的尴尬。它亟须以更有力的身份登上新的历史舞台。

现代医学的文化壁垒

在所有的疾病类型中,瘟疫无疑最具冲击力。瘟疫为文学创作提供了丰富的素材,是社会文化象征体系中最具有生命力的表达。苏珊·桑塔格对癌症、结核病、艾滋病所赋予人类的痛苦和奇妙展开了鞭挞入里的论证分析,桑塔格的出发点是反对阐释,反对隐喻,作为一名亲历了癌症的精英

---

① 梁其姿:《面对疾病:传统中国社会的医疗观念与组织》,中国人民大学出版社2011年版,第15、30页。
② 费振钟:《中国人的身体与疾病:医学的修辞及叙事》,上海书店出版社2009年版,第157页。

知识分子,她从患病中体验到的羞耻、不公、身心的双重负担,是每个人在一生中或多或少都会遭遇的经历。即便现代医学技术已经证明了,许多曾经被视为惩罚性手段的疾病的发病原因不过是生物学的作用,但病人所承受的生物学以外的痛苦,不见得比前科学时代减少多少。具有讽刺意味的是,也正是因为病理学的发展,鬼神的因素让位给了社会道德评价体系,贫困、懒惰、无节制、贪婪、暴躁等生活方式构成了当代的疾病"七宗罪",病人的自弃、恐慌、疏离依旧是伴随着疾病的副产品。

现代医学并非对此视而不见,国际顶尖医学专业杂志《柳叶刀》("The Lancet")于1996年7月发表了一组主题为"文学与医学"的文章,批判了现代西方医学傲慢的先入为主性,对医学人文关怀的漠视,以及对科学技术的极端依赖。在《为什么要谈文学与医学》一文中,作者指出研究者的兴趣正在渐渐变化,从最初探讨文学如何反映了医学,转而着重研究文学能够如何帮助医学来解析、加强认识论并用于实践。① 约翰·霍普金斯大学从1982年起出版专门刊物《文学与医学》("Literature And Medicine"),一直试图在两者之间找到最佳协作点,从而服务现代医学。

《疾病的隐喻》的出版,可以被视为20世纪文学努力介入医学实践的最佳案例。桑塔格并未抱着指点治疗的意图来写作,她说:

> 我写作本书的目的,是平息想象,而不是激发想象。不是去演绎意义(此乃文学活动之传统宗旨),而是从意义中剥离出一些东西:这一次,我把那种具有堂吉诃德色彩和高度论辩性的"反对释义"策略运用到了真实世界,运用到了身体上。毕竟,我的目的是实际的。因为,我一再伤心地观察到,隐喻性的夸饰扭曲了患癌的体验,给患者带来了确确实实的后果:它们妨碍了患者尽早地去寻求治疗,或妨碍了患者作更大努力以求获得有效治疗。我相信,隐喻和神话能致人于死地(例如,它们使患者对诸

---

① McLellan, M Faith, Jones Anne Hudson "Why literature and medicine," *The Lancet*, July 13(1996):2.

如化疗一类有效的治疗方式产生一种非理性的恐惧,而强化了对诸如食疗和心理疗法这类完全无用的治疗方法的迷信)。我想为患者和照料他们的人提供一种方法,来消除这些隐喻,这些障碍。我希望劝说那些心怀恐惧的患者去看医生,或用称职的医生替换那些不称职的医生,只有他们才能给予患者适当的照料。要正视癌症,就当它不过是一种病而已——尽管是一种重病,但也不过是一种病而已。它不是上苍降下的一种灾难,不是老天抛下的一项惩罚,不是羞于启齿的一种东西。它没有"意义"。也未必是一纸死亡判决(有关癌症的一些神秘说法之一是:癌症=死亡)。《作为隐喻的疾病》不仅是一篇辩驳文字,而且也是一篇告诫文字。我劝说道:让你的医生告诉你实情;做一个知情的、积极配合的患者;为自己找到良好的治疗方法,因为良好的治疗方法的确存在(夹杂在那些广为流行的不适当的治疗方法中间)。尽管不存在包治一切癌症的那种灵丹妙药,但超过半数的癌症病例以现有的治疗方法就能治愈。[1]

文学在治疗中能起到的一个重要作用,是以合适的方式,译介病患与医疗机构,以及与社会组织之间沟通不畅的信息。笔者曾经与一位艾滋病病毒检验师聊起他的工作,在别人眼里,这是一份高危工作,但检验师说,艾滋病的传播绝没有人们想象的这么容易,即使不慎触碰到试管里患者的血液,也不会被感染。关于艾滋病所引发的恐惧,桑塔格认为"正如工业污染和全球金融市场新体系的后果一样,艾滋病危机显示了世界上但凡重大之事皆非某个地区、某个地方、某个范围之事,一切具有流传能力之物皆能流传开来,而任何问题都成了或注定将成为世界性的"[2]。它的恐惧无疑是被夸大的,这一夸大的过程脱离不了政治精英们的推波助澜,它等于混乱的性关系、同性恋、肮脏的热带地区,这些注脚反映了主流社会对异教

---

[1] 苏珊·桑塔格:《疾病的隐喻》,程巍译,上海译文出版社2014年版,第109—110页。
[2] 苏珊·桑塔格:《疾病的隐喻》,程巍译,上海译文出版社2014年版,第182页。

徒、亚文化和第三世界的嫌恶。在我国,近年来接连出现在互联网上的艾滋病患者用带血的针头偷偷扎路人,或者用针头把血液注入食物等谣言,显示了同样的文化排他性。在这些谣言中,更多提及的艾滋病患者的身份,以新疆人居多。① 2014年起源于非洲的埃博拉病毒也在互联网上掀起数次谣言,有网民甚至直接指责"广州黑人太多,容易把病毒带进来"。②

如同孔飞力在《叫魂》中描述的遍及国家范围的谣言传播,如今还是会不断上演。政府的辟谣屡屡显得薄弱无力,2003年"非典"爆发初期官方危机公关的失策,以及移动互联网时代传播渠道的多元化、扁平化,使"魔弹论"式的宣传效果已不复存在。其时,能担当起柔性传播任务的恐怕非文学莫属。在医学技术日益发展的大背景下,文学治疗在跨文化医学实践中的译介功能能够极大地帮助医学来解析、加强认识论。

文学治疗跨文化译介的社会学需求

林富士(2004)提出在研究医疗史的过程中须审慎利用"回溯诊断",因为各个时代(各个文明)对于疾病的认知、描述和分类都不尽相同。③ 在分析医学实践在跨文化治疗中的壁垒时,也不可跳跃性地盲目比较。

麻风病是一项通过历史维度考察的典型案例。梁其姿(1999)系统地考察了自中古时期以来,中国社会对待麻风病的措施和态度。她在研究中强调了麻风病病名的变化,这些不同历史阶段的名字,对应着疾病类别的不同,也对应着不同的社会评价。

> 对今天的历史学者而言,更有意思的是麻风病概念,或者更确切地说,古代中国称作"大风""疠""癞"的疾病类别概念的历史发展。帝国晚期的医家重新分析后,认为它们就是一种叫做

---

① 辟谣文章如http://health.sohu.com/20111117/n325934541.shtml。
② 在百度上以"广州""黑人""埃博拉"为关键词搜索会出现很多不公正的缺乏根据的网民言论,其中大多数网页已经被撤销。
③ 林富士:《疾病的历史》,联经出版事业股份有限公司2011年版,第20页。

"麻风"的疾病,这个词现在仍被用来翻译"汉森氏病"。如此探讨问题至少可以揭示出古代中国疾病类别的复杂性,它们不易用熟悉的现代生物医学疾病类别来分析。大风/疠/癞/麻风概念演变的历史也是过去中国医学知识的历史建构的具体例子。换言之,我避免将现代生物医学的含义强加给中国古老的病名,借此试图用它们自己的术语展示古代中国疾病种类的悠久历史。这是抓住古代中国疾病分类体系的本质的更好办法,麻风的历史为这样的认识提供了一个绝佳的例子。①

根据梁其姿的考察,麻风病在不同时期获得的社会评价截然不同,在唐代名医孙思邈的笔下,许多麻风病人(时称"大风")都是具有较高社会地位的士大夫。麻风病的污名直至16世纪才普遍形成,受限于当时医学的认知水平,麻风病的症状类似广东疮——这是通过性行为传染的传染病。病者的丑陋容貌,机体由外而内一层层损坏的发病顺序,疾病的传染性,使麻风病终于成了恶心的癞病,随之而来的是道德上的大量负面评价,"帝国晚期的医书往往将麻风病患描写成大多是中国南方烟瘴之地的好色之徒。染患癞疾,但在疮疡愈合后最终得道成仙的温文尔雅的隐士形象在帝国晚期的医书中消失了,取而代之的是,危险的、有传染性并污染他人的女性癞病患者出现在了文人的著作和边缘的医书中"②。

挪威医生汉生(Gerhard Henrik Armauer Hansen)于1873年发现了麻风杆菌,从而推翻了流行的先天遗传论或瘴气论,麻风病也因此被命名为汉生氏病。但麻风病的污名并没有随着汉生的发现而立刻得到改变,梁其姿列举了我国,直至新中国成立后,云南地区仍有干部在得知自己罹患麻风病后,担心被同村村民殴打致死,连夜带家眷躲入麻风村。麻风病患的疏离与自我疏离依然顽固地在某些地区沿袭着。20世纪下半叶消灭麻风病的举措成为新政府展示自身权威、效率,同时出于改善人种之需求的公

---

① 梁其姿:《麻风:一种疾病的医疗社会史》,朱慧颖译,商务印书馆2013年版,第23页。
② 梁其姿:《麻风:一种疾病的医疗社会史》,朱慧颖译,商务印书馆2013年版,第71页。

共卫生战争。回溯几百年来,人们对麻风的淡然、害怕、嫌恶、恐惧、宽容、友爱,全部可以在文学中找到直接描述,除了接受正规医学教育的人士,其余之人对麻风病的所思所感,皆为文学所影响。

梁其姿将麻风病的研究定位为一种疾病的医疗社会史,反映了单项疾病在历史维度上与社会各项事业、各个领域的互动。然而,研究同一项疾病在同一时代的不同地区、不同人群、不同文明中的展现、影响,却是一项更加困难的工作。这也是在很多研究者看来不可能的工作,正如前文林富士所指出的,"各个时代(各个文明)对于疾病的认知、描述和分类都不尽相同"。或者说,在不同文明的视野中,没有同一种疾病。如果美国医生和中国医生都对肺炎的界定采用一模一样的分类标准,那说明中美医生是在完全相同的现代国际标准化医学背景下做出的诊断,这个标准是建立在解剖学基础上的西方临床医学,惯以结构主义的方法来为疾病进行分类,ICD 的大类划分便是依据身体器官的空间结构来制定的。问题在于,国际化真的解决一切医疗中的文化困境了吗?事实上,在人群迁徙更加频繁的现代社会,医疗作为人类的基本生存保障之一,面临的跨文化沟通远比预想的那样复杂。试图对医学跨文化交流做出应对的学科业已出现,最突出的是健康传播、跨文化传播等,在这个研究范畴中,文学的价值不容小觑——因为文学足以担纲起一名合格的译介者。

作为译介者的文学治疗

在论述文学治疗的译介功能之前,先简单说明一下本研究对"文学"广义概念的理解。文学人类学再三呼吁以人学的视角来重审文学,国内首次明确提出文学治疗概念的叶舒宪教授通过巫史同源和巫医不分的远古事实得出启示:出自巫觋之口的祝咒招魂一类诗歌韵语,从形态上看属于文学,从功能看却不是为了审美或者文艺欣赏。[1] 从文学发生学的角度来看,人类的精神需求——调节情感、意志和理性之间的冲突和张力,消解内

---

[1] 叶舒宪:《文学人类学教程》,中国社会科学出版社 2010 年版,第 223 页。

心生活的障碍,维持身与心、个人与社会之间的健康均衡关系,培育和滋养健全完满的人性①,才是呼唤文学产生的原始动力。文学的形式愈加多样,从前述意义来讲,前文字时代的仪式、音乐与舞蹈、口头艺术、神话等,都是广义文学所指的对象,文学不等同于文字,更不局限在教科书上规范的若干种形式。要不然,就无法回到文学发生的人类学视野中去理解许多难解的符码了。

文学研究的人类学转向是20世纪后现代主义思潮的一个重要组成,伴随着跨文化交流以及后殖民主义的批判,民族文学得到了愈来愈多的重视,比较文学得以蓬勃发展。在这个过程中,译介成为开展比较研究的基本前提。翻译理论家谢天振教授首次提出译介学,其基础是基于自20世纪下半叶起西方翻译语言学转向的众多关联理论。第一部分理论提倡的翻译交际功能。雅克布逊(Roman Jakobson)(1959)把翻译分为三个类型:语内翻译(intralingual translation)、语际翻译(interlingual translation)、符际翻译(intersemiotic translation),认为翻译,尤其是诗歌翻译,是向另一种符号系统的"创造性移位"(creative transposition)。尤金·奈达(Eugene A. Nida)在交际学理论的基础上提出了动态对等(dynamic equivalence)的翻译理论,认为语言除了传递信息外,还有许多交际方面的功能。纽马克(Peter Newmark)也认同交际翻译(communicative translation)一说。美国学者让·帕里斯(Jean Paris)(1961)指出诗人首先是一个译者,一个未知世界的译者,进一步强调了翻译的创造性价值。罗贝尔·埃斯皮卡(Robert Escarpit)(1961)指出任何一个概念一旦被表达、传达,它就被"叛逆"了,因为文学作品使用的是通用的交际语言。②

第二部分理论提倡的是翻译的理解功能,甚至把同一语际内的信息转换也称之为翻译,典型的是英国学者乔治·斯坦纳(George Steiner)(1975),他指出理解也是翻译,"文学艺术的存在,一个社会的历史真实感,有赖于没完没了的同一语言内部的翻译,我们之所以能够保持文明,就

---

① 叶舒宪:《文学人类学教程》,中国社会科学出版社2010年版,第256页。
② 谢天振:《译介学导论》,北京大学出版社2007年版,第34—38页。

因为我们学会了翻译过去的东西"①。

第三部分理论强调了翻译行为必须重视一切文化符号系统。吉迪恩·图里的论文集《翻译理论探索》("In Search of a Theory of Translation")(1975—1990)的核心观点是:翻译更主要的是一种受历史制约的、面向译入语的活动,而不是纯粹的语言转换。研究者进行翻译分析时应该注意介入语一方的参数,如语言、文化、时期等待,这样才能搞清究竟是哪些因素,并在多大程度上影响了翻译的结果。②

翻译的范畴渐渐从语言符号,向文化符号乃至行为符号扩展,贾斯塔·霍尔兹-曼塔利(JustaHolz-Manttari)生造出"迻译行为"(translatorial action)这个词,以表示各种各样的跨文化交际行为,它把与外来文化有关的遍及、查阅等行为也包括在内。③ 到了以色列学者埃文·佐哈尔这里,"多元系统论"诞生了,它跳出了单纯的翻译研究,而成为跨文化研究的重要理论。该理论的目的就是研究一种文学在什么特定条件下会受到另一种文学的干预,结果令某些性质从一个多元系统转移到另一个多元系统。④ 采用多元系统论对研究的指导意义在于:把符号现象视为系统,就有可能对各种符号集成体的运作方式提出假说,从而迈向现代科学产生以来一直为之奋斗的最终目标:找出支配着各种现象的多样性和复杂性的规律,而不是对这些现象进行登记和分类。由于功能主义之前的研究途径很少设法寻找这些规律,以前视之为"现象"(即观察或研究对象)的,与功能主义所能够假设的"现象"其实并不重叠。因此,抱着系统观念进行研究,不单可能充分解释"已知"的现象,而且可能发现完全"未知"的现象。再者,以前被认为与某一"事实"有关的资料,常常局限在一个较小的范围之内,而现在,一些以前从未有人想过可能与此等资料有关联的资料,也对该"事实"有意义了。⑤

---

① 谢天振:《译介学导论》,北京大学出版社 2007 年版,第 38—39 页。
② 谢天振:《译介学导论》,北京大学出版社 2007 年版,第 42 页。
③ 谢天振:《译介学导论》,北京大学出版社 2007 年版,第 45—46 页。
④ 伊塔马·埃文—佐哈尔:《多元系统论》,张南峰译,载《中国翻译》2002 年第 4 期,第 23 页。
⑤ 伊塔马·埃文—佐哈尔:《多元系统论》,张南峰译,载《中国翻译》2002 年第 4 期,第 20 页。

再回到译介学的观点来看,文化理解和交际是翻译的社会学价值。谢天振指出"解释"与"解构"是译介学的主要理论前景。反观作为文学作品的《疾病的隐喻》,以译介者的身份解构了癌症和艾滋病,桑塔格叙述了患者的耻辱感、社会大众与媒体的恐惧和误解、政客们用心险恶的宣传策略、文学作品对疾病的折射……《疾病的隐喻》之所以成为解构疾病的经典之作,在于它本身勾勒了一幅立体的文化图景。在其中,作者展现了文字文本、社会结构、大众传播、个人与群体等全方位的符号体系,亦即多元文化系统,对疾病的认知、描述、解释、应对,本身就是译介的过程。桑格塔是译介者,作品是译介的载体,而原文(原作者)与读者(接受者)却不是恒定的。就《疾病的隐喻》而言,当原文是指当下作为被误解事由的"疾病的隐喻"时,读者则是那些共享着当下社会文化背景的思考者;当原文是疾病本身时,读者则是处于治疗体系中的患者和医者,包括了他们的人事关系;当原文是因人类的愚昧和盲目自信造成的不公正时,读者则是所有的读者。无论传播角色如何变化,读者始终是意义的再造者。

文学为什么可以承担治疗者的角色?对应着解释与建构的,是医学上的诊断学与病因学。文学治疗首先是一位诊断者,正确的诊断是治疗的前提,它的文本是治疗中的医案,它的言说是医者的叙事。正如倘若没有医者的解读,绝大多数患者无法明确地了解症结之所在,医者是疾病的译介者,他们把医学语言翻译为通俗语言。诚如医者亦有良医与庸医之分,文学亦然,误诊漏诊、欺瞒恐吓,在文学现象中并不少见。其次是文学对病因的建构,对病因学的建构可成一部单独的医学史,梳理它们的工作量耗费巨大,但加拿大认知心理学家保罗·萨加德提纲契领地归纳出一组解释模式,该模式结合了逻辑、认知和社会三重因素,应用于医学史上的对疾病的解释纲要如下:

解释目标:

为什么病人会罹患某种具有相应症状的疾病?

解释模式:

该病人正在或曾经接触特定的致病因素。

这些致病因素引起了疾病和症状。[①]

萨加德认为,人类历史上对病因学的新认识以及随后的接受过程,都有一个精神过程。要改变原先的信念,必须要有符合心理学的连贯性说明。[②] 他以"细菌引起消化溃疡"这一假说在1983年被视为荒谬,至1996年被纳入医学正统这一案例说明了关联性在认知心理发展过程中的重要性。医学科学实验的正当性并不意味着被证明的就是被接受的,科学史上的斗士们深刻领悟到观念力量的强大,提出、拥护日心说的哥白尼、布鲁诺、伽利略都曾被视为《圣经》的反对者,他们的科学发现被称为异端邪说。日心说被接受的漫长过程,是观念的发展,是社会学的解释为人们的接受构建了种种关联性。再看疾病史、医学史的研究,寻求的无非是社会观念的变迁,以及人们对疾病现象的认知及接受过程。于文学而言,它对文化现象的译介是塑造社会观念的行为,是对心理学关联因素的构建。文学与科学有时候会联手"创造"一种疾病,这就回答了为什么需要真正的科学精神。科学将追求实在作为己任,它所采用的方法包括各种实证手段,理论与实验互为印证,它在某些时候体现出努力排斥文学介入的姿态。科学与文学不是事物的对立两面,文学是前科学时代的认知和解释方式,诚如神话的价值,而在科学时代,疾病王国中的文学完全有办法成为科学面对大众的译介者,它可以打破原先社会构建中任凭想象力的负面评价方式,它的治疗功能体现在消除恐惧、安抚心灵。反之,它的恶意一样具有杀伤力。提醒文学治疗的译介功能的另一层意义,在于文学良心的需求。

[①] 保罗·萨加德:《病因何在:科学家如何解释疾病》,刘学礼译,上海科技教育出版社2007年版,第26页。

[②] 保罗·萨加德:《病因何在:科学家如何解释疾病》,刘学礼译,上海科技教育出版社2007年版,第85页。

艺术与弗洛伊德的系统论

保罗·利科/著；户晓辉/译；叶舒宪/校

　　由于论述精神分析学美学的文章都具有零星片断的特点——在为这些文章进行辩解时，我们也将承认并强调这个事实——所以，美学在这个构想中的确切位置并非十分明确。然而一旦我们考虑到，只有弗洛伊德对宗教幻想的严肃态度才能和他对艺术的共鸣度相媲美，另一方面，审美的诱惑力或魅力并不能完全达到那种只有科学才能无可非议地达到的精确而真实的理想，那么我们就有希望发现，在每一个貌似无缘无故的分析背后，只有在分析结束时，也就是当审美的诱惑力在爱、死亡与必然性中确定了位置时，那些重要的张力才会显露出来。弗洛伊德认为，艺术是代偿性满足的非强迫的和非神经病的形式：审美创造的魅力并不来自被压抑事物的回归。但是，这种魅力在唯乐原则与现实原则之间处于什么位置呢？这个重要的问题将仍然是悬而未决的，它仍然停留在那些"有关应用性精神分析学的短篇论文"的背景中。

　　首先，我们必须正确地认识弗洛伊德的美学论文的系统的和片断的特点。这种系统的观点利用并强化了片断的特点。对艺术作品的精神分析学的解释与治疗的或教诲式的精神分析学是不能相提并论的，原因很简单,因为这种解释不具备自由联想的方法,它也不能把自己的阐释放置在医生与病人的二元关系之中。在这方面,有助于艺术阐释的传记材料并不比治疗过程中由第三者提供的信息更重要。精神分析学对艺术的阐释是片断性的,因为这种阐释仅仅是一种类比。

事实上,弗洛伊德本人正是以这种方式来构思他的论文的;这些论文类似于一种考古学上的重构,先从一些建筑学上的细节出发,并为这些细节找出一个大致的背景,然后勾勒出整块碑石。稍后,我们将考察弗洛伊德对文化产物的总体阐释,然而即使在这一点上,我们也能够看到,这些零星片断的论文由他的观点的系统统一结合成一个整体。唯其如此,这些论文才独具特色,它们那巨细无遗的细节,以及调整这些片断研究的理论所具有的严密性——甚至是严肃性,这些片断的研究还为梦和神经病描绘出一幅大型壁画。《玩笑及其与无意识的关系》是对梦的工作以及滑稽和幽默范围内想象的满足的规律做出的杰出而审慎的总结。他对詹森的《格拉第瓦》的阐释并不是试图提出一种一般的小说理论,而是旨在用文学虚构中的梦幻来和梦的理论取得呼应;这些梦幻是由一位并不熟悉精神分析学的小说家为他的主人公安排的,而且他还使自己的主人公受到了准分析式的治疗。在《米开朗琪罗的摩西》一文中,这座雕塑被当成一个独特的艺术片断,文中并未提出任何一种天才或艺术创作的一般理论。至于论述列奥那多·达·芬奇的那篇文章,表面上看起来似乎要超出论题之外,然而实际上,这篇文章也并没有超出它的庄重的题目之外:《列奥那多·达·芬奇和他对童年的一个记忆》,它所阐明的仅仅是列奥那多的艺术命运的一些特殊之处,恰似阴影中的一幅风景画的一道道闪电——如我们将看到的那样,这一道道闪电,这一片片光的空白空间,也许正是一种有声的暗影。

所有这些论文无不是作品与作品之间,梦的作品与艺术作品之间,以及变迁与变迁之间,也就是本能的变迁与艺术家的命运变迁之间的简单的结构类比。

为了表明这种独特的洞察方式,我将更加详细地追踪弗洛伊德的分析。我不想局限于严格的历史顺序,所以我将从1908年的那篇短文《创作家与白日梦》开始。我这样做有两个理由。首先,这篇短小而又似乎无关紧要的文章完整地演示了通过一系列逐层深入的对比来间接研究美学现象的方法。创作家就像一个游戏的儿童:"他创造了一个想象的世界,他以非常认真的态度对待这个世界——也就是说,他把大量的情感(Affektbetäge)投入其中——并且把它与现实(Wirklichkeit)明确区分开来。"我们从游戏进入到幻想,这并不是通过一些含混的类比,而是依靠一种必然联系的假定:人根本没有放弃任何东西,他只不过通过构成一些替换,以一物取代了他物而已。成年人就这样以创造幻想取代了游戏;这些幻想以它们取代游戏的功能来说,正是一些白日梦和空中楼阁。这就把我们带到了诗歌的开端——这种由小说即叙述形式的艺术作品所提供的中间环节。弗洛伊德在小说家的主人公的幻想史中发现了"他的自我陛下"的形象;弗洛伊德假定说,通过一系列不断的转换,文学创作的其他一些形式可以和这种典型形式联系起来。

这样,一般所说的梦的大致轮廓就被描述了下来。梦与诗歌是同一命运,即一个忧伤而不满足的人的命运的显现:"幻想(Phantasien)的动力能量是不能满足的愿望,每一个独特的幻想都是一个愿望的满足,是对不能满足的现实的一种校正。"

这是否意味着我们仅仅在重复《释梦》呢?有两种观点表明,事实并非如此。首先,这条类比链包含了游戏现象,并非出于偶然;在《超越唯乐原则》一文中,我们将看到:游戏意味着对不在场的东西的一种支配,这种支配与欲望的幻想的满足不同;其次,这种类比也不是跟毫无意义的白日梦进行比较,在白日梦的幻想中产生了一种"日戳"(Zeit-marke),而这一点在没有时间性的纯粹的无意识思维中是不存在的。想象活动与纯粹无意识的幻想不同,它有力量把具有当前印象的现在,幼儿时期的过去和即将来临的一种情境的未来联结起来。稍后,我们将追寻这两种观点之间的联系。

另一方面,这篇简短的研究文章的最后一段为我们做出了一个重要的暗示,这个暗示使我们从片断的方面回到系统的目的上来。我们并不能深入到艺术创作的内在机制中去,然而我们至少可以对艺术所带来的快感以及艺术所采用的技巧之间的关系发表一些看法。如果梦是一部作品,那么为了揭示一种更重要的功能上的类似关系,精神分析学自然可以在结构类比的帮助下,从"艺术家的"方面来探讨艺术作品。因而,这种研究就必须致力于克服种种阻力。一部艺术作品的最宽泛的目的在于使我们可以尽情享受自己的幻想而不必感到耻辱或羞愧。完成这种意图需要两个程序:创作家通过适当的改变或伪装,减弱了白日梦的自我中心的色彩,他创造出一种依附于他的幻觉表象的纯粹形式的快感并以此来贿赂和诱惑我们。"我们给这类快感起了个名字叫额外刺激或直观快感。向我们提供这种快感是为了有可能从更深的精神源泉中释放出更大的快感。"

这种包罗万象的审美快感的概念作为深层释放的导火线,恰恰构成了整个精神分析学美学的最大胆的见解。艺术技巧和它的享乐主义的效果之间的联系,可以被弗洛伊德及其学派用来作为他们进行最发人深思的研究的一个线索。这符合一种分析性阐释所要求的那些审慎与连贯的条件。我们无须提出更大的创造性问题,我们只是在探讨一个有限的问题,即快感效果与创作艺术作品时所用的技巧之间的关系。这个合理的问题仍然在欲望的经济学这个有限的职权范围以内。

在《玩笑及其与无意识的关系》(1905)中,弗洛伊德概括出一些通往直觉快感的经济学理论的确切步骤。这篇精彩而又巨细无遗的论文为我们提供的并非一种整体的艺术理论,而是对由笑的宣泄所界定的一种特定的现象和一种特定的快感效果的研究。然而,就是在这个有限的范围之内,弗洛伊德的分析也达到了相当的深度。

从对玩笑的言辞技巧的研究出发,弗洛伊德在这种技巧中发现了梦的工作的一些重要方面:凝缩,移位,由对立的事物产生表象等等,他曾经多次假定作品之间存在的那种互惠性在此得到了证实,这种互惠性依附于一种经济学和修辞学,因而可以得到阐释。一旦对梦的工作的语言学解释得到玩笑的证实,那么梦就会为滑稽和幽默的经济学理论提供一种外形特征。正是在这里,弗洛伊德开拓并超越了里普斯的著作(《滑稽与幽默》,1898)。然而也正是在这里,我们才遇到了直觉快感之谜。只有在确切的意义上,也就是通过一个分化过程,把由纯粹的言辞技巧所产生的轻微快感和由技术性快感所带来的,并且由淫秽的、攻击的或冷嘲热讽式的言辞突出出来的深度快感区分开来,玩笑才能向分析敞开。技术性快感与本能快感之间的联系构成了弗洛伊德美学的核心,并且把美学同本能和快感的经济学联系起来。

一部艺术作品的技巧与快感效果的产生之间的这种联系是一条线索,这条线索可以看作为精神分析学提供精确度的指南和因素。我们可以按照这些美学论文与阐释玩笑的方式取得一致的程度,对这些论文进行分类。《米开朗琪罗的摩西》也许会是第一组的一个典范性实例,《列奥那多·达·芬奇和他对童年的一个记忆》将成为第二组的代表性实例。(我们将会看到,在对列奥那多的研究中,首先使我们迷惑不解的东西或许正是后来最发人深思的东西,这些东西涉及艺术及其他领域中真正的分析性解释。)

《米开朗琪罗的摩西》一文的显著特点在于,它对这部艺术杰作的阐释是由一些细节构成的,正如对梦的阐释一样。这种适当的分析方法可以用于梦的作品和创作的作品,梦的阐释与艺术阐释。它并不试图用一种包罗万象的概括来解释艺术作品所带来的满足特点——许多精神分析学家曾经在这个工作上迷失了方向——而是旨在采取迂回的方式,把问题的重心放在一部杰出的作品及其创造的意义上,从而解答一般的美学之谜。这种阐释的耐心和巨细无遗是众所周知的。这里,正像在梦的分析中一样,用到的都是严格的和所有迹象中最细微的事实,而不是对整体的印象:这位先知的右手食指的位置,唯有这个手指有力地触及一簇胡须,其他几个手指都收了回来。十诫板从压着它的手下滑落时的倾斜位置。这一瞬间的姿势仿佛冻结在石头上一般,从这一瞬间姿势的种种细节出发,弗洛伊德的阐释重构出一连串互相冲突的动作,并且在一个阻止性动作中为这些冲突动作找到了一种不稳定的妥协。在一个愤怒的姿势中,摩西被认为是首先抬起他的手触及自己的胡须,并且险些把十诫板滑落。正在此时,他的目光猛烈地转向盲从的人群中的情景。然而一种相反的动作应该使他抽回自己的手,这个动作取消了前一个动作并且被他的鲜明的宗教使命意识激励着。我们眼前所见到的正是一个已经发生的动作的最后部分,这位分析者正要着手对它进行重构,正如他重构出各种相反的意念,从而形成了梦、神经病、口误以及玩笑中的妥协结构一样。在对这种妥协结构进行更深入的挖掘以后,弗洛伊德发现,在表层意义的厚度中存在着几个层次。这种艺术形式不仅典型地再现了已经被克服了的冲突,而且也配得上来守卫教皇的陵墓。这位分析者还洞察到一个谴责这位已故教皇的暴力的秘密,这同时也是艺术家对自己发出的一种警告。

由于最后这个特点,《米开朗琪罗的摩西》就打破了单纯的应用性精神分析学的界限。这篇论文不仅仅限于证实分析方法,它还表明了一种多元决定的特点,这种特点在《列奥那多·达·芬奇和他对童年的一个记忆》一文中将看得更加清楚。这篇丰富而杰出的论文似乎鼓励了一种错误的对艺术的精神分析学——传记的精神分析学。难道弗洛伊德不是试图在一般的审美创作机制同性压抑或性倒错与力比多升华为好奇心和科学创造的关系中来把握这种机制的吗?他难道不是仅仅根据自己对秃鹫——这恰巧不是一只秃鹫——幻想的阐释重构了蒙娜丽莎的微笑吗?难道他没有说,这种失去的对母亲及其大量亲吻的记忆已经转化成婴儿嘴中的秃鹫尾巴的幻想,转化成这位艺术家的同性恋态度和蒙娜·丽莎那深不可测的微笑吗?"他母亲曾经有过这种神秘的微笑——他曾经忘记了这种微笑,当他在佛罗伦萨的贵妇人脸上重新发现它时,他被深深地迷住了"。在"圣安妮"这一组画中的两个母亲形象都重复了同一种微笑:"因为,如果吉奥孔多的微笑在他心中唤起了对母亲的记忆,那么就很容易理解这种微笑如何立即促使他去创造一种对母亲的赞美,使他把自己在那位贵妇人的脸上发现的微笑归还给他的母亲。"他进一步指出:"这幅画包含着他的童年历史的一种综合:它的一些细节只有参照列奥那多生活中最具个人特征的印迹才能得到解释。"

> 离男孩较远的母亲形象——外祖母——与他早先的亲生母亲卡特琳娜相应,这不仅表现在外貌上,而且也表现在与男孩的特殊关系上。艺术家似乎在用圣安妮的幸福微笑否认和掩盖这位不幸的女人在不得不把自己的儿子交给比她出身高贵的竞争

者时所感到的妒嫉,这就像她曾经抛弃了孩子的父亲一样。

这种分析使人猜疑的地方——按照我们从论玩笑的那篇著作中得来的标准——在于:弗洛伊德似乎超出了由创作技巧的分析所认可的那种结构上的类比,从而进入了这幅绘画所否认和隐藏的本能的主题方面。不正是这种掩饰才助长了一种很糟糕的精神分析学——一种对死者的分析,对作家与艺术家的分析吗?

让我们再仔细地考察一下事实本身。首先应该记住,弗洛伊德实际上并没有谈到列奥那多的创造力,他只是谈到列奥那多受到自己的探索精神的压抑:"我们这部著作旨在解释列奥那多的性生活及其创作活动中的压抑"。这部著作的第一章的真正研究对象是列奥那多创作上的缺憾,这使弗洛伊德对知识与欲望之间的关系发表了一系列最引人注目的见解。……列奥那多的画笔并没有重新创造对母亲的记忆,而是把这种记忆创造成一部艺术作品。正是在这种意义上,弗洛伊德才能说"在这些形象中,列奥那多否认了他的性生活的不幸,并且在艺术中战胜了这个不幸"。艺术作品既是一种征兆又是一种治疗。

最后这几个观点可以使我们预先考虑我们在辩证研究中将涉及的几个问题。

第一,当艺术作品是我们在白昼的持续的(在这个词的最强烈的意义上)和值得记忆的创作,而梦是我们在夜晚创作的一种浮动的、不结果实的产品时,在什么程度上,精神分析学才能合理地使艺术作品与梦服从本能经济学的统一观点呢?如果艺术作品得以持续和存在下来,难道不是因为它们用新的意义丰富了文化价值的遗产吗?如果艺术作品具有这种力量,难道不是因为它们从一种特殊的工作开始,也就是从艺术家把意义体现在一种没有感情的(obdurate)物质中的工作开始,把这种意义传播给大众,由此使人们对自己有了新的理解吗?精神分析学并没有忽视这种价值上的差别;分析工作利用升华这个概念间接地探讨了这种差别。然而升华既是一个结论又是一个问题。无论如何,我们都可以说,精神分析学的目的不只是接受梦的无结果和艺术的创造性之间的差异,而是要把这种差异作为一个在欲望的特殊问题中构成了一个问题的差异。因此,精神分析学把柏拉图的诗歌与爱的根深蒂固的统一的观点,亚里士多德的涤罪与净化相联的观点以及歌德的神怪论联结了起来。

第二,我们也可以从另一点来看精神分析学与这种创造哲学的共同基础。艺术作品并不仅仅具有社会价值;正如我们在《米开朗琪罗的摩西》和列奥那多的例子中所见到的那样,而且也像讨论索福克勒斯的《俄狄浦斯王》时将明确表明的那样,艺术作品不仅是艺术家的各种冲突投射于其中的创造,而且也是这些冲突的解决方式的素描。梦向幼儿时期和过去回顾;艺术作品却走在艺术家的前头;它是艺术家的个体综合与人的未来的展望的象征,而不是他的无法解决的各种冲突的退化的象征。然而,也许退化与进步之间的这种对立只有作为一个近似值才是真实的。或许艺术作品必将超越这种对立,虽然这种对立看起来似乎难以僭越。艺术作品为我们敞开了一条通向象征功能和升华本身的新发现的道路。也许升华的真谛在于把最初投入到古代形象中的旧能量动员起来,从而产生一种新的含义?看来,当弗洛伊德在《列奥那多·达·芬奇和他对童年的一个记忆》一文中把升华同抑制和强迫区别开来时,甚至当他在《论自恋》那篇文章中把升华与压抑尖锐对立起来时,他提请我们注意的正是这个方向。

然而,要超越退化与进步之间的这种对立,首先必须阐明它,必须能够使它自己土崩瓦解。这将是我们的"辩证法"的主题之一。

第三,这种参照其他的甚或看起来完全相反的观点来深化精神分析学的建议,为我们理解精神分析学的界限具有的真正含义提供了一个暗示。这些界限绝不是固定不变的;它们是流动的,而且可以被无限地跨越。确切地说,它们并不是一些精确的边限,仿佛一扇关闭的大门,上面写着:"到此为止。"如康德所说,界限并不是一种外在的边限,而是理论的内在有效性的功能。精神分析学由它的辩护材料限定着,这个材料就是一个决断:在文化的诸现象中,它试图认识的只是欲望与阻力的经济学范围以内的事物。我必须承认,这种果断性和严密性使我喜欢弗洛伊德胜过荣格。在弗洛伊德那里,我还知道我在哪里和我将走向哪里;可是在荣格那里,一切都有被混淆的危险:心灵论,灵魂,原型,神圣之物。正是弗洛伊德的问题的这种内在界限使我们在第一阶段把另一种解释观与它划分开来,这种解释观似乎更加适合于文化客体的建构,在第二阶段,它又帮助我们发现:在精神分析学自身中就存在着超越这种界限的因素。弗洛伊德对列奥那多的讨论就为这种运动给出了一个暗示。根据力比多来解释并没有把我们带到终点,而只是把我们带到了开端;阐释并不揭示一种现实的物,甚至也不揭示心理的物;阐释使我们关涉到的欲望本身只是涉及它的一系列"派生物"和一种无限的自我象征。这些大量的象征也适合用其他一些方法来研究,如现象学方法、黑格尔的方法,甚至是神学的方法;其他这些研究及其与精神分析学的关系的证据将会在这些象征的语义结构中找到。可以附带指出,精神分析学家应该用他自己拥有的文化来对付这种较量,当然,这不是为了学会为他本人的学科划出一种外在界限,而是要扩大自己的学科的界限,并且在学科之内找到永久地扩大这些既得界限的理由。这样,精神分析学就使我们从第一种纯粹还原的阅读转入第二种对文化现象的阅读。第二种阅读的任务不是要揭开被压抑的事物和压抑力量的假面具,以便显示出这些假面具后面的真相,甚至解除符号之间意指的相互作用;我们已经开始发现了由欲望意指的那个不在场的现实——失去的母亲的微笑——我们又通过这个不在场回溯到另一个不在场,回溯到吉奥孔多的非现实的微笑。对于艺术家的幻想来说,唯一在场的东西就是艺术作品本身。因此,现实赋予这些幻想的,只是艺术作品本身在一个文化世界中所具有的现实。

[编者按]本文译自《弗洛伊德与哲学》("Freud and Philosophy: An Essay on Interpretation"),美国耶鲁大学出版社1970年版。作者保罗·利科(Paul Ricoeur)是法国当代著名哲学家,著有《隐喻的规则》《法国史学对史学理论的贡献》等书。作者在本文中对弗洛伊德的精神分析理论中有关艺术和美学的观点做了全面剖析,并试图阐发其中蕴含的哲学意义,揭示艺术创作与精神治疗之间的关联与对应,是从哲学和认识论高度把握精神分析美学观的一篇力作。译文有所删节。

文学治疗的空间

段从学

一

文学治疗这个命题的提出,首先意味着打破我们已有的知识分类的界限——关于文学的,关于医学的。

就总体倾向而言,在我们今天的知识结构中,占据核心位置的常识,是近代理性主义的产物。这一常识起源于心/物之分,即将世界划分成非物质/物质两部分,并以其中的一项作为基础进行知识生产。这种二元论有一系列的变体:非现实/现实,心理/生理,存在/意识,等等。按照这一划分,"痛苦、情绪、心象、'在心中闪现'的词句、梦境、幻觉、信念、态度、欲望和意图等等,都被看作是'心理的'现象,而造成疼痛的胃收缩,伴随着它的神经过程以及任何其它可在体内找到某一确定位置的东西,都被看作是非心理的。"[①]文学,因此理所当然地被划入了心的部分、意识的部分、非物

[①] 理查·罗蒂:《哲学和自然之镜》,李幼蒸译,生活·读书·新知三联书店1987年版,第13页。

质的部分,而治疗,除非我们特意标明是心理治疗,则是针对物的部分而言的。跨越二者之间的鸿沟的办法,是在承认"存在决定意识"的前提下,允许心对物做些非根本性的修订、补充。文学治疗,因而也仅仅只允许在这一修订和补充的过程中存身。

这种修订和补充,可能会被放大到令人害怕的程度。如毛泽东时代的"新民歌"神话,但它终究逃脱不了被决定的命运,因而在一般情形之下,我们小心翼翼地谈论的,是文学在治疗中的辅助性作用。其理由是,通过文学活动来影响患者的心理状态,进而促进患者的生理康复。换成通行词语,即是文学的养生功用。

这构成了文学治疗的第一层空间。文学在这里依然栖身于常识的荫蔽之下。

二

弗洛伊德的学说为文学治疗提供了新的生存空间。以精神分析理论为支点,社会治疗方案、心理治疗实践等相继建立,极大地拓展了治疗的范围。

弗氏对精神病症的研究表明,患者的行为之所以是"反常"的,原因在于它偏离了"正常"的社会规范。而"正常"的社会规范本身却又是一个可变的结构,是一种生成的结果。因此,治疗患者的精神病态,协调患者的"反常"行为与"正常"的社会规范之间的关系,使"反常"的变为"正常"的,无意义的成为有意义的,也有两条相应途径。其一是修订"正常"的社会规范本身,使其能接纳和认可"反常"的病态行为。这一途径,经由弗洛姆、马尔库塞诸人的发展,最后开启了哈贝马斯宏大的治疗晚期资本主义社会综合征的方案:交往理论。弗氏走的是另一条路径:将患者无意义的"反常"行为,安置在"正常"的社会规范中的恰当的位置上,使之为"正常"的社会规范所接纳,成为社会整体中一个有意义的部分。其基本理念是:"每当我们面对一种人的行动,一种语言表达,一个面语句,一种交流符号时,一旦我们成功地将它纳入整体背景(total context),它的意义就会显现出来。"①具体而言,就是将患者无意义的精神病态行为,放置到它的无意识背景中,使其变得可以理解,重建其行为的意义,摆脱精神困惑。弗氏坚信,"如果病人能认识到获得对他自己的有意识的思想具有虚假性质的话,如果他能把握在这些思想后面所掩盖着的现实、变无意识为有意识的话,那么,他就能获得摆脱自己的非理性的力量,获得改造自己的力量。"②

这样,弗氏倡导的谈话疗法,其实包含着一个双重的过程,对治疗师而言,是从患者无意义的、碎片式的语言中发现其"反常"行为的无意识背景,理解其病态行为的根源,进而引导患者进入并认识自身的无意识背景的过程;对患者而言,则是一个将自己的"反常"行为最终用"正常"的语言表述出来,以宣泄心理能量的过程。因而弗氏的治疗方案实际上是一个改造和引导"反常"行为,使其得以进入"正常"的社会规范的过程。

以精神分析倡导的谈话治疗为参照,文学治疗的区别性特征似乎只是媒介的不同:前者以口语为表达媒介,后者则以文学活动为媒介。如果考虑到文学活动中有口语行为这一事实的话,那么这一特征还要被打些折扣。

显然,精神分析理论并没有给文学治疗留下太多的空间,这与弗氏的本质主义思想和决定论立场有关。弗氏的理论从个人与社会的冲突出发,以个人和社会的一致为归宿,其途径是让个人调整和放弃自我经验,适应"正常"的社会规范。正是在这个意义上,弗洛姆才批评弗洛伊德接受的是十九世纪的经济学家所持有的人的本性图像,承认当时的资本主义社会秩序是合乎人性的,人们要做的是如何更好地顺从和适应它,而不是改造和质问它的合理性。③ 治疗的目标,在弗氏看来显然就是将个人的"反常"

---

① 吕西安·戈德曼:《文化创造的主体》,杨宁宁译,见周宪、罗务恒、戴耘:《当代西方艺术文化学》,北京大学出版社1988年版,第162页。
② 埃里希·弗洛姆:《在幻想锁链的彼岸:我所理解的马克思和弗洛伊德》,张燕译,湖南人民出版社1986年版,第15页。
③ 埃里希·弗洛姆:《弗洛伊德的使命:对弗洛伊德的个性和影响的分析》,尚新建译,生活·读书·新知三联书店1986年版,第117—118页。

行为转化成既存的社会规范认可的"正常"行为的实践。无论怎样解释,文学活动在这里的位置都是工具性的:将某种已在的不为社会规范认可的个人"反常"行为叙述成为社会规范认可的"正常"行为。正如诊所是"正常"社会中的病态的存身之处一样,文学活动在弗氏的理论体系中,同样也是精神病态的收容所。弗氏的精神分析实践,"文学"的诞生与现代社会的理性化过程,在这里结成了一个富有象征意义的同盟。

现代意义上的"文学",是社会理性化,即韦伯所说的"目的—工具合理性"的霸权事业的产物。现代社会在其确立过程中,为自由、美、感性等无法纳入"目的—工具合理性"的剩余元素,划出一块"印第安人保留地",让其享有相对的自治权。这就是"文学"的诞生。弗洛伊德的所作所为,不过是往这块充满了非理性混乱的保留地中塞进了"精神病态"这一新发现的过剩元素而已。这既没有扩大保留地的面积,也没有增加其自治权限。在这个意义上讲,文学治疗实际上就是将里比多转移到文学活动中安全而有效地消耗掉,使其不致于扩散到社会生活的其他领域中,危及理性化的宏业。至于里比多的样式和数量,则正如"文学"的自治权限一样,只能由社会生活的其他方面来划定。这就产生了一种新的决定论模式:社会生活的其他方面决定着文学活动的可能性。在这一决定论模式中,文学活动中包含着的经验早在文学活动之外被制造好了,等待着在文学活动中转化成一种无害的心理形式消耗掉。"对弗洛伊德来说,里比多始终是一个不变的量,它可以用这种或那种方式消耗,但是它服从物质规律:失而不可复得"[①]。文学显然是一种成本最小的消耗现代社会中的剩余里比多的有效方式。

三

借助中国和印度的传统智慧,荣格打破了现实/非现实之分,以精神分

[①] 埃里希·弗洛姆:《弗洛伊德的使命:对弗洛伊德的个性和影响的分析》,尚新建译,生活·读书·新知三联书店1986年版,第116页。

析理论内部松动了板结的决定论模式。借助东方人的世界观,荣格意识到,"作为直接的现实显现给我们的东西,实际上是由仔细加工过的表象组成的,我们不过是直接地生活在一个表象世界中",因而不是现实的决定着非现实的,物质的决定着精神的,相反,"统治全人类的世界力量,毕竟正是这些无意识的精神因素,正是他们造就了意识,并从而为世界的存在创造了绝对必要的前提和条件"[1]。卡西尔在承认物理世界的前提下,也谨慎地表达了类似的意思:人不再能直接地面对实在,人的符号活动能力(symbol activity)进展多少,物理实在似乎也就相应地退却多少。在某种意义上说,人是在不断与自身打交道而不是在应付事物本身。因而人类并不是直接地生活在物理的事实世界中,而是"生活在想象的激情之中,生活在希望与恐惧、幻觉与醒悟、空想与梦境之中"[2]。

相形之下,文学和语言学领域内发生的转化,似乎更具有根本性。在文学领域内,王尔德以叛道者的姿态公开宣称,不是艺术摹仿现实,而是现实摹仿艺术,尼采则断言现实只是一种美学现象。这"意味着现实只能作为一种美学现象来欣赏和理解",因为现实"必然是一种诠释或阅读的结果,决不是物自身"[3]。索绪尔的语言学理论从根本上斩断了语言与实在之间的联系,消解了传统的意义实在论,将现实转化成了一种语言现象,与尼采、王尔德保持了某种一致性:"语言给我们的是词与概念,决不是物。因此,我们在自然中所看到和描述的东西在某种程度上是我们的语言系统使我们能感知到的东西。所以说,自然模仿艺术。"[4]我们的世界,因而即是语言的世界、文本的世界。没有文本,没有语言,则没有现实,也没有存在。海德格尔的命题:"唯当表示物的词语已被发现之际,物才是一物"[5],表述的既是 20 世纪的共识,亦是人类最古老的语言经验,它使我们想到中

---

[1] 荣格:《现实与超现实》,见荣格:《心理学与文学》,冯川、苏克译,生活·读书·新知三联书店 1987 年版,第 246 页。
[2] 恩斯特·卡西尔:《人论》,甘阳译,上海译文出版社 1985 年版,第 33—34 页。
[3] 泰特罗:《本文人类学》,王宇根等译,北京大学出版社 1996 年版,第 280 页。
[4] 泰特罗:《本文人类学》,王宇根等译,北京大学出版社 1996 年版,第 29 页。
[5] 海德格尔:《语言的本质》,孙周兴译,见孙周兴选编:《海德格尔选集》(下),生活·读书·新知上海三联书店 1996 年版,第 1067 页。

国哲人的"有名,万物之母"(老子),在这个意义上说,当维特根斯坦发现语言的界限,当解构主义者宣称文本之外别无所有时,我们看到的是一个被长久遗忘了的命题的重现。

这样,文学活动作为一种语言活动,就不再是简单地复制和传达物质现实,而是积极地诠释和制造现实、改写现实。

四

另一方面,被弗洛伊德小心翼翼地关闭在社区诊所之内的治疗行动,也从狭小的诊所中走了出来,与社会生活的其他方面发生了联系。按弗氏的计划,治疗的目的是将种种"反常"行为打入诊所,因而治疗和监禁一样,都是现代社会的隔离行为。不同的是,治疗室里监禁的是剩余的力比多这样一种更为抽象但也似乎更为可怕的东西。但弗洛姆和马尔库塞等人在马克思的帮助下,彻底扭转了这个方向。

在马克思看来,人并没有自己的内在本性,人的本质"是一切社会关系的总和"。而资本主义制度在马克思眼中则是一个充满了异化和分裂的病态社会,严重地扭曲着人性的发展。受此启发,弗洛姆打破了弗洛伊德仅在个体内部来谈论问题的缺陷,提出了社会诊疗的理论。在弗洛姆看来,"压抑现象是一个社会现象。在任何一个特定的社会中,个体总要压抑与他那个社会思想模式不相符合的情感和幻想的意识",从而导致无意识的产生,因此"理解个体的无意识必须以批判地分析他那个社会为前提"。[①] 具体而言,在资本主义社会秩序中,个体的精神病症实际上是资本主义精神分裂的表征,因而需要治疗的是不健全的社会秩序,需要解除的是异化的社会制度对个体的情感和幻想的压抑。弗洛姆发现,"每一个社会,通过自己的生活实践和联系的方式,通过情感和知觉的方式,发展了一个决定认识形式的体系或范畴。确切地说,这种体系的作用就象一个受社

[①] 埃利希·弗洛姆:《弗洛伊德的使命:对弗洛伊德的个性和影响的分析》,尚新建译,生活·读书·新知三联书店1986年版,第129页。

会限制的过滤器,除非经验能进入这个过滤器;否则经验就不能成为意识"①。语言、逻辑、社会禁忌,是这个过滤器的三个基本部件。正是由于社会对个体的压抑是通过这一社会过滤器来实现的,因而消除压抑实际上是拆解和重组社会过滤器,使其成为一个健全的社会中的一个有机部分。文学,尤其是以语言创新为主要特征的先锋派文学,因此而变成了一种治疗社会异化的有效形式。马尔库塞正是在这个意义上倡扬艺术的审美解放精神的,因为艺术"通过语言、感知和理解的重组,以致于它们能使现实的本质在其现象中被揭示出来:人和自然被压抑了的潜能"②,所以艺术实际上并不是在消极地承受和传达着现实,而是一种"改塑物质和文化的生产力。作为生产力,艺术在建构(beim Gestalten)事物、现实和生活形式的本质和'现象'时,将会是一种综合性的因素"。③ 在这个意义上说,对新的现实和秩序的建构,实际上转化成了对新的语言形式的发现。这不仅沟通了文学活动的创造性本质,而且与语言哲学意义上的治疗,也达成了一致性。文学治疗的空间,因此通过语言而渗入社会生活的各个层面。

在这样的情形之下,文学治疗依然保持着它在个体心理层次上的活力,在组织自我经验和愈合精神分裂方面具有相当的力量,但更重要的则是它的社会治疗功能。自波德莱尔以来的以追求语言形式创新为基本生存形式的现代主义文学在马尔库塞看来正是与异化了的资本主义社会秩序决裂,创造新的社会形式的革命行为。现代主义文学,充分利用现代社会赋予自身的自治权和语言实验权,指认和揭示着"正常"的语言秩序内的病症和僵化,同时也改写和修订着"正常"的语言规则,释放社会压抑。"语不惊人死不休"(杜甫)式的语言行为因而具有了本体论的意义:充分利用"正常"的语言规则允许的违反常规的权限,不断地扩大"反常"的样

---

① 埃利希·弗洛姆:《在幻想锁链的彼岸:我所理解的马克思和弗洛伊德》,张燕译,湖南人民出版社1986年版,第120—121页。
② 马尔库塞:《审美之维:马尔库塞美学论著集》,李小兵译,生活·读书·新知三联书店1989年版,第211页。
③ 马尔库塞:《新感性》,见刘小枫主编:《人类困境中的审美精神:哲人、诗人论美文选》,魏育青、邓晓芝、李醒尘等译,知识出版社1994年版,第626页。

式和限度,并将这种"反常"的语言现象渗透和扩散到文学之外的语言领域中,演化成"正常"的语言现象的一部分,将不被承认的和压抑了的经验塑造成我们新的现实。在这个意义上说,文学治疗即是通过文学活动来激活我们的语言,增强我们的"正常"语言对新的未定名的经验的命名能力,从而不断拓展我们的生活世界,修订其中的扭曲、分裂和板结。鲁迅的《狂人日记》就是一篇大胆地利用文学的形式,将不被"正常"的社会秩序认可的狂人的经验,打入我们的生活世界内部,指认和拆解着我们自以为"正常"的世界中的分裂和压抑的治疗性小说。

这种治疗,在一般形态上表现为文学活动与其他语言实践活动之间的对话。在对话中,文学活动立足于"正常"的语言规则所许可的界限,但却不以这一界限为归宿,而是以此为出发点来质问"正常"语言的合理程度,检测其活力,治疗其病症。文学活动因此而摆脱了被限定的地位,与其他语言实践活动平等地相互质问相互修订,共同构成健康的语言生态环境。在这一共生关系中,文学活动治疗其他语言活动的病症,也借助其他语言活动来发现和揭示自身的僵化。这在文学史上表现为非文学语言向文学语言的转化和渗透,导致文学形式的变化与发展。

各种语言活动形式自由交流,相互指认和治疗,这实际上是哈贝马斯所构想的治疗晚期资本主义社会综合病症的方案。与马尔库塞、本雅明等人对文学活动的优先权的承认有别,哈贝马斯的治疗方案中,任何一种语言活动都不具有优先权。唯一优先的,是对话的愿望本身。表面看来,文学活动在哈贝马斯的社会治疗方案中的重要性下降了,与马尔库塞等的审美解放理论相比更具保守色彩,但这一退守实则扩大了文学治疗的空间。当马尔库塞和本雅明等预先设定了文学治疗的优先权时,他们心目中的文学,实际上只是带有强烈的反叛和实验色彩的现代派文学、先锋派文学,这就极大地限制了文学活动的空间。其次,承认文学活动的优先权,实则假定了文学活动不必接受其他语言形式的治疗,不可能会有病症。这种独断,从根本上忽视了文学语言的"反常"与其他语言形式之间的相对性,从而无法面对先锋派的先锋性之丧失这样一个问题。贝尔的"新宗教"文化论,就是在现代主义文学耗尽了它自身的能量,丧失了同其他语言形式之间的对话功能,而"创新"本身亦沦为一种制度的情形下提出来的文化治疗方案。这至少提醒我们不得不考虑保持文学活动自身的活力与健康的问题。哈贝马斯将文学活动本身也作为需要治疗的语言形式来对待,实际上就是对这个问题的一种防范。在接受了哈贝马斯的考虑之后,进而还可以扩展到文学的自我治疗这一层次中去。

  这样,我们似乎可以在以下几个空间中来谈论文学治疗:其一,传统意义上的养生;其二,弗洛伊德理论中的精神分裂的治疗;其三,对其他非文学的语言实践形式的治疗;其四,文学活动的自我治疗。每一个空间,都有着相应的规则和可能。在这个意义上说,剥去我们自认为"正常"的常识之后,文学治疗的空间是异常广阔的。

悲剧愉悦与宣泄疗法

罗伊·莫雷尔/著；户晓辉/译

  如以往人们理解的那样，悲剧是一种替代性的考验，那么为什么必须有一个不愉快的结局呢？剧作家通过对悲剧英雄受难的严肃而可怕的描绘，为什么不能提供这种考验呢？英雄从致命伤中脱险以后，是否就可以"永远快活地"生活下去呢？众所周知，英雄并不是非死不可的。俄狄浦斯暂时还活着，然而他处在深深的绝望中，血溢出了他的眼眶，与自缢的伊俄卡斯忒相比，他是一个更为可怕的失败象征。失败是实际生命的归宿，是我们对英雄所抱的希望的终结——这些才是必不可少的因素。实际上，英雄的死是随意安排的，为什么呢？

  悲剧的效果在于鼓舞人心，它不只是增加心理的柔韧性，既不是虚张声势，也不是表现力量的意愿，而是使观众从容自若和应对自如，甚至在最严酷的体验里也如理查兹所说，"没有任何困难"。困难只会从我们试图逃避现实的那些幻觉和遁词中产生，我们下意识地恐惧现实对我们的背叛。

  然而这种转变是怎样发生的呢？在某一段时间里，我们是怎样亲自参与了悲剧英雄的恐惧和困扰，我们的逃避欲望在不断增长，而有时又几乎是断然从这种理解中超脱出来,完全抱着一种非个人的客观态度的呢?

我们把心理固恋的概念牢记在心。这样,我们就可以来重新建构我们的问题,悲剧通过怜悯和适当的"自大"为观众的个体提供了扩张的手段,然后,只是在悲剧英雄的毁灭中,解放了个体,粉碎了他的怜悯,否则这种怜悯就有变成一种固恋的危险,他的幻想就有可能采取能量来求得真正的生活,情况会不会是这样呢? 如果我们对这一问题的建构是正确的,那么我们只能说,个体之所以要对现实生活进行自我调节,是因为他的幻想生活已经与悲剧英雄一起死亡了。

然而,我并不知道这些固恋性的幻想会有多么普遍,我希望在悲剧的"怜悯—考验—灾难"过程与一些更普遍的幻想过程之间建立一种类比关系。同时,有一点值得注意,弗洛伊德在讨论固恋时,主要集中在婴儿的乱伦幻想这个问题上。因此,悲剧的功用——帮助我们成熟起来并进行自我调节——可以表述为:使我们从固恋中解脱出来,如果我们都和俄狄浦斯王一样不需要作过多的解释的话。然而取决于弗洛伊德的暗示的主要之点在于:对于儿童来说,那种煞费苦心的幻想生活是很正常的。在"无休止的模仿"过程中,他们进入幻想,改变并抛弃幻想,以适应现实生活的需要,然后立刻返回到幻想游戏中去——他们忽而停止当士兵或北美印第安人,跑进屋子用餐,然后又跑出去充当海盗或难民船上的水手——他们的做法既安全、容易而且也很正常,而任何一个成年人这样做都会对他的心智健全带来严重的威胁。对这一点的解释与我们上面所说的适当的怜悯与不适当的怜悯有关:一个儿童的整个生活原则就是生长,扩张;他们主要是在幻想中长大的;实际上,他每时每刻都在生长;除了病理上的情况以外,儿童还具有婴儿性固恋,儿童没有过去,而只有一个不断实现着的未来。对成年人来说,情况就不同了:每一个幻想都有成为固恋的危险,当正常的扩张性机能生长减慢下来,发生了偏差或转回到过去时,精神毒瘤就会从内部生长起来——除非像我们设想的那样,这种幻想是一种特殊的幻想,它由外部的冲击引起,需要用新努力为创造的和想象的扩张提供新的契机。

然而,我们试图在心理领域寻找一种更加普遍的幻想,以便与悲剧的怜悯进行对照。这种幻想不是已经在"移情"这一人为的幻想中找到了吗？所有的心理医疗分析一度试图获得这一部分机制。荣格在《寻找灵魂的现代人》一书中对这一机制做出了解释。荣格描述了布洛伊尔早期疗法的失败，布洛伊尔曾经做过认真的考虑，然而当他的疗法问世之时，最不幸的是他根据亚里士多德的说法，把这种疗法称为"宣泄法"。布洛伊尔的"宣泄法"只是借助于医生的探查，使病人把病情随意供认出来，荣格解释说，这种疗法是"由一系列使病人接触到自己心灵的腹地的工作组成的"。它之所以失败，是因为这两种固恋之一随着治疗而产生了回复。实际上，布洛伊尔在当时并没有认识到这一点，这个疗法并不能有效地进行涤除工作；"宣泄法"这个术语的真意已经丧失殆尽了。

布洛伊尔的疗法似乎也有成功的可能，病人在开始时总是有所好转，然而却出现了一个问题。在某些情况下，用荣格的话来说，"病人似乎想回避治疗——现在，他被自己心灵的腹地所迷惑，他不断地对自己宣泄，从而牺牲了对现实的调节。他被无意识——他自己所缚"。众所周知，在另外一些情况下，病人又会有一种完全依靠医生的感觉，如果他与医生的这种联系被切断，他将陷入崩溃的边缘。这两种反应都是幻想性固恋的特点：在第一种情况下，病人的幻想是自足的，它们都是对他自己的幻想；在第二种情况下，儿童与双亲的依赖性幻想——病人是儿童，医生是双亲——被建立起来并得以维持下去。总之，布洛伊尔发现和重新发现的不过是对病人给予镇定和安慰，病人紧接着仍会产生孤立无援的依赖感。

弗洛伊德用来取代布洛伊尔的分析体系，在早期阶段也利用了类似的依赖关系——儿童—病人对于父亲—供白者—医生的依赖关系，但是后来，这种体系才努力打破了"移情"。当然，这种打破对于治疗来说是必不可少的环节；而且，一旦这种破坏成功以后，它就会产生真正类似于宣泄的某种东西。弗洛伊德对"移情"的分析与布洛伊尔的重要区别在于：弗洛伊德的分析不仅给一些被"病人心理的腹地"所压抑的思想和冲动带来了光明，而且也使病人面临恐惧，迫使他在幻想中体验到原先已经回避过去的某种事物以及能够对他后来逃避和受压抑的行为提供解释的某种东西。只有精神分析学家能够使病人的抗力达到高潮，并且在暂时性崩溃的痛楚中使它终止,这样的疗法最终是成功的。最后,病人重新获得了调节。这一过程与悲剧的调节过程的主要差别在于这一事实:病人被带回到他以往发展过程中的偏离点上。在这里,他认识到自己曾经回避过的障碍,并把旧的自我抛在脑后;而在悲剧中,个人被引导向前。但是,二者仍有一些可资比较的地方:它们都有最初的幻想,都有一种延缓的和抵制性的痛苦,最后面临的或者是英雄的死亡,或者是人们所说的旧的不完全的自我的灭亡,也有人们经常讨论或许也是必不可少的悲剧因素——"认出"。

我希望用精神分析学的观点来解释悲剧,我感到我没有用悲剧的术语来表述分析的过程。但是,我们还可以在这条循环论辩的高墙上适当地增添几块有用的砖瓦。如果像我主张的那样,悲剧的效果取决于悲剧的结局,而不仅是取决于任何事先的考验;假如解除观众的束缚,并使他们对现实进行自我调节所必需的不是英雄的死亡,而是他所代表的事物的结局;假如净化作用(purgation)不仅依靠移情的强度,而且必须依靠打破移情的方式,那么,我们可以期待着,对一个并非悲剧性地失败,而是要"永远快活地"生活下去的英雄施加怜悯的结果,这种结果所带来的病理性依附状态,与布洛伊尔的病人的病理状态很相像,然而这与包法利夫人的情况并不相像。那些并没有误解包法利夫人的人,仍在做他们的白日梦,他们的确还在小说或电影中寻找满足愿望的梦幻,他们常常被公正地称为电影"迷"或小说"迷"。在阅读了一般小说,或看过普通电影之后,他们的第一个愿望似乎就是回到电影院或小说阅览室去看另一部电影或另一本小说。无论这些"考验"有多么赏心悦目或多么危险,这些"迷"们都要替代性地体验一番,他们并没有体验到"净化",他们也不试图与现实调节,而仍然依赖着他们的幻想。他们依然不会对即将告别人世的人施加怜悯,然而他们却乐意对一个快活地过活的人给以同情;而且,他从好莱坞或畅销书作者那里得到越多,他就越是要依附自己的幻想,或者依附这些幻想的落实者。我做出这种区分,是因为某些作家的格调——以尊长的口吻向读者发话,迎合他,安慰他,鼓励他的偏见——是不会逃出批评的指责的。一位读者能够感到他所喜爱的作者会如此了解他,了解他的弱点和隐秘,以至于他几乎完全听信了这位作者的情况,在我看来是不大可能的。这正像一种推销术,它保证读者完全依赖于作者的医生—供白者—监护人—双亲的作用,而这位作者却不断地对那些长不大的读者实行赦免,这种情况是绝无仅有的。

我们在上文里提到《哈姆雷特》和《冬天的故事》,我认为,在一部悲喜剧中,也有一种惯例,它并不如此深切和严肃地吸引我们去同情某一位英雄人物,在悲剧中也同样如此。同情并不能打破自身,而一位作家的主旨也并没有给他机会来打破这种同情,他不应该——如果他想忠实地与他的公众相往来的话——在一开始就如此深切和强烈地吸引观众的怜悯。

这里有可能提出的只是一个扼要的总结。

悲剧是人的残酷生活现实的预演;通过演悲剧,人的心理细胞才不得不从倦怠中走出来,而它保守的生命循环本能只不过是一种虚妄的安全感,为了生存,它必须为适应更复杂的生活做出准备。

[编者按]本文节译自劳伦斯·米歇尔(Laurence Michel)等合编的《悲剧:现代批评文集》("Tragedy: Modern Essays in Criticism"),格林伍德出版社,1978年版。作者莫雷尔(Roy Morell)为美国加州大学比较文学系教授。他在文中回顾了西方文论中有关悲剧性质和功能的理论,并从精神医学方面加以新的阐释。作者认为悲剧这种文学样式同精神病医师用于临床的治疗手段有相通之处。悲剧宣泄的实质在于预演人生的残酷现实,使人为了求得生存、为了适应更为复杂的生活情境而做出心理准备。

不可轻易翻转的"风月宝鉴"
——对文学治疗功能的再认识

孙绍先

越来越多的学者开始相信,文学除了传统认定的认识功能、教育功能、审美功能之外,还具有治疗功能,这是文学研究领域的新突破。这种新视角对更深刻地认识创作主体与文本的关系,更深刻地认识文本与欣赏主体的关系,具有十分重要的意义。

现代人的精神,由于生态环境恶化、社会的过度城市化、家庭婚姻动荡加剧、工作压力加重等诸多方面的原因,越来越处于失衡状态,这给文学艺术的对症治疗提供了广阔的天地。

但是我们也要看到,文学的治疗作用是复杂的、多重性的。我们在研究文学正面的治疗作用的同时,也要看到它可能产生的负面作用。正如一剂良药不对症也会带来副作用一样。一部得到积极评价的作品,在个别读者那里会引起出乎意料的反应。

文学治疗有多种可能性

文学治疗的基本原理,已有不少学者论及。[①] 宣泄与调节是基本被认可的功能,文学则主要是通过表演(仪式化过程)、虚拟(致幻过程)来达到宣泄与调节的目的。这无疑是对的,但治疗的真正发生却还有许多复杂的因素掺杂其中。

首先,我们应该区别创作主体的自我治疗与欣赏主体的文本治疗。这应当是两种不同的心理流程。

创作主体的自我治疗大都肇始于挥之不去的挫折感。并且这种挫折在他看来已经具有现实的不可逾越性。结果,害怕承认失败的心理与已经失败的现实之间产生了无法弥合的裂缝。这种只能返回内心的精神折磨,迫使他寻找发泄通道。我们在不少诗人、小说家、剧作家身上可以追踪到类似的心路历程。荣格认为,内在的或者心理过程的价值相当于外在的或者环境过程的价值。"心理是最高水平的现实实体,因为只有它是唯一直接的。"[②]这种宣泄也有两种方式:一是在虚拟的世界里消解它;二是在幻想的世界里超越它。

蒲松龄屡试不第,毕生的追求化为泡影,《聊斋志异》中便有很多抨击挖苦科举丑态的文字,许多人把这看成是蒲松龄幡然悔悟反戈一击之举。问题没有这么简单。从精神分析的角度看,直至七十一岁才援例成为贡生的蒲松龄,在心理上无法接受这一无可挽回的挫折。科举制度的时代权威性和蒲松龄本人一生的刻意追求,使他无法在道义的层面上对科举本身提出反证,这个沉重的精神心理压迫只能寻找其他的非现实的途径消解,整个《聊斋志异》被蒲松龄称为"孤愤之书"意本于此。"独是子夜荧荧,灯昏欲蕊;案冷疑冰。集腋为裘,妄续幽冥之录;浮白载笔,仅成孤愤之书;寄托

---

① 参见叶舒宪:《文学与治疗:关于文学功能的人类学研究》,载《中国比较文学》1998年第2期。本书附录二。
② 转引自弗尔达姆:《荣格心理学导论》,刘韵涵译,辽宁人民出版社1988年版,第3页。

如此,亦足悲矣！嗟乎！惊霜寒雀,抱树无温;吊月秋虫,偎栏自热。知我者,其在青林黑塞之间乎！"蒲松龄心境苦闷晦暗到什么程度由此可见一斑。在虚拟的世界里消解这个现实世界里无法正视的存在,是蒲松龄无可奈何的选择。从这个意义上可以说,《聊斋志异》是作家精神非常态的产物。没有科举的失败,就没有《聊斋志异》。"由于这样那样的原因,意识的适应已不复存在(可能因为外界环境变得太困难了),那么,向前的自然运动就不再可能。这时力比多就退回到无意识当中,并最终成为寻求某种出路的超负荷的能量。这时候,无意识可能会在幻想的形式或者梦的征兆的形式下面注入到意识当中……"①我们在当代小说家的写作中,也能找到类似的情境。张贤亮在他的一部作品中,借男主人公——作家之口,揭示了温柔似水女性形象的真正由来:

> 有人看我的小说写了一个个爱情故事,以为我在苦难中一定有不少爱情的温馨,而其实恰恰相反。我说我一直到三十九岁还纯洁得和圣徒一样。我希望在座的男士们不会遭遇到我那样性压抑的经历。我的小说,实际上全是幻想。在霜晨鸡鸣的荒村,在冷得似铁的破被中醒来,我可以幻想我身旁有这样那样的女人。我抚摸着她她也抚摸着我;在寂寞中她有许多温柔的话语安慰我的寂寞。寂寞孤独被喧闹得五彩缤纷。这样,到了我有权利写作并且发表作品的时候我便把她们的形象一一落在纸上。②

毫不奇怪,人总是在幻想的世界里,寻找自己在现实世界中缺失的东西。

明末清初,中国出现了形形色色的"性文学"作品。无论是数量,还是描摹男女性事的程度,都可以用"空前"来概括。而此时,正是官方禁欲文化愈演愈烈的时候。许多人从社会层面分析其压迫愈重、反弹愈甚的道

---

① 弗尔达姆:《荣格心理学导论》,刘韵涵译,辽宁人民出版社1988年版,第6页。
② 张贤亮:《习惯死亡》,百花文艺出版社1989年版,第90页。

理。这固然没错,但这只能作为进入个案分析的一个文化背景来看待,更深层次的问题,还是要到创作主体和欣赏主体的精神世界中去寻找。

中国传统文化刻意制造"男尊女卑"的人格模式,男性的优势不仅体现在社会层面上,而且也要扩张到性关系当中。这就必然会在很多男人中间引起精神心理疾患。男性"社会英雄"角色,可以得到社会父系文化的直接支撑;而男性的"性英雄"角色,却主要靠男人的生理与精神的协同。男性的外生殖器,虽然有助于男人"性英雄"的幻想,但男性一次可以释放的性能量却逊于女性。男性在性高潮(射精)后,会出现不应期;女性则有多次体验性高潮的能力。这意味着老想着"御女"的男性在正常的性交合中,总是以失败告终。一些走向性暴力,或专以处女、幼女为性对象的男性,就是曾在正常性交中有挫折感的男性。他们试图以这种方式找回自己"英雄"的征服感。对于更多的男性来说,如何排遣郁积心头的性无能感,是一个不能不面对的问题。这才是性文学长盛不衰的真正原因。

当两性关系被演绎成一场战争的时候,男人的性器自然就成了兵器。但从生理角度来说,这却是一件不由男人意志控制的"兵器"。这又是造成向往"性英雄"的男人焦虑紧张的根源之一。如何使阴茎更长更大更久地勃起,便成了男人"性英雄"存在的前提。有条件的男人,在现实世界里借助春药和器具;在幻想的世界里借助"性文学",都是在对自己实施"英雄"疗救。我们不难发现,大部分的性文学作品,都在炫耀男主人公性器的硕大,以及由此给那些最淫荡的女人带来的创伤或极度的满足感。《如意君传》《肉蒲团》《灯草和尚》《金瓶梅》莫不如此。"性文学"中的"巨阳症"固然可以追溯到原始文化中的"男根崇拜",但两者之间的区别很大。父系生殖观念崇拜的落脚点是种族的繁衍;"巨阳症"则意在托举具体的"性英雄"。"男根崇拜"是族群的祖先崇拜;"巨阳症"则是个体宣泄。《肉蒲团》中的男主人公,为了能顺利征服天下最美的女子,不惜冒不育——"绝后"甚至性命不保的风险,执意施行巨阳手术。但作者并不是在赞美他以个人的生命意志反叛男性的社会角色,而是将其置于反讽的被奚落境地。这也反映出小说除了立足于性宣泄外,找不到更深刻的精神根基,所以这类小说除了可以对性压抑男人进行"治疗"外,别无是处。

但是,塑造"性英雄"的企图,一开始就是一柄双刃剑。它在给现实男人带来超越无能感的幻想满足时,也给现实的男性带来了更大的焦虑,即不可企及的"性英雄"形象所造成的心理反压,会加重男人的性自卑感,结果是促使这样的男人更深地逃向性幻想的世界,这时候的"性文学"便成了一种精神鸦片。

"风月宝鉴"何以要有两面

有意无意在文学中寻求宣泄是一种普遍现象,但是是否一定成功却还有更复杂的限制条件。

《红楼梦》中有一个耐人寻味的情节。迷恋王熙凤姿色的贾瑞,在情欲的泥潭里不能自拔,凤姐的有意戏弄,贾蓉等乘机敲诈,更加重了他精神心理上的病症。

> 贾蓉等两个常常来要银子,他又怕祖父知道。正是相思尚且难禁,况又添了债务,日间功课又紧;他二十来岁的人,尚未娶亲,想着凤姐不能到手,自不免有些"指头告了消乏";更兼两回冻恼奔波;因此三五下里夹攻,不觉就得了一病,——心内发膨胀,口内无滋味,脚下如绵,眼中似醋,黑夜作烧,白日常倦,下溺遗精,嗽痰带血,诸如此症,不上一年,都添全了。于是不能支持,一头躺倒,合上眼还只梦魂颠倒,满口胡话,惊怖异常。百般请医疗治,诸如肉桂、附子、鳖甲、麦冬、玉竹等药,吃了有几十斤下去,也不见个动静。

跛足道士特地来诊了他的病,叹了口气道:"你这病非药可医。我有个宝贝与你,你天天看时,此命可保矣。"拿给他一柄"风月宝鉴",并特意叮嘱他只可照背面,千万不能照正面。正面的图像是为了阻断贾瑞放纵难收的欲念,因而以可怖的骷髅形象出现。这自然让贾瑞猛然一惊,如果他是个省事的人,自然可以顺着这个设定的象征想下去,以求有棒喝而猛醒之时。然而,贾瑞入魔已深,便弃了背面去照正面。"只见凤姐站在里面点手儿叫他。贾瑞心中一喜,荡悠悠觉得进了镜子"。这由警幻仙子所制的"风月宝鉴"反倒更快地要了贾瑞的命。怪罪于"风月宝鉴"显然是浅薄的做法。历代的禁书政策之所以成效不大,概因此而来。正如跛足道人辩护的那样:"谁叫他自己照了正面呢!你们自己以假为真,为何烧我此镜!"

看来,贾瑞面临着三种治疗:一种是医生的病理治疗;一种是跛足道士代表的社会道德治疗;另一种是贾瑞渴望的自我心理治疗。这三种治疗最后都失败了。

由此我们想到,文学的治疗是个十分复杂的问题。特别是那些影响广泛的作品,经由作家苦心经营,已经成为一个相对独立的虚拟世界。每一个乐于进入其中的欣赏主体,都因为自己的精神状态的特殊性而看到了别人没有看到的东西。那个别人没有看到的东西,往往是与他的心理体验同构的东西,并且随即引起强烈的心灵共振现象。欣赏者常常由此进入迷狂状态,进得去,出不来,成为所谓"生错了时代的人"。

唐·吉诃德在塞万提斯的小说中,是一个明显带有心理疾患的角色。他对现实世界既憎恶,又不能在现存世界中找到拯救它的办法。他只能退回到骑士文学所虚构的世界里,并在对骑士道的迷恋中,丧失了对虚构世界和现实世界的判断能力。作为一种文学的接受者,唐·吉诃德显然没有从骑士文学中获得超越现实障碍的精神解脱,也没有退缩到骑士世界深处,从而完全忘却肮脏的尘世。结果,骑士文学于唐·吉诃德不仅没起到疗救的作用,反而加重了他的病情。塞万提斯很明确地指出,唐·吉诃德的悲剧是抓错了药方的悲剧。但唐·吉诃德的"病情"则是恶俗社会中一个良知尚存的人的正常反应。

《包法利夫人》中的爱玛,也是一个因"疗救"不当而加速毁灭的例证。爱玛是一个生长在平庸家庭,嫁给一个平庸丈夫,又不甘心过平庸生活的女子。相对优裕的物质生活使她有条件沉湎于浪漫小说所描绘的男欢女爱的理想世界里。爱玛的悲剧同样是未能区分虚拟世界与现实世界,而执意在19世纪的英国乡下寻找浪漫爱情。她把庸俗不堪的乡绅商人错认作白马王子,把自己送上了黄泉不归路。

歌德的小说《少年维特的烦恼》,本意是揭示封闭、落后、保守的德国现实。作者意图是治疗这个病魔缠身的社会。然而,维特形象一旦出世,接受者就有了自己的认同角度。18世纪的德国出现了空前的"维特热",有的青年模仿维特的方式自杀。大为震惊的歌德不得不在1775年小说再版时,加上一节序诗,劝告青年们"做个堂堂男子而不步维特的后尘"①。

从文学艺术的一般治疗原理来说,任何时代的任何一部有影响的作品,都有其潜在的疗救功能。但是能不能发挥正面的治疗作用,则主要取决于欣赏主体的状态。

文学治疗的时代性与定向性

文学的治疗作用总是在其诞生的那个时代里,表现得特别充分。时过境迁,不可避免地要消解其影响。例如蒲松龄的那些寒士"遇艳"故事,如不经现代媒体的再包装,就几乎丧失了疗救功能。歌德小说《少年维特的烦恼》,在今天也很难再引起"维特热"。

文学艺术治疗作用的复杂性,还表现在对特定读者群的定向影响上,即作品文本的体验结构契合了特定欣赏者的体验结构,而对其他读者的影响则不明显。例如,金庸小说对于男性的影响更明显,而琼瑶小说对于青少年女性的影响更明显。

传统的武侠小说,是瞄着传统的读者来的。它刻意塑造那些武艺高强、忠肝义胆、不近女色的英雄。这在儒化教育的时代,能够唤起男性潜在的英雄冲动,从而在幻想层次上完成对现实的超越。然而,斗转星移,"人心不古",当代读者在两个方面冷落了"旧武侠"。一是社会思潮中的"非英雄化"浪潮的冲击。越来越多的男人,认可了自己"小人物"的灰色身份,不再醉心于英雄业绩与功名并在此基础上寻求小人物的快乐。二是"西式"爱情,特别是"骑士情结",打开了中国读者的眼界。使他们怀疑

---

① 参见朱维之、赵澧:《外国文学史·欧美部分》,南开大学出版社1985年版,第238页。

"儿女情长,英雄气短"的陈腐说教。"旧武侠"的治疗作用由此一落千丈。以金庸为代表的"新武侠"应运而生。金庸小说畅行华人世界的原因,就是因为他补救了"旧武侠"的这两大缺陷。

首先,金庸对自己小说的男主人公的形象动了大手术,性格上的"非英雄化"与"非道德化"的倾向十分明显。最突出的例子是《鹿鼎记》中的韦小宝。从各方面说,这都是一个属于社会底层渣子类的人物。论出身,韦小宝是妓女所生,天生地带有无父的耻辱。然而,韦小宝不以为耻,反拿来做自轻自贱的挡箭牌。论毅力,韦小宝好吃懒做,心无长性。论本领,韦小宝虽拜了许多名师,终究是样样稀松。论文化,韦小宝是个标准的文盲。论修养,韦小宝更是不解风雅的痞子。这样一个传统文学中的"二流子"形象,金庸却让他逢凶化吉,大红大紫,大富大贵;更让人羡慕的是,他还占有了好几个绝色美人。这样的一个现代"黄粱梦"居然征服了那么多的读者,的确令人深思。但如果从治疗的角度考察,问题就容易找到答案了。韦小宝越是下贱,欣赏者就越是觉得自己有超越他的资格;韦小宝的"遇艳梦"与"富贵梦"也就越方便自己接着做。以往,需要仰望英雄的读者,今天可以俯视着看韦小宝。读者不再需要社会文化的引导去追随英雄,只要放纵自己的感官去欣赏韦小宝的表演就行了。这使阅读变得更加轻松,因为没有任何的道义负担。

其次,金庸疏通了英雄与性之间传统的不相容关系,将"英雄梦"与"遇艳梦"和谐地组合在一起。以往,坚拒女色的冷面英雄,被"为情而生,为情而死"的温柔侠客所取代。这契合了沉醉于"西风"中的当代中国读者的心理期待。

但是,金庸小说并没有对"旧武侠"有本质上的超越,我们也不应该有这样的要求。因为,金庸小说最突出的功能就是对现代精神残缺的中国男人进行疗救。这也是金庸小说不能征服女性,也不能征服"洋人"的原因所在。由此不难看出金庸小说的时代性与定向性。同理,琼瑶小说在20世纪80年代对女性青少年的影响也出于同样的原因。

经过宣泄,求得精神心理的相对平衡,是文学对一般读者发挥治疗功能的原则。个别欣赏者由"宣泄"而"模仿",走火入魔,分不清虚拟世界与现实世界的关系,则不仅无从谈起治疗,反而会加重病症。

中国宗教与意义治疗

林安梧

原想题为"中国宗教与身心治疗",后觉此题之"身心治疗"易被以为是医学之范畴,恐生误会。后终以"中国宗教与意义治疗"一名定案,笔者以"意义治疗"来说儒家所隐含的治疗学思维,再以"存有治疗"来说道家所隐含的治疗学思维,又以"般若治疗"来说佛教所隐含的治疗学思维,复以"五行治疗"来说万国道德会所隐含的治疗学思维。称谓有别,含义亦各有所异,但总的来说,当可以"意义治疗"一词涵盖之,故终以此定案。

"人存在的异化及其复归之可能"乃笔者近十余年来从事哲学思考之重心所在。笔者《中国宗教与意义治疗》一书,乃属此总题下之一系列研究:旨在讲明中国宗教之特质,并因之而阐发中国宗教所隐含的治疗学思维。盖笔者以为宗教乃人们之终极关怀,而终极关怀之实践与体现,则指向意义之治疗故也。

宗教之为宗教,本书所采取的立场,是通过一宏观的视角,经由中西对比的方式,来重新理解的。笔者以为这样的理解,才能免除一切以西方文化传统为中心的思考方式,才能真切地为自己找寻到自家文化的土壤,寻得自家传统的主体性,并且对于所谓的"宗教"有更进一步丰富其含义的作用。再者,因为中国的宗教包括本土的儒、道两教,以及由印度传来而又落地生根而长育成大树的大乘佛教,都强调道德实践、心性修养的优先性,此中隐含着一套极为可贵的治疗学思维,颇值得吾人加以阐释开发。本书的目的即在借儒、道、佛三教的经典文献,以及由此三教所融汇而成的重要作品,暂不论其古今先后,全数关系到当前社会及其相关的诸多问题,展开其诠释与重建的可能。

第一章《"绝地天之通"与"巴别塔"——中西宗教的一个对比切入点之展开》。本文曾于1990年4月于云南昆明所举行的"中华民族文化海峡两岸学术研讨会"上宣读,后发表于《鹅湖学志》第四期(1990年6月),现经修改,置于此书以为首章。本章旨在通过以文献的解读方式,参之以文化类型学及宗教类型学的方式,希望对于中西的宗教型态有一个概括性的把握。

笔者以为宗教的类型皆与所谓的"天人之际"有密切的关系,因此笔者采取了中国古代文献《尚书》"吕刑"中所载的"绝地天之通"与基督教《圣经》(第十一章)中所载的"巴别塔"作一对比,指出所谓的"绝地天之通"所指的是"绝限的绝"而不是"断绝的绝";它强调的民神异业,敬而不渎,从原始的巫祝传统转而为天人、物我、人己皆通而为的"存在之连续",而这样缔造成的宗教乃是"因道以立教"的型态。相对于此,所谓的"巴别塔"则指向"存在的断裂",因之而缔造的是"立教以宣道"之宗教型态。

最后,笔者希望能由如保罗·田立克(Paul Tillich)所强调的"创造关连的上帝"(God as Greating and Related)及马丁·布伯(Martin Buber)所强调的"I and thou"与儒学的"一体之仁"能作为中西双方会通的一个可能。显然地,笔者企图经由类型学的对比方式来稳立中国宗教所具有的独特性,点出"连续"与"断裂"的截然差异,并以此为线眼展开以后各章的立论的指向。

第二章《论儒家的宗教精神及其成圣之道——不离于生活世界的终极关怀》。本章为1991年5月间,应台湾大学"儒社"之邀所做的讲演记录,后经删修补注,发表于1993年5月于淡江大学所举办的"第二届宗教与文化学术会议",又发表于1994年8月间中国社会科学院于北京举办的

"海峡两岸宗教学术研讨会",现经修正刊于《宗教哲学》第一卷第一期(1995年1月),现再修订移置于此。本章延续着第一章的思路,旨在经由旷观而对比的方式,豁显儒家所隐含的"宗教精神"与"人文精神",指出两者有其不一不二的关系,并由是而阐明其"成圣之道"。

首先,笔者经由"终极关怀"这一概念的引入,以之为宗教界定的起点。再者,指出儒、道两家宗教的特性乃在于"天人不二"。而后再更进一步点明儒、道两家思想的对比乃在于"一气之所化"与"道德之创化"。关联着此"道德之创化",笔者阐明了儒家的成德之教这样的圣人之路乃是一"肉身成道"之路。"肉身成道"的教养与完成,其理论的根据则在于"体用一如""体用不二"。最后笔者又论及儒教的异化与归复之道,指出儒家所谓的"圆教"之"圆",有境界形态的圆、心性修养的圆、道德实践的圆,此三者各有所不同。

本章所强调的道德创化及成圣之道,都关联到"天人不二""体用一如"或"体用不二"等基本理论,而这实为儒家孔孟陆王一系所强调的"本体诠释学"与"本体实践学"之含义。

第三章《象山心学义理规模下的"本体诠释学"》,以象山心学之义理结构为示例,展开儒家本体诠释学的试探与建构。本章之思维发轫于1987年,乃笔者展开此一系列思维之始,起先发表于《东方宗教研究》第一期(1987年9月),现经大幅修改,移置于此。笔者首先对象山所谓"学苟知本、六经皆我注脚"一语深入地去考察,因而及于象山学的整个体系,豁显象山学的整个"生活世界",并点出所谓的"经典诠释"是离不开此"生活世界"的。如此一来,我们可以更进一步探寻其理据,此即象山所提"心即理"这个心学的核心论题。

"心即理"乃是一本体的实践之理,它必然地展开其实践,而实践之所及是整个生活世界,在生活世界中"事、道、心"这三者构成了"本体的实践之圆环"(onto-practical circle)。针对此,笔者对象山的本体实践学作了一番展开,指出本体的实践是摄持于本心、通极于道体的。生活是一种诠释、一种参赞,经典之诠释即是生活,一方面通极于道,一方面亦摄持于本心。它们构成了一"本体诠释的圆环"(onto-hermeneutical circle),它指出:道体通过本心而开显为经典文字,本心亦经由经典文字而契入道体。本体诠释学方法之厘清对于宋明理学以及相关的当代新儒学之研究是迫切而必要的。

第四章《王阳明的本体实践学——以王阳明〈大学问〉为核心的展开》,原发表于国立台湾师范大学于1988年秋所举办的"阳明学学术讨论会",后曾收于该会所汇辑之论文集中,现再经增删修订,移置于此。本章乃以阳明学中的《大学问》为示例,展开"本体实践学"的试探与建构。

笔者拟通过文献解读的方式,企图凸显阳明学的特质,指出他强调的"一体之仁"所隐含的一个存在样式乃是所谓的"我与你"(I and Thou)而不是"我与它"(I and it)。进而厘清阳明学,指出彼实为一本体的实践学之体系。

"本体的实践学"指出了"即工夫即本体"的路数,人与天地万物经由实践的感通,泯除了小己之限而达于"天、地、物、我、人、己"皆通而为一的地步。值得注意的是,这样的一个实践的感通之活动,是以一本体的诠释学作为基础的。这显然可见笔者是继承着前面所述的象山的本体诠释学而更进一步的拓深与尝试。

经由中西宗教对比的厘清,儒家宗教精神的确立,再以象山、阳明为示例,迈向本体诠释学、本体实践学的建立,于行文之际已指向了治疗学的思维。

第五章《迈向儒家型意义治疗学之建立——以唐君毅〈人生之体验续编〉为核心的展开》,原发表于1988年年底香港法住文化书院及中文大学所举办的"唐君毅思想国际会议",后又刊于新加坡出版的《亚洲月刊》(1989年8月)及台北出版的《鹅湖月刊》(1989年10月),后又收于该会议论文集中,现再经修订增补,移置于此。本章乃经由弗兰克意义治疗学的对比与返照,企图以唐君毅《人生之体验续编》为示例,去开发儒家所具有的意义治疗学的思维。

笔者首先经由文献的理解与重建的方式,企图去凸显儒家的意义治疗学的可能性。笔者指出儒家的意义治疗学虽有类似于弗兰克者,但并不同于弗兰克,因为儒家是以"一体之仁"作为其心源动力的,而弗兰克的精神资源主要来自于一神论的宗教。儒家是经由"一体之仁"进而点出了"我与你"的存在样式,进而指出了"以体验之"及"验之以体"的"体验",这隐含了理解、诠释乃至批判、重建的过程,而这样的一个过程便是一个不休止的意义治疗的过程。

显然地,笔者此文之作是继续之前开发的象山学的本体诠释学及阳明的本体实践学,而更进一步思有以落实的缔造;笔者希望这样的一个尝试能为当代的新儒学找到一崭新而可能的方向。

第六章《语言的异化与存有的治疗——以老子〈道德经〉为核心的理解与诠释》,原发表于香港法住文化书院于1991年年底所举办的"安身立命国际会议",后刊于台北出版的《鹅湖学志》第八期(1992年7月),并收于该会议论文集中。现再经修订增删,移置于此。本章旨在经由"语言的异化"与"存有的治疗"这两个对比性的概念,对于老子《道德经》展开新的理解、诠释与重建。

首先,作者厘清了"语言"是一种表达,而其表达的是存有之所彰显的事物,这样的表达乃是一种限定,这即如王弼所谓的"名以定形"。这样的表达由于横面的执取所相引拖曳而成的定执之物,造成了所谓的"语言的异化"。再者,作者指出老子对于这样的异化现象所采取的是"存有的治疗"。而所谓"存有的治疗",是由平常我们横面的执取所论定的定执之对象反省起的,它经由一种否定性的思考,瓦解了这个定执的结构性对象,而回到原先之纵向的开展,再归返到平铺的显现之场。这是经由否定的思考转而为平铺的思考。就此来说,很显然,这样的存有的治疗法是先于意义的,是先于言说的。

再者,作者强调道家的"存有的治疗"不是经由"意义"而起的治疗作用,"意义的治疗"是经由意识的定立及主体的认取而成的,而"存有的治疗"则要我们回到"意识之前的状态",那是一种主客交融、无分别相的状态。这么说来,我们这里所谓的"存有的治疗"之"存有"一词并不是指"执着性、对象化的存有",而是"无执着性、未对象化前的存有",不是"对象之一般的存有",而是"我与你"这样所成的"生活世界下"活生生的实存而有。再者,我们可以说"存有的治疗"是一统括的称呼。其实,它针对着不同的定执,有不同的破解与回复的方式。对于文化而言,它可以是文化的诠释与治疗;对于社会而言,它可以是社会的批判与重建;对于个人的心灵,它可以是个人心灵的治疗。

第七章《迈向佛家型般若治疗学的建立——以〈金刚般若波罗蜜经〉为核心的展开》,原发表于1994年12月香港法住文化书院暨中文大学所举办的"佛教的现代化挑战国际学术研讨会",后刊于北京出版的《原道》第三集(1996年1月)。

本文起先经由美国神学家保罗·田立克与日本禅学家久松真一的对话,引出佛教所体现的"缘起性空"与西方所体现的"实有创生"有其根本的不同,进而经由对佛教《金刚般若波罗蜜经》的解读与诠释,豁显"佛教型般若治疗学"之可能。

笔者以为"金刚般若波罗蜜经"的义理所重在"存在的空无""意识的透明""信仰的确定""实践的如是""般若治疗"强调的是将一切执着摆下,而让生命回到原点。"般若治疗"是可以随处运用的,只要经由般若空智的照见,一切存在归本于空无,意识回到透明无碍的境地,一切事物便能回到自身,此即是所谓的"治疗"。我们之所以将佛教的治疗特别名之曰"般若治疗",就是因为经由般若空智的照见,我们可以体会到一切缘起性空,而当下在刹那生灭中就回到事物本身,起到治疗的作用。换言之,般若治疗或在挑柴担水间,或在行住坐卧中,无处不在。它亦可以不拘于任何固定的方法,只要让般若之智开显,一切空无、意识透明、归返自身即是。

再者,笔者指出相对于儒家型的意义治疗学之所重在于"我,就在这里",傅朗克的意义治疗法所重在于"我,向前开启",道家型的存有治疗法则重在于"我,就在天地间",佛教型的般若治疗法之所重则在于"我,当下空无"。

第八章《"阴阳五行"与"身心治疗"——以王凤仪〈十二字薪传〉为核心的展开》,原发表于淡江大学中文研究所1989年9月所举办的"中华民族宗教学国际研讨会",后经修订刊于台北出版的《东方宗教研究》新1期(1990年10月),现再经修订增删,移置于此。

本文旨在通过《王凤仪十二字薪传》一书,对于王凤仪所提出的"三界"——性、心、身,即人的来踪,为人世之法,"五行"——木、火、土、金、水,为人的应世之法,"四大界"——志、意、心、身,即人的去路,为出世之法,做一概括性的理解与诠释,并进一步豁显中国"因道以立教"的传统智慧,开发中国心性学的实践传统。

中国心性学的实践传统强调所谓"生命之体验","体验"指的是"验之于体"及"以体验之"的两个回环,"验之于体"指的是经由吾人自家生命的理解与诠释,寻得了整个生命的坐标,由存在的经验而上遂于体的过程;"以体验之"指的是以此上遂于体而寻得的坐标,回返于广大的生活世界,去坐标这个世界,这是由道体而下返于存在的经验的过程。王氏所谓的"认不是""找好处"实可以此二者来立言。王氏的五行治病法,所强调的"拨阴取阳""男子进一步以开其源,女子退一步以培其本"亦合于此。笔者以为这所隐含的治疗学亟待开发。

很显然,这样的心性学实践传统是杂糅了儒、道、佛各家思想而成的,它在体系的建构上或有小疵而不纯之处,但我们却也因之而看到民间宗教是如何融汇各家派而形成三教合一的理解与诠释,而这样的理解与诠释又如何具体运用于身心治疗的实践活动之间。我们若进一步去了解广土众民是如何开启孝悌人伦、自然无为、因果业报等思想,那质朴的心性是如何落实于天地乾坤之间,不免要赞叹不已的。

如上所述,我们可以说相对于儒家型的意义治疗之所重在于"我,就在这里",弗兰克的意义治疗所重在于"我,向前开启",道家型的存有治疗则重在于"我,就在天地间",佛教型的般若治疗之所重则在于"我,当下空无",而王凤仪万国道德会的身心治疗则重在"拨阴取阳,进一步以开其源,退一步以培其本。"

附录:《实践的异化及其复归之可能——环绕台湾当前处境对新儒家实践问题的理解与检讨》,原为1990年夏参加东海大学于台中所举办的"儒释道与现代社会学术研讨会",后刊于《当代中国学》创刊号(1991年1月,台北),并收入《"儒释道与现代社会"学术研讨会论文集》(东海大学哲学研究所,1990年12月,台中),现再经增修删订移置于此。本文紧扣笔者多年来所关心之"实践的异化"展开思考,并寻求其复归于自家生命之可能。首先笔者经由宏观的方式,先就台湾当前的处境,指出其所隐含的双重主奴意识,做出哲学的解析,并进一步豁显当代新儒家其所须面对的问题。这样的做法为的是清理出台湾当前的认识论的情境基础或背景,笔者以为这一步工夫是极为必要的。笔者以为类似这样的工作,一方面是诠释与理解,但另一方面,则又是文化的治疗或者说是意义的治疗,其实,理解、诠释及治疗本就关联为一的。笔者指出一旦清理出了所谓的"双重的主奴意识",便可更进一步检讨在这"双重主奴意识"之下的批判是一个什么样的批判。再者,笔者指出台湾当前的批判意识激进者多,而返本归原者少。作为儒家继承者的当代新儒家对于这样的问题似乎关切不深,而这与其学问的渊源有密切的关系。因此,笔者对当代新儒家的思想渊源——宋明理学,做出哲学的解析,指出程朱学如何会落到以理杀人的地步,而陆王学又如何会落到虚玄而荡、情肆而炽的地步。

笔者的处理方式不同于前贤,在于笔者将之摆置在历史社会总体的情境之下来思考这个问题。笔者以为宋明儒学非仅为一修身之学而已,它更宜作为社会哲学来加以考察。做了以上这些清理之后,笔者又进一步将当代新儒家的熊十力及牟宗三两位先生作为例示,指出其哲学所强调的"实践"含义究竟有何特色,又有何进于宋明新儒学的地方,其限制又何在。当然,笔者的处理方法仍然是深具历史哲学及社会哲学意义的。在处理的过程中,笔者借此指出了熊、牟二先生有何异同,进而指向新的儒学之可能。

多年来,笔者深切地以为中国哲学研究者,须真切地去面对生活世界之实况,将中国哲学置于一广大的历史社会总体中加以考察,进而开启具有历史意识及社会性向度的中国哲学研究。如此才能拓深中国哲学的思考领域,并与其他学问有一整合的可能。

再者,关联着西方近现代以来的发展,吾人更应经由现代哲学的对比与阐发,以崭新的哲学语言,对现代中国哲学展开其诠释与重建。如此才能使得中国哲学不封锁在自家的语言系统里,而能走上世界的哲学舞台,让中国哲学之研究具有当代性,而不只限于哲学史之研究。

笔者十余年来,日日关切的是如何面对人存在之异化状况,如何深入中国文化传统,针对此异化状况做出深度的分析,并探求此异化之转化与再生之能力。但愿一方面能拓深人的存有结构的内在分析,并同时能拓深文化传统的存有结构之分析。因缘而生,落实民间,笔者从事于经典讲习多年,冀望其能恢复中国传统经典之生命力,并以之面对当前人的实存状况,开启其意义治疗的可能。如此之工作是一拓荒之工作,故于学术上较具争议性,但愿经由此可使得中国传统经典所具之治疗学的内涵能释放出来,参与到当前心理学、辅导学之领域,开启新的互动之可能。荆棘路上,踽踽而行,拓荒者虽孤独而不寂寞、虽辛苦而不痛苦,偶有一得之见,就像生养自家的儿女一般,总是雀跃不已。然而自家的生命就像柴火一般,总有烧尽的时候,但愿薪尽火传而已。

乙亥年岁末序于象山居

[编者按]本文为作者同名著作的序言,该书由台湾明文书局1996年4月出版。现征得作者同意,将此序首次在大陆发表。林安梧教授早年毕业于台湾大学哲学研究所,获博士学位,师事新儒学大师牟宗三先生,曾任《思与言》杂志主编,《鹅湖月刊》主编。最关切的哲学问题是"人的异化及复归之道",近年专研"文化治疗学"。

儒家身体观

杨儒宾

中国身体观的一大特色,乃是除了五脏六腑的系统外,另有一种气——经脉的系统,而气尤可视为根本的原理。将气与身体结合并论(以下简称气—身体),不但见之于传统医学,也是以往的许多"经验科学",如占卜、星相、武术等,得以运作的理论基础。不但如此,它还提供了中国以往主流思潮无比重要的动力,我们甚至于可以说:没有气—身体的理论预设,儒道两家的许多重要命题就不可能成立,至少也需要重新改写。气—身体观与儒道两家亲密的关系,主要见之于玄学、理学与道教里的内丹传统,但笔者认为这种关系其实在战国诸子的文章里已可明显看出来,而其源头至少还可往上追溯到春秋,甚或西周时期。西周春秋时期的"君子"早已知道这种知识,战国时期的诸子百家进一步将它理论化、类型化。至于气—身体的知识是怎么产生的,就文献的立场而言,我们很难确知,但一项合理的测定表明:可能与原始的宗教体验或传统医学,也就是巫医的传统,有一定的关系。

战国时期的儒家诸子中,提倡身体思想最力者,非思孟学派莫属。《易传》《公孙龙子》《荀子》也提供了一些可以相互支援的解说。

横贯战国儒家思想的一个重要的特点,乃是它对"中"的认识。"中""中和"或"中庸"是影响中国人极为深远的一种积淀意识,其源头极长,在儒家兴起以前,它早已渗入到文化的各个阶层。战国儒家接受了这个传统,但置放在不同的思想架构解释后,其意义又显得大为不同。《易传》与《中庸》对这个传统的改造、发扬,特别值得我们留意。

《易传》与《中庸》讨论"中",并不只是放在人身上考虑,它们认为其价值是遍及于一切的存在。但人在万物之中,其性格最为特殊,所以只有人可以体现"中"的价值。《易传》与《中庸》认为"人身是中和"的这个命题,具有两个含义:

其一,此中和是动态的、身心深层次的平衡。《中庸》特别强调人在诸情未起前,有一种与世界同体存在的中和状态。而《易传》则特别着重人身的平衡是宇宙阴阳二气交互作用下的一个面相。但两者都不认为"中"是一种数量的平均化,恰好相反,所谓的"中"是随着不同的具体情况,因地、因人、因时而有不同的表现。

其二,"中"虽然不会有一种僵硬的数量标准,但它却得有一种道德的规范。《中庸》与《易传》都认为人处在始源的中(喜怒哀乐未发前或阴阳交合黄中通理时),人身是纯然至善的。所以可以视为一切人事的"大本",也可以美化四肢躯体及道德事业。

人的身体既然是"中"的体现者,因此,我们可以推断出:人身绝对不仅止于生理的意义而已,它参与到自然的运化,而且是道德宇宙的根基。

除了中和的身体之理论外,战国儒家最重要的身体思想是由孟子学派提供的,此派对于道德、身心、气与道的关系,有一种相当独特的解说。就目前资料所知,此一途径的肇始者之一当为公孙龙子,孟子发扬光大之,《管子四篇》及帛书《管子·五行篇》承其余波,并各有所建树。其中,以孟子最为重要。孟子学说中,又以"践形"理论最为根本。

所谓"践形",意指人经过一番努力后,可以充分体现人的身体。这种观点当然预设着:现实的人的身体都是不完整的,要使身体趋于完整,只有经过一种朗现潜能的工夫,并在人的身体上显现出来,才算完成人身应有的模态。《管子四篇》言"形全""身全",其语意尤为清楚。根据这种践形的理论,人的生理现象不是中性无记的。恰恰相反,中性无记的身体观是种现象论的看法,而依据孟子的理论,有德君子的身体不能这样看待,因为有德君子之所以有德,并不是徒守修文规范的道德而已,它一定会在人的身上显现出来。在人身上显现出来最重要的一种征兆,乃是它具有道德的光辉,孟子称呼此光辉现象为"生色"。当君子生色时,"睟然现于面,盎于背,施于四体,四体不言而喻"(《孟子·尽心篇上》)。不但如此,连学者的移瞬转睛、声音高低、言谈学止都不是中性的,它们都具有道德的性质,而且具有精神的向度。

为什么人的身体可以具有道德的意味呢?如果我们将身心截然划分,那么,如何在两者的连系点上着眼,将是学者的一大问题。但孟子的践形理论不是建立在笛卡尔式的身心理论基础上,他认为人的身体所以能够变成精神的场域,乃基于下面三个理由:

首先,人的身体不只是解剖学意义上可见的躯体而已,更重要的是,它由气组成,气充满了人的身体。

其次,人的体气就像一般的躯体一样,不免顺着生物法则运作。但始原的气却与人的心志同在,志一动,气也跟着流行。志与气是一件心理事件的两个不同面相。

最后,人的本心是善的,为天命所赋。同样地,人本来的气也是善的,孟子称呼它为"夜气"或"平旦之气",所以当良知——良气开始流行,并转化内在的体气以后,人的身体之存在向度也跟着改变,改变至极,即是践形之完成。

孟子践形观还有一项很大的特色,即当学者完成践形的目标时,其时的意识已融进不可言说的气氛中,而觉得浑然与世界同流。在著名的养气论中,孟子提到善养浩然之气者,最后可以"塞于天地之间"(《孟子·公孙丑上》);他又说"上下与天地同流",若此之语,皆为其践形理论的另一个面相。很显然地,学者践形之极致,也就是存心养性之完成(亦即所谓的"尽心知性")。对于这种事情的一个合理解释,我们可以说:学者的身、心、性结构可能都参与了一共同的底层,因此,才会有一尽皆尽、一了同了的现象,由有限的个体开始,而以无限的体道终结。用《管子·五行篇》的话讲,也就是由"有其体"始,而以"无其体"终。

孟子之后,《管子四篇》与《管子·五行篇》也分别以践形观为中心,展开类似的解说。但《管子四篇》将精气视为万物存在的本质,且只能在"心中之心"朗现时才能跟着朗现;又将"心全"与"形全"相提并论,视为同一种境界的内外两种不同面相,这是它可以补充孟子践形观的地方。《管子·五行篇》则力言四端开始流行时,底层有一种气也跟着流动,如仁之德一动,即有仁之气跟着显现等等;又主张作为德目的仁义礼智等诸德(《管子·五行篇》称呼此为"行"),需要在人的身体上被体现出来,并在外貌、心意、气机上看出一连串相应的展现(《管子·五行篇》称呼此为"德之行"),将践形理论进一步内在化,是《管子·五行篇》一项很大的特色。《管子四篇》与《管子·五行篇》可以视为孟子后学的重要发展。

荀子与上述诸人不同,他的思想中没有超越之气的因素,他对于身体思想最重要的解释,乃在他所说的"治气养心"之术。他主张"血气刚强,则柔之以调和;知虑渐深,则一之以易良;勇胆猛戾,则辅之以道顺;齐给便利,则节之以动止……凡治气养心之术,莫径由礼,莫要得师,莫神一好"(《荀子·修身篇》)。他这里的论点,显然是承继中和的传统而来的。但荀子认为治气养心,"莫径由礼",这点很值得留意。荀子此处言"礼",事实上包含礼乐两者,在《荀子·乐论篇》中,他力言:"凡奸声感人,则逆气应焉。正声感人,则顺气应焉……"所以需要用礼乐净化人内在的身体(亦即气)。《荀子·乐论篇》不管是否他自己所作,但至少他是赞成这种观点的。荀子重礼乐以修身,这是大家都知道的,但他认为可以达到的修身层次,乃是连人的体气都可以跟着转化。不但如此,当学者的体气转化以后,其人的形体也会跟着转化,所以说:"诚心守仁则形,形则神,神则能化。"(《荀子·不苟篇》)又说:"君子之学以美其身。"(《荀子·劝学篇》)这些都与思孟之学相通,但也都算是比较容易受到忽视的一个面相。由此我们可以得知:即使像荀子这样注重感官经验的人,都不能不正视体气与成德之间的关系。

如果不嫌夸张的话,我们甚至可以说:气—身体的观念可以视为另一种典范,透过了这种典范回头再看看先秦思想史,无论如何总不会和以往一样了。

文学的非理性与超理性

杨春时

中国传统文学观基本上是理性主义的，或者是准理性主义的。所谓理性主义的文学观，就是把文学定位于理性，文学被看作某种意识形态。古代文论中有"文以载道"和"诗言志"之说，无论是"道"还是"志"，都偏于理性，是道德本体或道德化的思想。以后又有"文艺从属于政治"等说法，更把文艺归于某种阶级意识。这种理性主义文学观强调文学的教化作用，文学成为理性工具。

所谓准理性主义的文学观，是把文学定位于感性，主要是情感。古代文论中有"诗缘情""诗有别趣，非关理也"之说，强调了文学的感性特征尤其是表情功能，这种感性主义文学观不同于理性主义文学观，但又不是非理性主义的文学观，而只是准理性主义的文学观。因为感性、感情仍然是受理性支配、制约的，它不可能走到反理性主义那么远。因此，中国古代文论又强调"发乎情，止乎礼义""以理节情""中和之美"。感性主义文学观只是理性主义文学观的弱化形式，而不是对抗形式。这种文学观强调的是文学陶冶性情的修养功能，而与理性主义文学观强调的教化功能不相冲突，并且成为其补充（"美善相乐""寓教于乐"）。

值得注意的是,孔子对于文学(诗)的功能认识得比较全面。他说:"小子何莫学夫诗?诗,可以兴,可以观,可以群,可以怨,迩之事父,远之事君,多识于鸟兽草木之名。"除了强调诗的感性性质("兴""观""群"等)外,还提出了"可以怨",而这已经接近了文学的非理性特征。但孔子并没有走那么远,"怨"不能等同于西方古文论中的非理性的悲剧观念,如"悲剧引起恐惧"说、"净化"说等,它只是一种受理性节制的情绪,"怨而不怒",表明了这个诗教仍带有准理性主义倾向。

在西方,传统文学观是由摹仿说而发展起来的。亚里士多德认为艺术是对现实的摹仿,由于摹仿得逼真,而获得一种理智的快感。以后又发展为文学是对现实的"感性认识""形象反映",这种文学观经苏联中介而流传到中国,与中国意识形态化的传统文论相结合。摹仿说以及认识说虽然强调了文学的感性特征,如形象性等,而且鲍姆加登明确把审美定位于感性认识,但本质上仍是理性主义的,即认为文学以感性形式体现了理性内容(所谓"反映了生活的本质"等)。这种文学观强调文学的社会认识作用,把文学当作认知工具。

西方还有非理性主义文学思想传统,它源于柏拉图的"迷狂"说。柏拉图认为艺术有神灵凭附般的魔力,导致一种非理智"迷狂"状态,由于艺术煽动情欲,所以主张将诗人逐出"理想国"。弗洛伊德则揭示了文学的非理性心理根据,即文学来自无意识冲动,是原始欲望的升华、宣泄。非理性的文学观强调文学的精神治疗作用,认为文学可以解除心理压抑,恢复精神平衡。

西方还有一种"超理性"文学观,即认为文学本质不是理性,也不是非理性,而是一种超出理性(也超出感性)的审美文化。亚里士多德的悲剧理论认为,悲剧由于引起恐惧而导致心灵净化,消除欲望,产生特殊的快感。对这种悲剧观争议颇多,但可以认为它强调的不是理性教化作用或认识作用,也不是非理性的"迷狂"性质,而是一种审美升华作用。继承这个传统,就有了对审美超越性(自由性)的肯定,即把文学作为"超理性"的特殊文化的文学观。

事实上,上述文学观都有其合理之处。文学的性质和作用是多重的,文学是一个多层次的结构体。中国传统文学观片面强调文学的理性（或准理性—情感）本质，否认文学的非理性和超理性；片面强调文学的教化作用（或陶冶性情作用），否认文学的对抗理性的泄导或升华作用，根源在于对文学结构的单一化认识，似乎文学只有一个层面。文学作为一种文化载体，存在着三个层面：原型层面，现实层面和审美层面。这三个层面分别体现了文学的非理性、理性和超理性。

文学的原型层面，就是文学所包含的原始文化积淀以及它所对应的无意识心理。文学由原始文化脱胎而来，原始文化（神话传说和巫术礼仪）是文学的原型。原始文化不仅为文学提供了原初形式，而且提供了基本的原始意象。这些原始意象与人的无意识结构相对应，因而文学在其深层结构中蕴含了人的原始欲望。文学作品虽然具有现实性，但又是人的原始冲动的产物。人的原始欲望有两种：一为性欲，一为攻击性（弗洛伊德的"死亡本能"）。这两种原始欲望是人的生活，也是文学的深层动力。文学在它所表现的现实生活和它所表达的思想感情后面，以其原始意象召唤着原始欲望，使其释放出来。因此，弗洛伊德认为艺术是原欲的泄导、升华，厨川白村认为艺术是"白日梦"。

文学的原型层面的存在，使文学具有非理性。文学的两大主题——爱与死，就是性欲和攻击性这两大原始欲望的体现。文学与其他文化形态不同，一般文化作为理性规范，对非理性欲望具有抑制、约束作用，而文学则有放纵非理性的一面。文学表面上披着理性外衣，甚至进行意识形态说教，但其非理性的煽情、诱惑作用更难以抵御，它总是在爱情、社会斗争描写中，有意无意地表露出色情和暴力倾向，从而诱导出人的性欲和攻击性。文学的非理性倾向一般要经过某种文化伪装，但绝不可能被完全消灭，因为它源于人的本性，也源于文学的本性。

文学还有现实层面，在这个层面，文学适应社会现实，与文化规范相一致，从而具有理性特征。传统文化强调的文学对现实的认识，文学表现人的情感，以致文学的意识形态性都只是在这个层面上才是合理的。在现实层面，文学是被文化体系所整合了的：它是文化体系中的同质形态。

文学还有审美层面，即具有审美意义。审美是文学的最高层次，审美意义是文学的最高意义。文学区别于其他文化形态,即在于审美意义。审美意义就是超理性的思考,是对现实生存的超越。审美意识是无意识的升华,在审美理想(人的内在超越性要求)作用下,人的原始欲望(原始意象)突破自觉意识防线,获得解放,升华为审美意识(审美意象),从而创造了自由意识。审美意识(或审美意义)具有超理性品格,它不是非理性的,也不是理性的,而是超理性的,它是人的精神世界的解放。

文学的三个层次,由于三者之间关系不同,对文学所起的作用不同,因而形成了三种文学类型,即文学的原型层面起突出作用而形成的俗文学,文学的现实层面起突出作用的严肃文学,文学的审美层面起突出作用的纯文学。

文学的原型层面虽然存在于所有文学作品中,但在俗文学中原型意义最为突出。俗文学所体现出来的原始欲望没有被充分的理性化或审美升华,因而更多地表现人的自然本性,也更多地具有消遣娱乐性。尽管俗文学也不可避免地进行文化包装,从而具有合法性,但仍然不能掩盖其强烈的色情和暴力倾向,例如,"三言""二拍"等民间文学虽然在色情描写后总要进行一番道德说教,但却不能抵销它对性放纵的盎然兴趣。又如,武侠小说虽然披上了正邪斗争的外衣,也依然透露出对暴力的渴望。这就是说,俗文学具有更多的非理性倾向,它与道德等文化规范有更多的冲突。历代正统意识形态对俗文学都极力排斥,指责其"诲淫诲盗",大张挞伐乃至禁毁,都源于理性与非理性的冲突。人们对俗文学的普遍接受,也因为它适应了人的非理性需求。

现实层面也存在于所有文学作品之中,但在严肃文学中体现的现实意义更为充分、突出。严肃文学以其社会现实意义影响读者,发挥社会作用,它更多地体现了意识形态观念。在严肃文学中,原始欲望较充分地理性化,非理性倾向不显著;同时,超理性的审美意义也被其社会现实意义所限制。因此,严肃文学具有较强的理性倾向。

文学的审美层面也存在于所有文学作品中,但在纯文学中更为突出。纯文学区别于俗文学和严肃文学,它把原始欲望充分升华为审美意象,把现实意义提升为审美意义。因此,纯文学的非理性倾向和理性倾向都不突出。超理性成为主导倾向,它拥有充分的审美价值。这就是说,纯文学不以消遣娱乐性取胜,也不以社会现实性取胜,而是以审美品格取胜。超理性意味着对现实价值、意识形态的突破、超越,文学尤其是纯文学,因此成为自由的精神产品,成为异化的对抗力量。

文学的三个层次、三种形态,决定了文学的三种功能,即文学的泄导功能、教化功能和升华功能。

文学的教化功能是由文学的现实层面决定的,严肃文学更突出了教化功能。所谓教化功能,就是文学的政治宣传、道德感化等社会作用,它是为理性服务的。这一功能过去的文学理论强调得够多了,甚至到了绝对化、排他性地步。因此,这里就不必详细论述了。而文学的泄导功能和升华功能则长期被忽视,有必要详细论述。

所谓泄导功能就是文学疏导、宣泄原始欲望,从而恢复人的心理平衡的作用。人的原始欲望虽然可以部分地合法化,转化为社会行为,如性欲可以通过正常的恋爱、婚姻解决;攻击性可以转化为各种社会竞争,但并不能使积聚于无意识中的原始欲望全部释放,还有部分被有意识(文化的内在)所压抑,造成人的心理压力和不平衡。如果这种心理压力不适当消除,就可能产生心理疾病。这就是说,现实文化规范与人的内在欲求间存在着冲突,必须采取某种手段加以缓解,文学就是这种手段。文学尤其是俗文学,通过性爱或暴力的描写,使人突破文化禁忌,借助想象泄导原始欲望(性欲和攻击性),使其获得代偿性满足。这样,文学就给文化压抑打开了一个缺口,恢复了人的心理平衡,缓解了心理压力。这是文学尤其是俗文学的积极作用。以往文学观过分强调文学的煽情作用,认为文学诲淫诲盗,对有色情和暴力倾向的俗文学加以排斥、查禁,忽视了文学的积极的泄导功能。北欧一些国家曾经有过这样的实践:对色情文化开禁,结果仅在最初时间里性犯罪略有上升,以后则大幅度下降。这表明文学的泄导功能大于煽情的功能,积极方面是主要的。中国也有相反的实践:"文革"中几乎全部文学作品都被查禁。只有几个样板戏也绝无性爱内容(主要英雄人物甚至连家庭、配偶都没有),但这种"净化"并没有导致人的思想的纯洁,相反性犯罪和流氓行为最为猖獗。可见,要求文学尤其是俗文学干干净净,是违反科学的,也是违反人性的。当然,文学的色情、暴力倾向要有所限制,要顾及历史文化传统和社会承受能力,对少年儿童更要加以特别防范,否则就会产生诲淫诲盗的不良后果。

文学的升华功能是由文学的审美层面决定的,纯文学的升华功能更为突出。所谓升华功能,就是把原始欲望提升为审美意识,从而获得精神的解放。原始欲望不但可以被文学的原始意象泄导,也可以升华为自我实现的冲动,这就是审美的要求。文学满足了人的自我实现要求,把原始欲望升华为审美意识,从而消除了无意识与意识的对立,使人的精神获得解放。在审美意识状态下,欲望被净化,心灵得以美化,心理压抑被充分消除,人成为真正自由的主体。美感就是这种精神状态的高峰体验。审美的升华与原欲的泄导不同,它更高级、更美好、更纯洁,因而也就更理想。审美对人的心理的净化作用,具有重要的人类学意义。人类的现实生活是不理想的,文化的压抑、欲望的膨胀,往往导致精神世界的扭曲、失常。文学以其审美本性打破文化(理性)桎梏,升华人的欲望,从而对人的精神世界进行修复。虽然审美对人的精神解脱是暂时的,但它的潜移默化的作用是不可估量的。几千年文明史中,人类走过了黑暗而艰难的历程,精神没有被压垮,心灵没有沉沦,文学(以及一切审美文化)之功不可低估。当前,市场经济的兴起,更有精神荒漠化的危险,审美文化的精神调节作用更不可少。也许,在经过白天的拼搏之后,夜深人静之时,我们沉浸在文学的幻想世界之中,不知不觉地又获得了支撑人性的力量。

倾诉与转移
——医者眼中的文学疗效

余 丰

　　一位七十八岁的老太太,姓邱,人称"邱婆婆"。不久前,她曾找我帮其写"自传"。出于一种对她的尊重及对其苦难经历的同情,我答应了。虽然名为"自传",但实为其后半生片断经历的记录,所以我在最后誊写之时终于还是把标题改为"我的自述"。写的是从1944年"黔南事变"(即抗战时,日本人打到贵州独山,烧光城镇)起,邱氏一家人辗转逃亡的经历、新中国成立后她自己和丈夫劳动改造的经历、夫遭车祸身亡及女儿变疯离异的经历、邱氏在工作中屡遭排斥受人打击的经历、邱氏后来被大儿子撵出家门及遭疯女多次误伤的经历等等。邱氏本人为新中国成立前的护校毕业生,爱好文艺,对人友善,由于在生活中屡遭坎坷,内心一直隐忍不平。近年因为年纪较大,对文字的表达已显生疏,因此也让我有一机会来帮其书写,并且在对她的家庭变故予以考察关注的同时,能够介入对"文学与治疗"这一命题的思考。

　　对邱婆婆的"自传"记录断断续续持续了大约一周,都是在晚间进行的。我从大处着眼,把她从1944年以后经历的主要事件加以提炼,先大致拟出纲要,在后面的详述中加以充盈、补足。在记录中我尽量用她本人的话语,必要时加以润色,总之尽量忠实于其原意。

当一周后我将誊写清楚的"自传"交到她手上时,我注意到这位老妇人显得格外激动,在其连声的道谢之中我充分体会到她那一生苦楚终于得以尽诉、心中为之豁然开朗的心境。自然,在体会其不断舒展的神色中,也促使我对"文学与治疗"的命题产生了一定的思考。但凡如邱氏这样的精神受压抑者,均有将其胸臆、心境加以抒发、释放之愿望。日常生活中的人,往往会因精神上的紧张压抑而导致体质上的诸多异常与病变,此时若能寻找一良好途径将心中压抑加以释放,则个人(体)就能从中获得某种心理平衡,一缓胸中郁闷,促使肌体器官的功能恢复正常。而这里,文学作为其中一种良好途径的功能则渐渐彰显出来。

在治疗中重视人的心理因素,不论东方与西方,都在很早时候就予以实践。如我国最早的医学著作《黄帝内经》中就表达了中国古代医家的医学哲学思想,对疾病的防治提出了全面独到的科学见解,其中,对医学心理学的探讨就贯穿各章节。例如观察到喜怒悲思忧恐惊等七情与五脏的关系密切,甚至将各脏器之具体功能与各种情绪之联系加以详析,发现人在强烈持久的情绪波动下可引起某些体质疾病。《灵枢·口问篇》中就有:"悲哀忧思则心动,心动则五脏六腑皆摇";《素问·阴阳应象大论篇》则具体说:"怒伤肝……喜伤心……忧伤肺……思伤脾……恐伤肾";等等。可见,中国古代医家很早就认识到人的心境情绪对身体的影响,故而在疗疾过程中很重视心理治疗作用,劝导病人与医生配合。至于西方,在公元前5世纪,其医学之父希波克拉底(Hippocrates)就认为在治疗上应注重病人的性格特征、环境因素及生活方式的影响。可见,在对心理治疗的重视上,东西方医家是互为呼应的。

一般而言,由于来自身体内外各种因素的制约影响,每个人内心深处都会或多或少地存有某些病态特征(正如每个人的染色体都会带有某种缺陷基因一样,心理的缺陷也一样不可避免),不过因其外部显示(发作)的程度不同,界限不一,因而将之称作"正常"与"不正常"。故而本文之"治疗"主要是针对社会个体的心理而言。治疗对象包括受压抑者、抑郁者、自卑受挫者、愤世嫉俗者、神经质人士、癫狂者、精神病患者等。

在我看来,文学对个体的心理治疗作用主要表现在以下三个层面:

第一,对于社会基层,对于普通大众、老百姓而言,文学可对个体心理起排遣、宣泄等有益作用。其影响是针对社会的小范围而言的,仅仅在于维持基层一定范围(个体、个体之家庭以及周围生活、工作、学习环境)内的秩序和稳定,而对社会上层和整体的影响作用则较远。采取的形式如交谈、书信、日记、投稿、立传(自己或请他人)等等,另外的特别形式如写状纸、"大字报"、学习教义学说(信仰宗教)等等。

有一贺姓妇女,人到中年,几番欲找我谈话,我也看出其思想中想要"倾诉"的愿望。终于,这一想法在我忙乱很久后得以实现。在我打电话邀她后,她很快便来了。整整两个多小时,除了我偶尔的询问外几乎都是她在讲述。据她说"自己也是教授的女儿",出自"书香门第",由于其母在新中国成立初被诬陷而卧轨"畏罪"自杀,几十年来她一直为此负重,在单位长期抬不起头,婚姻问题也因此"放低了标准"。以后辛苦拉扯弟妹长大,直到最近几年才终于当上部门科长,经济上有所宽裕,女儿即将高考,生活终见亮色。讲述中,她不止一次对我说:"我这经历你可以写成小说的。"贺氏与邱婆婆的经历相类似,两人都在生活中历经坎坷有感慨,自言"特别想表达"(贺氏),但自己想写写不了,因此欲借他人之笔来一抒心中的块垒。

此外,我们常见一些青年在青春期易发生心情郁闷、苦恼、受挫等情绪,他们往往以向报社、杂志社、电台等投稿或写日记等方式来加以疏解;一些中年人家庭易产生纠纷、危机,他们也往往求助于传媒之热线、"焦点话题评说"之类的栏目加以解决或就教于一些心理咨询机构;"文革"时期,"大字报"盛行,除一些适应形势恶意攻击、发泄私愤之词外也不乏少数不平则鸣、真知灼见之语,此种形式今已少见;此外在乡村和偏远地方,代写状纸、书信之类的事情仍很多。这一类情况大都是通过文体(字)的抒发转移获得内心的放松和平衡。

第二,对于社会上层而言,如对于知识分子、政治家、各类明星等公众人物,社会之中坚力量而言,文学的疗效也显示出更广阔的一面。

首先,我们看看将个人经历之文学感受与其追求事业合二为一者,这类人多专注于个体得失,常借助于文学手段来达至个人成就。文学在此不仅对作者本人心理有益——疏导心胸,开阔视野,更取得与事业和谐发展的效果。比如作家作品的完成,通过"移情",作家将自己的冲动激情在文学创作中得以排遣、释放,缓解内心压力。在完成作品后最终得以消解、忘却烦恼;明星传记之宣传、轶事之流播,以获取他人理解、赢得公众注目、增加知名度为目的;政治家拟订施政纲领、撰写回忆录,发表演讲等活动也使其一展观点、增加个人号召力、扩大影响层面,赢得选民。这一类人的文学活动多与各种传媒形式直接挂钩,取得个人加社会之双重效益,即消除个人疾病(或隐患)、获得内心平衡、取得名利地位等作用。这方面的例子如毛姆《人性的枷锁》、戴高乐的回忆录及各类明星的传记等等。

其次,更有另一类人,他们专注于社会整体,站在俯视整个人类社会的高度,以文学(本)为手段来揭示人间的弊端、教育民众,对其进行开导、治疗,如莎士比亚、雨果、鲁迅、弗洛伊德、萨特等人。这一类人物均是敢于大规模对人类精神进行解剖、反思的勇士,多为"以天下为己任"之大家,他们往往在"我之痛苦"以外更放眼天下,为解救苍生、治疗民众心灵之疾而努力,其作用之巨,实为影响超学科、超民族、超时代之集大成者。

此外,在关注文学治疗作用的同时,我们也不应忽视其中一些误导(或误读)之负面效应。看过毛姆小说的人都知道他有本自传性的小说《人性的枷锁》,这是一本叙述一位残疾青年如何超越自卑如何成长的书,引导了无数的青年奋发向上。而这里我更愿意提及的是这位作家的另一本著作——《月亮与六便士》,我曾向一位作家朋友举荐过,他读后非常激动,因为作品主角斯特里克兰德(以画家高更为原型)的经历非常令他着迷,这使得原本写诗的他在经历与他十分相似的男主角身上找到了某种契合点。斯特里克兰德抛家弃子毅然孤身奋斗求索的经历唤起了他长久以来内心深处暗藏的一种冲动,这一形象获得了他的充分认同感。因此当他告诉我准备某一天远离家人到不知名的乡下去隐居以便潜心创作时,我表示理解;不过当他提到他准备去边境购买一把手枪备用时我还是很友好地劝阻了他。我的忠告是:在不伤害他人的同时尽量给予自己自由!

第三,针对以上两类人,在此还要提出作为第三类人的两种特殊情况,文学在此显示出独特的疗效。

其一,特例者——指因在社会生活中某些特别行为(如癖好)而被视为异端、非常规者。例如许多罪犯就以书写日记或自传为乐,较有代表性的是法国文坛最有争议的一个作家——让·热内。他曾是一个小偷、一个囚犯,并且是身着囚服在狱中开始创作的。身为孤儿的热内从小就在贫穷之境中生长,由于少年时被人诬告,出于逆反走上盗窃之路,有过进感化院、入海外兵团及数次蹲班房的经历,常与乞丐、同性恋者厮混。从1940年至1948年间,服刑中的热内拿起笔,先后写出《花花》《玫瑰奇迹》《丧礼》等多部小说,多以在社会底层中磨砺的小人物为主角,作品文字清新、情节离奇,充满了生机与诗意。热内由此成为作家,但仍盗窃成性、屡教不改,终于被判无期徒刑。消息传出,举国震惊。当时法国文坛大家如纪德、萨特等人均为其奔走活动,联合上书法院请求予以赦免。热内终于被释放。1983年,热内由于在文学上的杰出贡献而获法国国家文学奖。就热内的经历来看,他通过创作获得了自身心理平衡及社会声誉,但从品格上终身未改其恶习,可谓对自身有益、对社会道德塑造无益之创作治疗。

其二,特异者——指那些带有某种神经质、含有几分癫狂性格的人。这一类禀赋异质者,如陀思妥耶夫斯基、尼采、卡夫卡、凡·高、海子等。其多在创作达高峰后不久即精神崩溃或死去,以此完成个体作为一个天才在人世间的特殊存在(不可否认,在其崩溃与死亡之中,多少带有几分自我诱导的成分)。这一类人可谓是负有某种使命感,生来即为创作的特异者。文学创作与其说为了治疗,不如说为了尽生命之职责。此类天才中,文学是与生命相融的,创作是其张扬之生命的本能需求;在尘世的渊薮中挣扎,创作为其第一需要;失去了文学创作,生命之花亦随之枯萎、完结。这里,文学显示其双重作用:一方面促使其生命之花的开放,达至绚烂的巅峰,同时,文学创作作为其献身精神的催化剂,亦加速个体生命之完结进程。不难想见,在孤独、怀疑、不解与冷漠苦楚的天幕背后,文学竟以一柄双刃剑的形象闪现:在创作前期,毅然为作家撑起延续生命之华盖;而在其后期,同样决然地敲响最终促使其生命乐章戛然而止的音符。

这两类特殊人士,往往是对这个世界怀有一种责任感和义务感的。他们的存在和创作,不是为了迎合某种理论或潮流,而是为了表达一种真诚的人类情感,为了一种崇高的目的。其作品带给人的不仅仅是一种审美的愉悦,更多的是世人对一个孤独奇绝的灵魂的惊叹,是对人生的醒悟与再思考。文学创作在此是作为升华机制而存在的,即一把通往天堂之门的钥匙。

以上分析了三大类情况,即文学在社会基层、社会上层及特例(异)者中的治疗作用。在三大类情况中,均能体现出一种"分享"原则。

"分享"的定义:除一般的分担享有之义外,此处主指分享情感、心绪,共担一定责任、义务。其特征表现首先为"倾诉",其次为唤起"共鸣",再次达到真正的"理解""相融",由此完成分享的整个过程。

(1)"倾诉"有单向与双向之分。单向者仅为倾诉者主体向"他者"(非我者)的诉说、阐述,此时倾诉者不一定要求他者立即向他(她)发出反馈信息,不过是将长久以来关闭于心中的"闸水"尽情宣泄一番而已;双向者则为一互动关系,即倾诉者主体与客体他者双方互为作用,相互倾诉,这种情况多发生于两相面对或有直接通信工具之时。由于正面接触,交流比较直接。

(2)由于"倾诉"会在"我"与"他者"间唤起一定共鸣,获得一种认同,因为不少体验和感受往往是超越个人的。个体的体验越具有众数的意义,则越易获得多人的共鸣。这种共鸣是建立在"我"与"他者"不断倾诉后而找到的契合点上的。

(3)由上述过程可导入第三阶段,即主客体间由于共鸣、发生认同,由于不了解转而至了解,由了解转而至理解,获得几近相同的心境状态,理解加深。此时,倾诉者的烦忧与苦楚、不为人所解的心境、自身的观点态度等均为他者所理解,且达至一定深度。由于双方理解已进入此种深度,也就相应完成了一定的责任的担当。这种责任一方面来自于"我"对"他者"之诉,"我"将不可排遣之自我心境、观点转移部分到"他者"处,"他者"有责任对此接受、保留(不论长短与否)。其次,在"他者"接受后,由于对"我"产生的共鸣认同而导致的深层理解,说明"他者"对"我"有包容。为此倾诉者感到为人所接受,彻底将"包袱"卸去,产生发自内心的愉悦感,为自身不再单独承担负重而感轻松。由此,整个分享过程得以全面完成。

总之，分享就是要扩大自己对他人的影响面，让他人能通过各种文学形式了解进而理解自己，由此疏导自己，获得内心平衡。人生于世间，都是孤独来孤独去，所以但凡世人都有与人交流之渴望，希人理解、望人认同，在愿望与现实之矛盾间采取折中态度，于是出现分享与合作，以此寻找到人与人之间的契合点……人为寻求意义之生灵，因为找到分享理解，也就找到了人生之意义，作为个体也就获得了心灵上"反孤独"的武器，明白他所面临之困苦、忧愁、焦虑、不安等心境也是为他人（甚至所有人）所共有。由此，这种共通的心境在"我"与"他者"间发生共鸣，双方分享，使倾诉者"我"获得心灵上的补偿、慰藉，也获得了共赴危难的决心和勇气。继而压力与困境获得一定程度的转移、消解，人们为此通向安全、幸福之道。

由此可见，文学在治疗中对个体心理可起到放松、疏导、转移（移情）、排遣、镇静、消解、娱乐等作用，进而促使人体在生理机能上也进一步得以受益。对于不同时代、阶层（层次）、职业、性别、地域的人士，文学的治疗作用则各有差异。

自然，作为治疗方式而言，除正规医院治疗外，也不止"文学"这种单一形式，实际上我们在与文学有直接关系的艺术中亦可找出很多事例。比如本文开头所提到的邱氏婆婆有时就以放音乐唱片来自娱。在我的多次观察中，当其播放音乐舒缓自己心情的同时，其疯女亦得以镇静（疯女曾在少年时入过剧团），会下意识地停止胡闹，并随之吟唱。当然，疯女情况不佳时，邱氏亦用镇静剂等使其早早入睡。对于其本人思想之重负（女疯、儿不认、外孙女待嫁、自己不知前途如何等），邱氏曾一度求助于"炼功"、信教等活动，及至今日则转而寄托于我为之所写的"自传"，一则写给自己，二则将来留给外孙女作留念，三则可委托律师加以整理、择取，备以后打官司之用（与儿子）。

本篇对文学与个体心理的治疗关系作了一番粗浅的探讨，即从三个方面来研究文学与治疗的关系（文学在治疗中的作用），并进一步探讨其中的共同点。至于其中所涉及的有关艺术方面的研究，则已超出文章范围，有待进一步展开。

《艺术治疗的理论与实务》略评

段从学

在中国,"艺术"与"治疗"到目前仍然是两个不相关的词语,指称着两个没有相互关联的领域。这种状况,既与国人目前所分享的健康程度及其与之相应的医疗水平直接相关,也和我们对"艺术"的理解有一定关系,但在欧美却是另一种情形。从20世纪60年代末开始,英国就已经尝试着在心理治疗中引入艺术治疗,以补救心理治疗单纯依赖口语和重团体而轻个人的缺陷。经过十余年的探索和努力,艺术治疗在英国已经发展成一个独立的专业领域,不仅在社会公众生活中产生了越来越大的影响,而且在大学教育体系内建立了自己的训练课程和相应的学位制度。受其影响,音乐治疗、戏剧乃至舞蹈治疗亦相继应运而生,成为一时之风气。面对这种情形,英国艺术治疗师协会终身会长戴本·华勒(Diane Waller)不无自豪地声称:"艺术与治疗的独特结合,以及艺术治疗师获得专业地位的方式,已使英国成为这个领域模仿的焦点。"《艺术治疗的理论与实务》这部由七篇相对独立的文章构成的专著,较为全面而充分地阐述英国的艺术治疗的理论基础、实际运用情形和发展历史,对我们了解和借鉴其经验而言,显然是一部合适的读物。

艺术治疗是在心理治疗的基础之上发展起来的,因而它最主要的理论基础,乃是弗洛伊德的精神分析学说。艺术治疗中的一系列核心概念,如象征、转移、投射等等,都是从精神分析学说中直接移用的。但是,这些移用过来的术语,在很大程度上已经有了与弗洛伊德赋予它们的原初含义不同的内涵。造成这种区别的主要原因,乃是精神分析学说自身的发展。艺术治疗更乐意接受的,是弗氏的后继者,如温尼克特(Winnicott)、克莱恩(Klein)等人进一步完善和发展了的理论假说。这仅仅从温尼克特、克莱恩等人的名字多次出现在书中这一事实亦可见一斑。不过,这种过分依赖精神分析学的理论取向,虽然在与心理治疗实践关系密切的艺术治疗师中间颇受欢迎,但对有艺术训练背景的艺术治疗师而言却是另一回事。

艺术治疗毕竟与"艺术"有关,因而精神分析学说不可避免地要接受艺术理论的限制。对弗洛伊德将艺术活动视为某种心理能量的替代和满足的消极取向,有着艺术训练背景的艺术治疗师几乎一致指责它无视艺术活动的创造性本质。对他们而言,艺术不是逃避现实的消极手段,而是积极地面对现实、建构自我的创造性力量。为此,荣格对"积极想象力"(active imagination)的重视,完形心理学对主动构象能力的发现,以及卡西尔、朗格的文化符号学理论,都受到了艺术治疗的青睐。随着艺术治疗的发展,摆脱心理治疗这位父亲的阴影的冲动也随之越来越强烈,对"艺术"的欲望大有后来居上之势。派翠西亚·挪威尔-豪尔(Patricia Nowell Hall)的这段话,正代表着一大批出身于艺术而又不得不屈就于心理治疗以求发展的艺术治疗师的愿望:"我的取向吊诡地发展成为跟团体分析治疗的核心模式相辅相成,而非作为其内的一种技巧。我对艺术治疗有一种逐渐成长的信念,相信它的力量在于'艺术'与创造过程。我开始看到它具有培养个人成长的更强大角色,而非仅仅作为口语团体心理治疗的一种辅助物和催化剂而已。"(第252页)不过,这种愿望也许恰好是无法摆脱对精神分析学说的依赖的一种焦虑——至少在目前如是。

而从"艺术"的角度看,艺术治疗中的"艺术",又有它自己的特征。不错,艺术治疗有重视艺术的一面。艺术活动的个人性和艺术作品的可保存性,正是艺术治疗赖以克服口语团体心理治疗之弊的法宝。但艺术治疗关心的是艺术活动的过程,而不是艺术品的美学特性。这种过程,既包括绘制一种作品的过程,也包括患者如何处置自己的作品的过程。后一方面的过程可能持续很长时间,并伴随着反复与变化。对艺术治疗师来说,分析艺术品的意象含义和分析艺术活动的过程,至少是同等重要的,这也是艺术治疗区别于心理分析的一个方面。此外,艺术治疗由于治疗师的介入,艺术活动实际上包括了患者、艺术品、治疗师三个方面,而不再是艺术家与艺术品的二维关系。在这样一种情形之下,探讨艺术治疗师在患者的艺术活动过程中的角色及其作用,也构成了艺术治疗理论中的一个重要方面。一般来说,受自由联想观念的启发,艺术治疗强调患者的艺术活动的自发性与随意性,治疗师在其过程中不作介入与诱导。

除精神分析与艺术理论两方面的理论来源之外,人类学,乃至中国道家的学说,都启发了艺术治疗的理论探索。这种状况,展示着艺术治疗丰厚的理论资源,也反映了它在青春发育时期的基本状况:"一种活力充沛、创造力旺盛、狂乱、无感觉的,而且是困惑的存在状态。"(第295页)。

实际运用中,尽管艺术治疗正在往独立的方向发展,并且表现出愈来愈明显的"专业主义"倾向,但它目前仍然主要在社区的心理治疗团体、学校和医院中展示。在这种状况下,英国的艺术治疗尤为重视探索心理治疗、学校的艺术教育与特殊教育等活动之间的积极互动,以求得充分发挥自己的作用。书中集中探讨的一个方面,就是艺术治疗如何在学校中发挥作用,帮助儿童克服自我发展中的障碍。此外,特定的治疗理念与相应的治疗对象和治疗场所之间的实际运用情形,也是艺术治疗在实践中关心的一个问题。这种对理念在实际运用中可能性的小心翼翼的总结,在作者而言是其艺术治疗实践经验的体现,大而言之则是英国经验主义传统的产物。在特定理念下进行实践,而又在实际运用中探索这种理念的可能性与限度,使全书呈现出一种高度的严肃性。

最后,书中一个值得重视的方面,是戴安·华勒结合自己的个人经历,对艺术治疗在英国的发展历史所做的回顾与总结。其内容包括如何与心理治疗等其他治疗专业之间的协调、如何进行专业训练等等,涵盖了艺术治疗专业发展中的各个方面,并对可能受到的挫折的阻碍进行了分析,提出了应对措施。对开拓自己的专门行业而言,这部分内容尤其具有参照价值。

就中国目前的状况来看,心理治疗、艺术教育,对儿童的特殊教育等基本方面都还是一片空白,所以英国的艺术治疗强调独立发展的专业主义,显然并不可取。相反地,其强调在协调合作中生存与发展的一面,似乎更为切实可行。中国目前可能建立的艺术治疗,是将心理治疗、文学治疗等相关知识与技能结合起来,尽可能地涵盖较宽的领域,以求得生存空间。同时,在借鉴与运用英国艺术治疗的理论资源时,还应意识到,个人、社会之间的分离在西方已成为一种共同的社会无意识,对个体的生活行为、价值选择等都产生了根本性的影响,精神分析学说正是建立在个体与社会之间的冲突性对立这一理念之上的。而在汉语文化传统中,则更为强调个体与社会之间的一致性和整体性,西方意义上的个人至今仍是主流思想中的微量元素。这样,如何在借鉴的同时完成两种"个体"与"社会"之间关系模式的深层转移,或能成为中国知识界对艺术治疗做出贡献的生长点。显而易见,理论上的难题,不是短期内可以克服的,因而对更多的普通读者来说,《艺术治疗的理论与实务》一书中大量的实证性的个案分析,将会更加具有吸引力,因为我们可以在模仿中建立各种尝试性的自我治疗行为,改善健康水平。

(苔萨·达利等著:《艺术治疗的理论与实务:精神分析、美学与心理治疗的整合》,陈鸣译,台北远流出版事业公司,1995年版)

第二编 文学与治疗：个案研究

王褒《洞箫赋》之治疗功能探究

贾 飞

受西方文学语境的影响,我们在分析中国古代文学作品时,过于注重对作品的认识功能、审美功能和教育功能的分析,较少重视作品发生时的原始语境,从而不能更好地体现作者的创作初衷,揭示作品的原貌。通过分析文本和研读相关史料,回归到《洞箫赋》产生时的原始语境,以求进一步还原王褒创作《洞箫赋》时的初衷,探究《洞箫赋》的文学治疗功能。

在汉代,赋的创作盛极一时,汉赋更是成为汉代文学发展的代言体。对于汉赋的研究,国内外已经取得了丰硕的成果,而对王褒的《洞箫赋》研究,更多的是注重对作品的认识功能、审美功能和教育功能的分析,这就忽视了其本身所具有的治疗功能,本文拟对此作一探讨。

一、从创作初衷看《洞箫赋》之治疗功能

文人从事文学创作时,一般都有着一定的创作初衷,或是为了内心感情的抒发,或是为了朋友之间的酬唱,抑或是为了立言以达不朽,种种初衷行之于笔墨,就形成了我们眼前的作品。在王褒之前,汉赋的创作已经达

到了鼎盛时期,对于君王的歌功颂德、田猎场景和奢华宫殿的铺陈描述到了无以复加的地步。而到了汉宣帝时,这位皇帝不仅延续了辞赋创作的风气,而且对文人们所创作的辞赋进行高下品评,大力鼓励创作,王褒更是经常陪伴皇帝左右,如《汉书》上写道:"上令褒与张子侨等并待诏,数从褒等放猎,所幸宫馆,辄为歌颂,第其高下,以差赐帛"。在这种大背景下,王褒也少不了应承之作,而这也是文人升迁的一个途径,王褒便是因为赋的创作深得皇帝喜欢,"顷之,擢褒为谏大夫"。虽然王褒在创作时,不乏应承之作,但是也有别具新意的作品,部分作品还具有划时代的意义。如他所创作的《洞箫赋》,"是第一篇专门描写乐器与音乐的赋……开了后世的咏物赋和音乐赋的先河"①。后来萧统编《文选》时,在"音乐"这一次文类中,将王褒的《洞箫赋》列于"音乐"次文类的第一篇,足见后人对《洞箫赋》的肯定和认同。

《洞箫赋》辞藻华美,对箫声用力描绘,"穷变于声貌"②,扣人心扉,的确是一篇文学佳作,对后世咏物赋和音乐赋的创作有着重要影响。但是我们对于《洞箫赋》的这些认识,只不过是把它当作纯粹的文学作品,进行认识功能、教育功能和审美功能等方面的研究后,所得出的结果罢了。而我们现在面对的《洞箫赋》,和王褒当时的创作有着不同,对于《洞箫赋》的原始作用,王褒最初的创作初衷,我们注意得也还不够。这一系列问题的存在,意味着我们并没有真正走进《洞箫赋》的世界,没有全面地认识《洞箫赋》,更别说是对其进行深入细致地分析了。

王褒和大多数文人一样,有着自身的创作目的。关于王褒创作《洞箫赋》时的初衷和背景,史书中有着明确的记载:

"褒,字子渊,蜀人也。……其后帝太子体不安,苦忽忽善忘,不乐。诏使褒等皆之太子宫娱侍太子,朝夕诵书奇文,及自所造作。疾平复,乃归。太子嘉褒所为《甘泉》及《洞箫颂》,令后宫

---

① 章培恒、骆玉明:《中国文学史》上卷,复旦大学出版社1996年版,第195页。
② 刘勰:《文心雕龙》,浙江古籍出版社2011年版,第27页。

贵人左右皆诵读之。"

通过对史料的研读,我们就能很清楚地发现,《洞箫赋》不仅仅是作为一篇文体华美、影响深远的赋作,它还有着更为重要的功能,那就是治疗功能。如史料中所写到的一样,太子身体不适,感到不快乐,于是皇帝就下诏让众多文人去太子宫陪伴太子,并进行相应的文学创作。后来太子"疾平复",并嘉奖王褒的《洞箫赋》,还令后宫贵人及其左右侍从都进行诵读。

可见,王褒是受诏去娱侍太子,《洞箫赋》也是创作于太子生病之时,深得太子喜欢,王褒创作完成后,太子令人进行了相关诵读,这一切都直接关系到太子疾病的痊愈。也正如吴客对患病时的楚太子所说的一样,"今太子之病,可无药石针刺灸疗而已,可以要言妙道说而去也"[①]。虽然楚太子是虚构的,但这说明了言语的治疗功能,早在那时人们就已经认识到了言语的这一功能,这正是《洞箫赋》本身所具有的文学治疗功能。

再者,王褒的《洞箫赋》并不是简单而随意的创作,也不是单单从自己对乐器的喜爱角度来创作,而是针对患者在进行有针对性的创作和治疗,这也就说明了王褒创作时的初衷是很明确的。王褒所面对的病人是太子,他则从太子的角度出发,结合太子的喜好进行相关创作。据史料记载,"元帝多才艺,善史书。鼓琴瑟,吹洞箫,自度曲,被歌声,分刌节度,穷极幼眇",而汉元帝就是之前史料中所提及的宣帝太子,即王褒所面对的病人。太子不仅爱好文学,还喜爱音乐,尤其是洞箫,这就为王褒的创作提供了题材,《洞箫赋》也就在这种特殊的背景下诞生了。可见《洞箫赋》的创作并不是偶然之因,也不是王褒自己在创作之前心想着一定要开咏物赋和音乐赋的先河。王褒这位文学治疗大师真可谓是煞费苦心,尽其所能,对症下药,从而起到药到病除的作用,使太子的疾病得到痊愈。

因此,《洞箫赋》的创作不是王褒偶然的创作,《洞箫赋》也不是一篇纯粹的文学作品,而是在特殊背景之下,因为需要才产生的。如果抛开《洞箫赋》创作时的原始语境,简单地对其进行认识功能、审美功能和教育功

[①] 萧统:《文选》(下册),李善注,太白文艺出版社2010年版,第975页。

能的分析,恐怕我们不能完成真正意义上的解读,无法理解王褒创作《洞箫赋》的潜在动机和目的,无法发现《洞箫赋》本身所具有的治疗功能,更别说以此来探究《洞箫赋》的原来面貌了,隔靴搔痒式的研究终究无法走进研究对象的内核。

二、《洞箫赋》之治疗功能具体分析

文学治疗非医药治疗,它不是用多种医药配方发挥药物的作用以达到治疗效果,而是从根本上把握医治对象,以患者为本,注重患者的心理分析和把握,对患者的心理进行疏导,发挥身体的调节机能,从而达到治疗效果。因为文学在治疗中对个体心理可以起到放松、疏导、转移(移情)、排遣、镇静、消解、娱乐等作用,进而促使人体在生理机能上也进一步受益[①]。但是文学治疗并不是千篇一律的,由于患者的职业、性别、喜好、地位等方面有区别,文学治疗采取的方式和内容也不尽一样。马斯洛在构建其人本主义心理学体系时,提出了著名的"需要层次"理论,他将人类的需要分为五个层次:生理的需要、安全的需要、爱与归属的需要、尊重的需要和自我实现的需要,各层次之间的顺序是相对的,不是固定不变的,而高层次的需要和低层次的需要之间存在着性质上的差异。[②] 按照马斯洛的理论,越是高级的需要,比起较低层次的需求来说,就越能产生巨大的精神价值,越能获得精神上的满足,最终朝自我实现的层面发展,就更能在最大程度上发挥文学治疗的作用。

王褒所面对的患者比较特殊,是太子,对于太子的生活环境而言,生理和安全等方面是不需要考虑的,他所需要的是高层次的需求,这已经上升到了认识和审美的自我实现层面,属于内心世界,也是文学治疗的核心层面。正如弗洛伊德所言:"我以为一位诗人提供给我们的所有的美的享受都具有此种'直观快感'的性质,对富有想象力的作品的真正欣赏来自我

[①] 叶舒宪:《文学与治疗》,社会科学文献出版社1999年版,第144页。
[②] 马斯洛:《马斯洛的人本哲学》,刘烨编译,内蒙古文化出版社2008年版,第30—33页。

们内心紧张的松弛。"

回归《洞箫赋》文本本身,王褒正是发挥其才华,用其神来之笔,在《洞箫赋》中为太子营造了一个富有想象力的松弛有度之景,一个超现实的梦幻之景,让太子深入其中而忘记现实自我的存在。

文章一开始,王褒并不急于向太子陈述洞箫的美妙,而是寻水之源,探木之本,跨越空间的局限,将太子带入一个自然的生态环境之中。洞箫的原材料是竹子,虽然它生于江南之丘墟,但是"弥望傥莽,联延旷荡,又足乐乎其敞闲也"。如此竹林之景,多了几分闲适。王褒还赋予竹子灵性和神圣性,认为这样的竹子是"感阴阳之变化兮,附性命乎皇天",为后面对洞箫的刻画做好铺垫。竹子作为洞箫的原材料,其神圣性尚且如此,洞箫更是会在其之上。然后王褒变换观察的角度,切换场景,由远及近,回归到竹子的具体生存环境,有风的吹拂,有江流的灌溉,有鹤,有春禽游戏于树林,一片生机勃勃的景象,使竹与整个世界形成和谐的一片,让太子的内心也感到清静、舒畅。王褒在此基础上,笔锋一转,突出圣主的慧眼作用,"幸得谥为洞箫兮,蒙圣主之渥恩"。再好的东西没有圣主的恩赐,终将归于腐朽,如此一来,王褒一下就把竹、洞箫和现实生活联系在一起。

接着王褒娓娓道来,对洞箫的制作过程大力渲染。"般匠施巧,夔妃准法。带以象牙,掍其会合。锼镂里洒,绛唇错杂;邻菌缭纠,罗鳞捷猎;胶致理比,挹抐擶擶。"如此之竹,如此工艺,洞箫所吹奏出来的声音定然是美不胜收。王褒对此的描述更是粗中有细,细中有精,精中有味,"或浑沌而潺湲兮,猎若枚折;或漫衍而络绎兮,沛焉竞溢",引导太子仔细品味箫声的韵味,让太子全身心地投入其中,使太子在精神上得到前所未有的舒缓,尽情享受箫声带来的快乐。如此箫声,妙声、武声、仁声——备具,是可以"与讴谣乎相和"的。

箫声如此美妙,其作用定然无限宽广。王褒将箫声拉入现实生活,让一个个生动的例子说明箫声所产生的实际作用,以启迪太子:"故贪饕者听之而廉隅兮,狼戾者闻之而不忮……钟期、牙、旷怅然而愕兮,杞梁之妻不能为其气。"

听到此,不仅仅是太子,连我们都想问王褒:箫声为何有如此功效呢?

王褒将洞箫进行进一步拔高,从而使洞箫与国家的治理相关联,上升到道德层面:"吹参差而入道德兮,故永御而可贵。"此外,箫声的作用并不局限于人,还涉及动物,这种充满道德、感阴阳之和、化风俗之伦的声音是具有普适意义和价值的。写景不如造景,王褒造出一幅其乐融融之景:"蝼蚁蝘蜒,蝇蝇翊翊。迁延徙迤,鱼瞰鸡睨,垂喙蜿转,瞪瞢忘食"。这种箫声余音袅袅,更是一种德音的盘桓,感人至深,净化着整个自然和社会。

全文的结束不是王褒人为的结束,可以说文章还没有结束,让太子还沉醉在那箫声的变化之中,感慨箫声的美妙,感受"高峰体验",这种体验是瞬间产生的压倒一切的高昂情绪,产生极度强烈的幸福感,甚至是如痴如醉、欢乐至极的感觉①,从而让太子的精神得到前所未有的释放,获得高层次的心理需要。

《洞箫赋》不仅仅在内容上是一篇造景佳作,而且在行文的语言音乐性把握上也有独到之处。这也难怪兼懂洞箫和音律的太子,即使在病好后,还令后宫贵人及其左右侍从都进行诵读。

《洞箫赋》全文虽多用骚体句,但杂以骈偶句,这是首开其端的。自此以后,辞赋中的骈偶句也像散文中一样,渐渐地多了起来。②而骚体句的最大特点就是"兮"字的运用,关于"兮"字运用在文中所产生的作用,刘勰在《文心雕龙》中有着详细的阐述:

> 又诗人以"兮"字入于句限,《楚辞》用之,字出于句外。寻"兮"字成句,乃语助余声。舜咏《南风》,用之久矣……据事似闲,在用实切。巧者回运,弥缝文体,将令数句之外,得一字之助矣。③

"兮"字是语气助词,看似没用,但是在高明的文士手中,对其加以灵

---

① 马斯洛:《马斯洛的人本哲学》,刘烨编译,内蒙古文化出版社2008年版,第188页。
② 章培恒、骆玉明:《中国文学史》上卷,复旦大学出版社1996年版,第196页。
③ 刘勰:《文心雕龙》,浙江古籍出版社2011年版,第122页。

活的运用,就能将句子有机地连接起来,如"秋蜩不食,抱朴而长吟兮,玄猿悲啸,搜索乎其间"。王褒就是那巧者,他用"兮"字将秋蜩和玄猿及其各自动作连接在一起,在此基础上,组合成一篇完整的作品,都是"得一字之助矣"。再加上王褒在文中运用骈偶句来回切换,如"故贪饕者听之而廉隅兮,狠戾者闻之而不怼",再如"故知音者乐而悲之,不知音者怪而伟之",这就更增加了作品的整体性和音律性。因而我们在朗读《洞箫赋》时会朗朗上口,明显感觉到文章所蕴含的节奏性,音律和谐。

文章的节奏性对文章的审美和传播有着重要作用。"节奏是构成语言音韵美的基本因素,它主要表现为各种节奏单位的规律性运动。旋律是构成语言音韵美的重要因素,它突出表现为语音高低升降的规律性变化,以及相同、相近语音成分的重复或再现。"[1]而这一切,在《洞箫赋》中得到了完美的展现。如王褒描写洞箫所发出的武声和仁声时,"故其武声,则若雷霆輘輷,佚豫以沸㥜。其仁声,则若飘风纷披,容与而施惠"。《洞箫赋》作为一篇带有文学治疗功能的作品,其对文章的音律节奏有着很高的要求,而对文章音律性的准确把握,更有利于加强对文章的整体性塑造和提高文章的可读性。从听者对音律接受的角度来看,不同的音调对听众有着不同的影响,从而让听众或喜或悲。古代医学著作《黄帝内经》就阐述了音调与人五脏的关系,宫、商、角、徵、羽对应着人的脾、肺、肝、心、肾,不同的音调有着不同的效果,如文中对徵调的描述:

> 其在天为热,在地为火,在体为脉,在脏为心,在色为赤,在音为徵,在声为笑,在变动为忧,在窍为舌,在味为苦,在志为喜。喜伤心,恐胜喜。

可见,徵调式乐曲,其旋律热烈欢快、节奏欢畅、轻松活泼,能够深深地感染听众,具有"火"的特性,是可以深入到人的内心。王褒很好地把握了文学语言的音乐性,《洞箫赋》的节奏不是单一语调,而是多种节奏相融

---

[1] 成伟钧、唐仲扬、向宏业:《修辞通鉴》,中国青年出版社1991年版,第9页。

合,富于变化,让太子全身心融入其中,感受到节奏的愉悦,从而得到心理释放。

柏拉图认为音乐性是他律的,即以音乐的形式来表现人的精神、意志、旨趣、感情,是一种感觉的陶醉,是一种精神的飞升。如当我们在听自己喜欢的歌曲时,我们有时会情不自禁地跟着歌曲的节奏而哼唱几句。的确,文学语言的音乐性,不仅体现在其具体修辞手法运用时所产生的音乐性,其更高级的体现则是在于感情的节奏与旋律。它甚至可以是一种无声的旋律,一种融合着意向与感情的境界。① 因为文学作品是人的创作,所面对的听者也是人,作者在创作时会将自身感情投入其中,最好的作品不是华丽辞藻的堆积,也不是纯理论的阐释,而是达到"文质彬彬"的效果,能够让听者深入其中,久久不能忘怀,最终得到精神的满足。对于这一方面,王褒也做到了,王褒的治疗对象是太子,而太子不仅精通音律,而且擅长吹箫,如他在描绘洞箫所发出的声音时,如此写道:

> 故吻吮值夫宫商兮,和纷离其匹溢。形旖旎以顺吹兮,瞋嗢嗢以纡郁。气旁迕以飞射兮,驰散涣以逫律。趣从容其勿述兮,骛合遝以诡谲。或浑沌而潺湲兮,猎若枚折。或漫衍而骆驿兮,沛焉竞溢。②

这段文字虽然运用了骚体句和骈偶句等修辞手法,但更为重要的是王褒通过语势的转换,表达出了感情的节奏,抑扬顿挫,一波未消一波又起,令人荡气回肠,仿佛如现在交响乐演奏时多种乐音的叠加,节奏与内容相得益彰,营造了一个能够令太子如痴如醉的场景。王褒对吹箫时所发出的箫声的描写,太子必定深有体会,能够身临其境,让太子在无意间感觉到仿佛是自己在吹奏洞箫,而如此美妙的箫声也正是太子所追求的境界,这就使太子得到精神上的陶冶和快感。王褒不仅了解太子的性格和喜好,还善

---

① 钱谷融、鲁枢元:《文学心理学》,华东师范大学出版社2003年版,第279—280页。
② 萧统:《文选》,李善注,太白文艺出版社2010年版,第473页。

于把握太子的心理和情感,让太子陶醉于幻境和悦声之中,最终达到治疗的目的。

可见,文学作品要承载治疗的功能,其内容不仅要优美,贴近患者,从患者的需求出发,针对不同的患者有运用不同的内容,而且还要讲究形式之美,注意行文的节奏性,把握文学语言的音乐性,以调节患者心理。这就对文学作品有着严格的要求,否则,文学作品不仅不能起到治疗的作用,还有可能加重患者的病情,产生不良后果。

三、《洞箫赋》的治疗特色

赋作为一种文体,其存在的形式有很多种,有体物大赋,也有抒情小赋,其包含的内容更是多样,《文选》就将赋分为了京都、江海、游览等十五类。在众多的赋作中,有一部分作品并不是以向他人传播或者灌输文学信息为主要目的,而是有着自身的具体功能。翻阅众多赋作,我们可以发现,和《洞箫赋》一样具有治疗功能的赋作远远不止一两篇,如《高唐赋》《洛神赋》和《七发》都是有关治疗功能的名篇。虽然这些赋作的最终目的只有一个,那就是达到治疗的效果,但与其他的赋相比,《洞箫赋》有着自身的治疗特色。

首先,《洞箫赋》有着真实可感的情境,并回归到自然和现实生活。虽然我们可能对生活中常见的东西,很少感觉到它的美的存在,但是当别人提及时,我们却很容易产生一种亲切感。《洞箫赋》所描写的对象就是生活中常见的乐器,其制作材料也是我们经常所见的竹子,洞箫发出的声音更是能使"刚毅强暴反仁恩兮,哗咤逸豫戒其失"。文章回归到现实生活,乐器、竹子,这些都是可以让人直接感触到的,从而给人一种真实感,拉近了读者与作品之间的距离。而宋玉的《高唐赋》写楚国先王"云梦之台"梦神女,《神女赋》则写楚襄王在"云梦之浦"梦神女,曹植在《洛神赋》中更是发出了"人神道殊"的感叹,枚乘的《七发》干脆直接虚拟入手,它所要医治的对象也是虚拟的太子。这些赋作或多或少带有梦的成分,让治疗对象沉醉在一种梦境之中,虽然这无可厚非,也是一种治疗方式,但毕竟这些赋中所描写的内容与《洞箫赋》不尽相同,它们大多是现实中难以寻求或是根本寻求不到的,这就与我们的现实生活产生一种隔阂感,让人难以把握。

其次,《洞箫赋》一文从太子本身出发,是其最优治疗方式的体现。如前文所言,王褒的创作初衷是要加快太子疾病的痊愈,以达到治疗的目的。虽然之前有文学治疗的例子,如在《神女赋》中,宋玉和楚王大谈梦神女,枚乘在《七发》中则是虚拟一个太子形象,并说七事以启发太子,循循善诱,最终使太子"涊然汗出,霍然病已",从而达到治疗的效果。但是王褒不一样,他所面对的太子是真实的存在,和宋玉、枚乘的治疗对象在性格、喜好等方面也不完全相同,这也就决定了王褒在对太子进行治疗时,不能照搬前人的治疗方式。所以在对太子进行治疗时,王褒结合太子的性格,太子"八岁,立为太子。壮大,柔仁好儒",王褒还根据太子的喜好,他"多才艺,善史书。鼓琴瑟,吹洞箫"。因而从这些基本情况出发,王褒并没有写江海、田猎和京都等题材为内容的赋,而是书写了一篇咏物和音乐有关的《洞箫赋》,寻求到了最优的治疗方式,并且行文的节奏波澜起伏,引人入胜,注意场景之间的连接和变换,以调节太子的心理需求,让太子的心理得到完全释放,从而更好地达到治疗目的。

另外,《洞箫赋》可以让太子全身心地尽情享受,没有一丝顾虑和反感。这是《洞箫赋》与其他赋作相比的高超之处。《高唐赋》和《神女赋》都是梦神女,曹植在《洛神赋》中则为自己不得与宓妃交往而哀叹,这些文章都与女色有关。在《文选》中,虽然编者将此类文章做了很好的处理,归于赋类的最后一类,并以"情"命名,但是"情者,外染也,色之别名"[1]。女色在历史上本来就颇具争议,用这类文章对患者进行治疗,虽然君王等人都非常向往神女,但是在这背后却还有普遍的道德忧虑。再如司马相如向汉武帝进献赋作《上林赋》时,大肆铺陈田猎和宴乐场面的盛大,固然迎合了汉武帝的心理意愿,但是汉武帝却无法逍遥其中,"芒然而思,似若有亡,曰:'嗟乎,此大奢侈!朕以览听余闲,无事弃日'"。这些文章虽然都文采并茂,但是君王等人却无法真正地全身心投入其中,从而不能更好地

---

[1] 萧统:《文选》,李善注,太白文艺出版社2010年版,第519页。

得到心理释放。而《洞箫赋》则为太子打理好了一切,让太子尽情享受箫声的妙处。文章内容固然精彩,但其妙处更在于王褒从正面给予箫声积极的肯定,认为箫声乃道德之音,"赖蒙圣化,从容中道,乐不淫兮",这就与郑卫之音有着本质的区别。太子由于其地位的特殊,将来要治理国家,而自郑卫亡国以来,文人志士认为"郑卫之音,乱世之音也",国君更是耻于听之。诗艺的本质就在于消除我们对白日梦的反感所使用的技巧①,赋同样具有消除反感的功能。王褒宣扬箫声乃圣德之音,这德音是能够沟通天与地、神与人、人与人、人与物,"感阴阳之和,而化风俗之伦",这就为太子完全打消了最后的顾虑,即使太子沉醉于箫声的美妙之中,这也无可厚非,因为太子听的是圣德之音,接受的是道德对心灵的洗礼。如此洞箫,谁不向往!如此赋作,谁不称赞!病躯之体,得以好转!

在《洞箫赋》产生之前已经有不少关于文学治疗的作品,而王褒能够独辟蹊径,使《洞箫赋》具有自身的治疗特色,是其可贵之处,这也丰富了文学治疗作品的内涵。

辞赋,不仅仅涉及田猎、宫殿、纪行、鸟兽等内容,它像诗歌一样,深入到人们生活的方方面面,也是历史的承载者。而我们现在所接触的赋,大多是文本中,铅字体的赋,与那种用来朗诵的赋已相差甚远,这也是我们研究赋时的一个难题。回到《洞箫赋》产生时的原始语境,我们看到了不一样的《洞箫赋》。此时的《洞箫赋》虽然依旧是以文学作品的方式呈现在我们眼前,但是通过史料的佐证和文本的深入分析,我们对它有了新的解读,而这种新的解读在于挖掘其体现的文学治疗功能,这是《洞箫赋》本身所具有的最原始功能,恐怕也是王褒的创作初衷。

---

① 叶舒宪:《高唐神女与维纳斯:中西文化中的爱与美主题》,陕西人民出版社2004年版,第396页。

《绿野仙踪》写作中的疾病与治疗意识探析

吕 蒙

明清小说的治疗作用历来被讨论的较多的是文人如何通过幻想满足现实中不可得的功名利禄,作品的文学治疗作用更多地体现在无意识的满足上。但创作于清中叶的《绿野仙踪》却有其独特之处,其作者在创作中具有比较明确的以作品治疗自己疾病的意识,并且作品中也时时体现着如何对肉体和精神实施治疗的手段和关注。从《绿野仙踪》作者的创作缘起谈起,继而分析作品中如何体现这种治疗意识,对作品意义的新拓展发现具有重要意义。

《绿野仙踪》是在清代小说史占据重要地位的一部神魔小说,然而它又典型地带有多元融合的特点。从题目上看,该书以"仙"名事,被定位为神魔小说也是毋庸置疑的,然而评论该书,则都会提及"如官场之廓败、吏役之凶残、纨绔之纵欲、妓女之矫情、腐儒之迂鄙、帮闲之鬼蛾,以及市井细民之困窘等,都刻画入微,近于写实,人情世态盘旋其间,带有强烈现实感。"①。

而《绿野仙踪》虽则外表看起来是一部杂合诸篇文体的综合之作,其中于修道成仙多有着重,因而多被归入神魔小说之中,而究其作者的写作目的以及文本本身的构成,其写作的目的却并非纯是为宣扬道术的宗教宣传物,而是一部作者力图治愈自身疾病以及推而广之于他人精神治疗有所裨益的作品。

一、作者创作过程中的疾病与治疗意识

首先,作者的创作缘起带有鲜明的目的性。不同于一般明清小说作者在序言中专谈"游戏之作",如"二拍"作者凌濛初所言的"因取古今来杂碎事,可新听睹,佐谈谐"②,这类言辞更多地体现的是作者创作在理性驱使下所要达到的审美目的,而并非促使成文的唯一动因。而作者李百川在百回本序中则将注意力主要放在了创作缘起中,叙述自己为何不得不创作此部小说。作者的创作则被分为了两个部分:其一是《百鬼传》的计划与流产,其二才是《绿野仙踪》的成书过程。

作者在读过稗官野史、《情史》《艳异》诸篇后,皆不觉尽兴,继而又读江海幽通、九天符箓等道教书籍,才以奇书名之。此时,作者产生了强烈的创作愿望,准备创作一鬼一事形成百鬼故事的《百鬼传》。如果说作者的创作缘起在《百鬼传》阶段尚且处于"准理性阶段",源自传统的"诗缘情"的文学观,那么《百鬼传》的流产则充分体现了这种感性阶段如何被理性规制截断。因为"若事事相连,鬼鬼相异,描神画吻,教施耐庵《水浒》更费经营",创作中可能带来的麻烦和才力不够等问题,使得李百川最终放弃了这部著作的写作。

《绿野仙踪》的成书缘起则更加简单直接,"叠遭变故",家财散尽的窘境下,李百川流落到依赖叔父糊口度日的过程,于此,其生活已经是"为竖

---

① 张俊:《清代小说史》,浙江古籍出版社1997年版,第247页。
② 凌濛初:《即空观主人批点二拍:初刻拍案惊奇》,天津古籍出版社2010年版,第2页。

所苦,百药罔救",生活的变迁引起的不仅是其沦落为贫儿带来的生存危机,更有精神上的空虚和乏力,如吴光正在《穷而后幻:才子佳人小说的创作心态》中将那些落拓文人创作的才子佳人际遇看成极大的心里补偿,李百川虽然并非由于落第而引起的灾难,却依然需要相似的心理补偿。

引发其进行创作的主要动因正是因为现实落差带来的强烈焦虑感,以破产为分界点,写作从一个可有可无的兴余杂务变成作者此时"自娱"以拯救自己心灵的方式,正如弗洛伊德将文学创作看成是"一篇具有创见性的作品像一场白日梦一样",而这些白日梦不过是重复作者童年的游戏延续,现实事物和幻想事物之间并无极大区别,因而可以互相代入。李百川并未详细追忆自己的童年,但从他试图写作《百鬼传》之间的生活来看,神怪小说显然对其有着极大的影响,故而求仙访道之类的想象对其有着重温过去,从而补偿心理落差的独特意义,选择写作能够使其获得幻想的满足。

其次,作者选择小说这种文体本身就带有强烈的治疗自身意识。《绿野仙踪》历来被认为文学价值不高正是因为其杂糅旁收,各种古典小说的主题都被融合于其中,反而缺少鲜明主题,"在题材上它兼融神魔、讲史、人情于一体,与此相对应,作品包孕的思想文化内涵也呈现多元性的特征"[1]。但形成这种文体本身正是因为作者对于小说写作的独特态度。"诗文在长期的发展过程中,已经呈现了诸多的束缚,古代文论中有'文以载道'和'诗言志'之说,无论是'道'还是'志',都偏于理性,是道德本体或道德化的思想。"作者因此认为"不可冒昧",但转到小说,作者显然就变得自由洒脱得多,虽然说是"捕风捉影",但是正因为小说不需要强烈的现实基础,可以摆脱由现实把握的理性规制。

再次,作者在写作《绿野仙踪》的过程中,文学创作的迷狂状态对其精神状态有极大影响。在规划写作的过程中,李百川再次提到理性对其思想的规制,恐怕写故事难免有损于德,这种恐惧也几次促使他放弃故事的写作,故事的最终写作完成便是李百川限于写作后不可知的迷狂状态。《绿

---

[1] 董建华、王学灵:《论〈绿野仙踪〉文化内涵的多元性》,载《呼兰师专学报》2002年第3期,第50页。

野仙踪》以他写作来疗治自己的身份出发,转化为"无时无刻不目有所见、不耳有所闻"的迷狂生成物,魂梦之间,写作者已经无现实和虚构之分,此时作者再次生病,转而"就医扬州",在医药可以医治其身体的同时,产生的则是"旅邸萧瑟,颇愁长夜"地扩大了的精神空虚,故而再次将写作提上日程。

正因为冷于冰在求仙和除妖过程中流露出的森严的等级意识和对建立超越于世俗权利之上的新的权利秩序的渴求,因而被研究者称为"其超越性仍然带有强烈的现世色彩"[1],冷于冰最终获得金仙之身仍然是上帝敕封,加封官爵,侍从、奇宝无数,其实这理想世界和求仙得果过程又何尝只是冷于冰的最终追求,冷于冰的希望其实完全来源于作者本人。

作者的身体和精神上均产生了亟待治疗的痛苦,而其首先求助的正是写作本身,其后身体的痛苦虽然求助外在的医治,但是就医依旧无法解决精神上的萧瑟空虚之感。因而《绿野仙踪》的写作对其来说是独一无二的治疗。疾病是促使他求助于文字的主要动因,而最终治疗的效果如何,虽则李百川并未明言,而《绿野仙踪》的写作以及所成书的治疗价值确是为他自己所推崇的:"马渤牛溲,并佐参苓之用。"在写作过程中对其有所治疗的《绿野仙踪》最终成书,在他看来对别的处于同样境况的读者也具有"一二可解观者之颐",有了前文作者艰辛的病中成书过程,解颐就不仅仅是求新求奇的追求,而是希望能获得观者共鸣,对他人也有参考的治疗价值。

二、作者对原故事的改编产生的治疗功能

小说内容虽然驳杂,然而抽离作者对世情描写而混杂于其中的部分,作为作者代言人的冷于冰的行为依然有着清晰的脉络,而这个脉络的来源正是《池北偶谈》中记述的一则传说:

---

[1] 徐润拓:《〈绿野仙踪〉求仙主题中的死亡意识》,载《明清小说研究》2001 年第 3 期,第 244 页。

前御史乐安成公宝慈（勇），明崇祯中，以疏救黄公石斋（道周）谴戍。鼎革后，隐昆仑山中。一日大雪，登绝顶，遥见松林中有人僵卧，意其冻死，趋而视之，四面皆积雪，无人迹。其人衣木叶，卧处丈许，独无雪。见公至，蹶然而起，曰："候公久矣。"问其年，云："不记年岁，祇忆少在京师见杨椒山赴西市，遂发愤出家学道耳。向见左萝石、沈周泉二公，托讯公起居，故候于此。"问二公何在？曰："在上帝左右。"因又言，二公每欲荐公自代，沈公云："成公正人，顾尝疑我，今其疑须释。"成公闻之，惘然有间，曰："昔沈公疏论漳浦，遗书及我，我不答。此事人无知者，诚不妄矣。"道人自言有长生术，当授公。公曰："吾陈人也，以速死为幸，长生何为？"道人曰："聊试公耳。二年后清明日，当偕二公候公。"言毕谢去，步履如飞。公果以康熙戊戌清明无疾而逝。①

　　从这个据说被称作《绿野仙踪》来源中我们可以抽离出的形态学结构只是道人带来长生术及故友消息，以及成公应答获得长生术（其中还穿插了关于道人的部分）。附加于其中对话的部分，道人出家学道的过程也可以总结为"道人观看杨椒山被斩—出家学道—得道"。这两层结构对于作者来说具有不同的拓展空间，而最终促使作者成文时对主要结构进行了极大的改变，抛弃了遇仙故事的主要部分而选择道人的经历为原型的主要动因，正在于求仙学道。

　　虽然在这两个解构中，都未曾发现对求取长生道术的强烈渴求，然而第二个阶段显然留下了更多的缺失补足空间，可供作者进行补充的主人公的缺失尚且有两种可能：①主人公从他人死得悟生命之短暂，从而引起对死亡的恐惧；②主人公因此厌弃官场与尘世，希望遁隐世外。而这两个过程都被李百川吸收在《绿野仙踪》之中。

　　主人公冷于冰因为百姓受苦劝谏严嵩导致失去科举发迹的机会，而仅

---

① 王士禛：《池北偶谈》，中华书局1982年版，第542—543页。

仅到此处,冷于冰还对目前的生活感到安逸快乐,与妻子过起种花饮酒的平稳日子来,但是接下来真正促使冷于冰抛家弃子,最终选择修道的直接原因还是因为角色的死亡。

与成公遇见道人的经历类似,冷于冰也同样看到杨继盛被斩,然而此刻的冷于冰悟出的不仅仅是官场的无常,更有生命的无常:想到死后不论富贵贫贱,再得人身,也还罢了,等而最下,做一驴马,犹不失为有觉之物,设或魂销魄散,随天地气运化为无有,岂不辜负此生,辜负此生。又想到王献述才六七十岁人,陡然得病,八日而亡,妻子不得见面罢了,还连句话不教他说出,身后事词组未及。中会做官一场,回首如此,人生有何趣味?便位至王公将相,富贵百年,也不过是一瞬间耳。想来想去,想的万念皆虚,由此而萌生了修仙求道的历程。

可以看到,作者的改编中,弱化的是故事的诡秘离奇性,而着眼点均放在了获得永生的目的上。求仙正是为了求生,这一目的成为作者改编的主要方向,也正是全书的主旨,其原因正在于和作者的目的相合。作者写作过程中同样需要借助文本来逃离病痛,因而如何摆脱死亡,治愈精神上的不顺畅,获得永生的幸福,才是文本中的核心焦点。

三、文本中的治疗功能形成分析

(一)以求生为目的的求仙所具有的治疗意义

"通过这种不受伤害、英雄不死的特性,我们似乎可以立即认出每场白日梦及每篇小说里的主角如出一辙,都是一个'唯我独尊的自我'。"从其经历可以看出,家境的变化遭逢的也有地位的沦落,而在现实中百般无奈的李百川在幻想的小说世界则是无所不能。求仙的过程在冷于冰看来是志在必得的,他在书中罕逢败绩,从初遇授道的仙人火龙真人开始,便被传授了雷火珠这一武器,而这一武器在对抗妖狐、猿不邪、老鼋等诸妖时无一不灵验,而冷于冰蒙传授此武器的初衷正是火龙真人所言:"我每知你山行野宿,因是出家人本等,奈学道未成,一遇妖魔鬼厉、虎豹狼虫,徒伤性命。"火龙真人与冷于冰的契合点正在于修道过程中对自身性命的保存,即使火龙真人所述修道艰辛历时太久,但在漫长的修道过程中却一再寻找机会保全冷于冰的性命,在雷火珠威力欠缺时,也有桃仙客这样的师兄弟施以援手,从冷于冰踏上修仙途中开始,基本处于一种相对比较安定的状态,生命并未受到致命威胁,知道最终修成正果,位列仙班,作者并未着眼太多于修道的艰辛与危难。最终在幻境中时,作者也假设了一种可能性,冷于冰私自炼制仙丹遭到天庭的捕捉,但这一看似波折的故事仍然只是虚幻,作者以冥冥中不能明言的天地定律充分在文本中满足了保存生命的渴望。

除了冷于冰外,其他人的经历也莫不如此,另一个可以在书中作为冷于冰对立面的人物便是温如玉,"清乾隆年间李百川的《绿野仙踪》并不是单纯的神怪小说……而且还为冷于冰安排了一个对比性的人物温如玉,寄托自己对人生的看法。""一冷一温,昭示出不同的人生道路。"[①]

这样一个和冷于冰对照的具有鲜明意义的角色,自三十六回"走长庄卖艺赠公子"才开始登场,书中用了三十七、三十八回,四十至四十四回,四十七至六十回,六十三至七十回近三十回的篇幅来写温如玉的家庭生活(包括在幻境之中),尤其是后面的与妓女金钟儿的情意,这些文字间或被冷于冰的修道之中的降妖除魔打断,但还是有自己的独立发展空间,插叙数回之后又会按下话头,或者通过冷于冰的行迹转移再次回到温如玉这边的描写中。温如玉家世也和冷于冰一样,颇有钱财的书香世家,形貌亦眉目清秀,唯一不同的是冷于冰曾勉力于仕途经济学问,然而功名一旦不可得,便最终放手,而温如玉则是耽于声色的纨绔子弟,家庭逢数次变故直至进入幻境南柯梦一场也不知醒悟,这样的人物正是陷于人世欲海,在"热"一字上不能把握自己的最好范例。但温如玉与冷于冰向道的动力却是完全一致的,"眼看将来也不过做一个饿莩罢了"。经过反复思索,感觉求生无路,最终一心向道。

温如玉和冷于冰的修道都可以简单总结为:惧怕死亡—有所醒悟—修道。对死亡的恐惧和对长生术的缺失是修道的主要原因,在《绿野仙踪》

[①] 刘勇强:《中国古代小说史叙论》,北京大学出版社2007年版,第342页。

中"病故"占有重要比例。如徐润拓总结的那样,主要人物的死亡一半以上都是因为"病故"①,而除此之外,"饿死"也有极其丰富的出场。饿死虽非主要人物死亡的主要原因,然而灾害造成的平阳百姓饿死,谷大恩遭报应饿死,严嵩遭报应饿死,在小说中也占了一定的篇幅。"饿死"的主要功能是:①导致人大批量地死亡;②是反面人物的报应死亡方式,并且是一种无法抗拒并且被作者视作凶狠的死亡方式。百姓易子而食的可怕境遇在作者笔下转换为冷于冰口中的劝谏,而制止这一情境的正是冷于冰的行侠仗义——杀赃官赈济百姓。正是借助道术的神奇,冷于冰神鬼并用,才完成了对百姓的救济。

于是冷于冰的修道到此地步,意义不仅是为了求自己的生存而寻仙访道,还多了为了更多人的生存而使用道术的含义,修道作为作者理想中的一种求生方式,和生命之间的联系显而易见,对生命的保护和求生的渴望的写作初衷贯穿于写作和文本之中。

(二)幻境产生的冥想对精神的治疗

如果是书中主要人物冷于冰的顿悟过程只借"日日睡觉"四字就简单概括完毕,其精神的苦痛来去迅速,那么书中其他人的精神治疗则是通过构建幻境和梦境来实现冥想的效果,从而完成治疗的。

梦境首先体现在作者的创作中,梦是促使作者完成《绿野仙踪》这样一剂良药的。从前文的叙述中可以看出,作者在写作的过程中,创作的人物也如同梦一般纠缠于他,因而处于创作热情产生的迷狂中的作者最终完成了《绿野仙踪》的创作。梦般感受所带来不受个人控制的动力使得在《绿野仙踪》一书中幻境与梦境均不断出现,重要的如温如玉甘棠梦,弟子炼丹幻境等等都是重要的促使悟道的途径。

如书中温如玉所作长达七回的甘棠梦被评价为"滥恶的陈套部分",因而遭到研究者的批评,然而究其整书,既然道术是保全性命的最高求生方法,那"梦"就总是起着帮助其他患病者寻找到这样一种方法的作用。

---

① 徐润拓:《〈绿野仙踪〉求仙主题中的死亡意识》,载《明清小说研究》2001年第3期,第238页。

这个延续"南柯梦""黄粱梦"而来的幻境具有缓解被压抑的焦虑和进入冥想境界的过程。"南柯梦"和"黄粱梦"均是通过一梦富贵荣华尽散的过程拉近幻想和现实的距离，由真及幻，因幻悟真，从而对人世产生厌弃。其基本过程一定是：某生潦倒，对富贵荣华渴望（一）—遇奇人异士（二）—做梦入幻（三）—幻境历经荣华（四）—幻境遇到死境（五）—惊醒悟幻（六），其中第二步或可视具体情况省略。

这种简单的模式之所以在古代的小说中不断运用，从唐传奇到宋元话本以及明清小说，作者们屡试不爽，正因为它和冥想过程有所契合。荣格在《东洋冥想心理学》里提到东方式冥想所具有的独特作用，"假如意识能够充分地扫净内容，其状态即一变而为无意识的——至少暂时如此"[①]，但是荣格也认为这样的冥想状态并不容易达成，"所以如要达到无意识内容最后的豁然贯通，长时间的特别修持是必要的"[②]。《绿野仙踪》作为一部道教小说也同样对这种最终被融入禅宗的顿悟过程的冥想有所借鉴，温如玉的屡教不改，最终一梦觉醒的过程同样具有着违背逻辑关系的奇妙意义，正是梦境的精神医疗作用独特所在。

在荣格看来，冥想从而产生扫清意识，无意识浮现的转换过程，对于精神医疗有着极大的启示，由于冥想而产生的"无意识的浮现""它所发挥的作用是莫之能御的""由于此时的意识心灵已陷入绝灭的死胡同，所以此种回应都带有开悟与启示的意涵"[③]。求仙小说中不断出现的幻境正具有这样扫除意识以窥探无意识的过程。无意识在书中被具象为大道的任意变化，不可捉摸，而意识之中却颇多杂余，以至于酿成精神和肉体上的病症。冷于冰为弟子所设的幻境之中，连城璧、翠黛、金不换、温如玉四人便是犯了这些妨害的病症，在序中侯定超也明确指出，这里也提出了"贪嗔

[①] 荣格：《东洋冥想的心理学：从易经到禅》，杨儒宾译，社会科学文献出版社2000年版，第163页。
[②] 荣格：《东洋冥想的心理学：从易经到禅》，杨儒宾译，社会科学文献出版社2000年版，第163页。
[③] 荣格：《东洋冥想的心理学：从易经到禅》，杨儒宾译，社会科学文献出版社2000年版，第164页。

爱欲"之类,随后还举出了书中"忘其所始,丧其所归"的人物,不仅仅有修道之人,也有尘世之人。作者之友为书所作的序显然已经明确了此书之中,这些缺点不仅仅是修道的阻碍,也是人世生活所必须避免的。

(三)哲理化隐喻中蕴藏的治疗需求

"非现实形象构成在表现人生哲理方面自有其传统,而《西游记》中的一些描写使这种哲理的表现从规模上、深度上以及技巧上都有所提高"[1],《西游记》中的哲理化层面比较明显,就是也将师徒四人取经的过程确定为一个扫除各种心魔的过程,例如"心猿归正,六贼无踪"的回目,便有深刻的宗教和哲理意味。而在《绿野仙踪》之中,作为作者好友的侯定超所作之序中将"冷""热"二字作为全篇的统领,可见序者也不单是看到了书中的情节以及人物描写,而投入了更多的精力在更深层的哲理上。而作者所言的哲理并非抽象化的理性条理,仍然是根源于人体的基本感受,即"冷""热"二字。作者通过这两个字,妄图建立起自己理想中的无疾病的精神状态。

首先是人物设置符号化作为全书的总体思想指导,冷于冰从名字的设置上便能看出,其父冷松"赋性古朴,不循情面"。故此被叫作"冷冰",而冷于冰更是"秋水为神,白玉做骨,双瞳炯炯,瞻视非常",也是从"冷"字着笔,更字"不华",于是冷于冰其人的整体设置便是全书所要表达的"藐然中处,参乎两仪"的基本准则。《西游记》中便常常称孙悟空为"金公",猪八戒为"木母",有将人物与特定五行联系起来的倾向,到了明末董说《西游补》中的故事中"鲭鱼精"名称的设置,则完全是符号化的结果。与《红楼梦》等小说中利用人名谐音而表达对人物性格或者遭遇的提示不同,符号化的姓名设置是对人物定位的框定,既限制了人物形象的丰富化,又使得小说呈现出鲜明的哲理化色彩,正是对原本处在世情生活中的人物的生活性的淡化。

作为"冷"的反面的"热"被明确化为"贪嗔爱欲","热者一念,分为千歧万径,如恒河沙数,不可纪极。而缘其督者,气也,财也,色也,酒之为害,

---

[1] 刘勇强:《中国古代小说史叙论》,北京大学出版社2007年版,第342页。

尚在三者之末"，"气热则嗔，财热则贪，色热则淫"。

李百川大谈"冷""热"二字的终极目的其实并非将其最终落实到修道的具体过程之中，这也正是《绿野仙踪》一书于宗教上少着力而充满现实意味的由来。侯定超为其作序大谈"冷""热"的主要目的仍然是治疗那些"不得与无情木石，有知鹿豕，守贞葆和，终其天年者，总由一'热'字摆脱不出者"，"终其天年"是最终目的，调节冷热之分也是于热中看到需要治疗的人群，而以冷热调节得方法达到治疗的效果。

四、精神纾解与治疗幻想——《绿野仙踪》具有的独特治疗意义

在明清清一色的升官晋爵、封妻荫子的文人小说中，《绿野仙踪》具有自己独特的特点，尤其是和约略同时夏敬渠所著的《野叟曝言》相比，《绿野仙踪》的变化更是巨大的。《野叟曝言》中的文素臣二妻四妾，子孙众多，神化的部分不过是为了其平定天下，成为第一贤臣而服务的，因而多嗣是必须保证其能够在一段时期都具有影响力的保证。而《绿野仙踪》中李百川的目的却始终如一，只有"求长生"，虽然也难舍儿子和妻子，但离开家毅然决然，瞬间便将眼前的夫妻儿女、家庭财产看作"苦海汪洋，回头是岸"。可见在冷于冰看来，可以保持肉体长期存在的途径只有修道，这与《西游记》中大闹天宫之前的孙悟空颇有相似之处，孙悟空的求道也正是为了长生成仙，一样是对肉体消亡的恐惧，但与之相较，《绿野仙踪》的作者一直将求生的目标贯彻始终，虽然有冷于冰兼济天下救助灾民的从个人求生到群体求生上升的情节，然而最终的结局仍然是冷于冰一人位列仙班，获得永生。

与书中幻想世界的治疗可以兼顾精神和肉体两个方面不同，在现实中的李百川并不具备修道的条件和举动，于是《绿野仙踪》这样一部幻想中具有治愈作用的书对他更多的是精神上的慰藉，现实苦闷的排遣，并且于书中构建可以超越生死的人物，从而从中取益。从这层意义上说，《绿野仙踪》治疗作用是两个层面的：其一是可以借由写作回归李百川读

过的神鬼小说,满足书写的欲望,于中重新获得对往昔生活的怀念,抽空意识对现实的关注,而投入无意识的怀抱;其二是构建一个幻想中的对肉体和精神均有治疗作用的世界,由中抚慰精神,从而获得治疗精神的效果。

参考书目

李百川　《绿野仙踪》(百回本),侯忠义整理,北京大学出版社1986年版。

荣格　《东洋冥想的心理学:从易经到禅》(百回本),侯忠义整理,杨儒宾译,社会科学文献出版社2000年版。

普罗普　《故事形态学》,贾放译,中华书局2006年版。

王士禛　《池北偶谈》,中华书局1982年版。

凌濛初　《即空观主人批点二拍:〈初刻拍案惊奇〉》,天津古籍出版社2010年版。

徐润拓　《〈绿野仙踪〉求仙主题中的死亡意识》,《明清小说研究》2001年第3期。

张俊　《清代小说史》,浙江古籍出版社1997年版。

刘勇强　《中国古代小说史叙论》,北京大学出版社2007年版。

高小康　《中国古代叙事观念与意识形态》,北京大学出版社2005年版。

董建华、王学灵　《论〈绿野仙踪〉文化内涵的多元性》,《呼兰师专学报》2002年第3期。

鲁迅：在医生与患者之间

高旭东

鲁迅学过医，弃医从文后又成为诊断与疗治我们民族精神痼疾的"医生"，这大概是人所共知的常识。然而为人们所忽视的是，在成为伟大的"医生"之前，鲁迅首先也是一位"患者"。由于受中国传统与西方现代人学思潮的影响（叔本华、尼采等），鲁迅的思维方式基本上也是轻逻辑分析，重直觉体悟。因此，鲁迅对民族精神痼疾的发现与揭露，很大程度上是主体体悟与自我剖析的结果。从这个意义上说，正是作为"患者"的深切感受，造就了鲁迅作为"医生"的天才与伟大。

一

学人考究鲁迅学医的动因，一般都以鲁迅自己的话为证，即父亲得病，中医乏术，以及学好西医可以促进国民对于维新的信仰。但是，鲁迅自少年始瘦弱不健壮的身体状况，也不应排斥在诸多原因之外。鲁迅七八岁即患龋齿，后来便一直担心脱牙，二十六七岁时便有了全部镶牙的必要。牙病又削弱了胃功能，造成消化不良、食欲不振等症，成年后又患胃扩张症、肠弛缓症。加之他患的胸膜炎、支气管哮喘、肺结核等症,使他只活了五十六岁。而给他诊病的美国医师邓(Dunm)说:如果是欧洲人,早在五年前就已死掉了。

当然,身体的病弱并不就是精神的病弱。鲁迅不但有中、西、印三大文化广博的学识,有看透事物的犀利眼光,而且也有浓烈而丰富的情感世界,有不屈服的硬骨头精神。精神的病弱怎么会与鲁迅联系上呢?但我们不应该忘记,鲁迅在去南京求学之前,未有任何西方的学识,甚至在南京求学期间他也曾返乡参加过科举考试。倘若中国传统文化真像五四时期的鲁迅所斥责的那样,是"脓疮"与"梅毒",那么,这些病毒是不可能不传染给鲁迅的。曹聚仁在其《鲁迅传》中,曾说鲁迅也是阿Q。不加论证地说鲁迅就是阿Q,自然是荒诞的。因为阿Q与鲁迅代表着我们民族精神对立的两极:一个于逆境中发现顺境,于屈辱中感到自满;一个则是"于浩歌狂热之际中寒,于天上看见深渊"。一个是愚昧而"永远得意的";一个则是清醒而悲苦的。然而,善于直觉体悟的鲁迅,显然是感受过阿Q的精神胜利法的。鲁迅出身于破落户人家,家道中衰时闲人对他的嘲弄和白眼,使他要生存下去也只有求助于"精神胜利法"。加之整个中国文化在西方打击下的衰败,对于未接受西学的鲁迅来说,也只能以文化优胜来自慰。不仅如此,鲁迅即使在接受西学从睡梦中醒来后,也曾求助于"精神胜利法"。一次是在办《新生》流产与辛亥革命失败后,鲁迅"用了种种法,来麻醉自己的灵魂,使我沉入于国民中,使我回到古代去"。一次是在大革命失败后的腥风血雨中,鲁迅说他被血的游戏吓怕了,并"在救助我自己,还是老法子:一是麻痹,一是忘却。"

阿Q及其精神胜利法,显然在鲁迅看来是中国国民精神病态的表现。然而从上面的分析可以看出,阿Q相与精神胜利法,并不仅仅是鲁迅超然物外的观察所得,而是鲁迅曾深深体验过的。鲁迅曾以救治国民精神痼疾的医生自任,但在成为医生之前,他首先也是一个患者。甚至在他成为疗救国民精神的医生之后,也未切断与患者的精神联系。

二

　　文学具有疗治病痛的作用,希腊的亚里士多德在《诗学》中,就认为悲剧是借引起怜悯与恐惧来使这种情感得以 katharsis(古希腊语:净化)。在公元前5世纪的希腊,katharsis 主要是指一种医疗手段,即把身体中多余的东西宣泄出去,以此达到健康的目的。但是,鲁迅却无法如此"为艺术而艺术",他将文学作为疗治精神痼疾的手段,有着鲜明的现实功利目的。这源于他学医时在日本的幻灯片上看到同胞给俄国人做侦探而被日军砍头示众的情景,这位强壮的国民精神上的麻木给了鲁迅强烈的刺激。自此之后,鲁迅"便觉得医学并非一件要紧事,凡是愚弱的国民,即使体格如何健全,如何茁壮,也只能做毫无意义的示众的材料和看客,病死多少是不必以为不幸的。所以我们的第一要著,是在改变他们的精神,而善于改变精神的是,在那时当然要推文艺,于是想提倡文艺运动了。"这就注定了,鲁迅的弃医从文所肩负的启蒙重任,即如何将阿Q式的愚弱昏睡的国民唤醒,使之成为狂人式的觉醒战士。这样,鲁迅就从治疗个人病痛的医生变成了医治民族精神痼疾的医生。

　　在弃医从文之前,鲁迅发表的《斯巴达之魂》主要着眼于身体的壮健,要国民像斯巴达壮士一般,强健其筋骨,野蛮其体魄,以抵抗外寇的入侵。而在弃医从文之后,鲁迅发表的《文化偏至论》与《摩罗诗力说》,就从文化与文学的角度着眼于改造国民的精神了。1918年1月,鲁迅在致许寿裳的信中说:"吾辈诊同胞病颇得七八,而治之有二难焉:未知下药,一也;牙关紧闭,二也。"[①]在《热风》中,鲁迅又要以新文化的六六六,去医治国民劣根性之梅毒的遗传。《狂人日记》的文言题记中说,小说是将狂人的二册日记中"撮录一篇,以供医家研究"。小说《药》中的主人公夏瑜与华老栓,都在求医问药。前者寻找救国救民的药,后者为儿子寻找治病救命的药。因为二者不能沟通,结果是夏瑜的血成了救治华小栓痨病的药。小说也暗示了救国救民的药方,即改造华老栓们的精神,使之觉醒而不再将革命者

[①] 鲁迅:《鲁迅全集》第11卷,人民文学出版社1981年版,第345页。

的血当成治病强身的药。小说以"药"为题,也表明了作者作为民族精神痼疾之医生的职责。鲁迅后来在回忆自己为什么作小说时,仍说其主旨在揭出病苦,以引起疗救者的注意。

张定璜说:"鲁迅先生站在路旁边,看见我们男男女女在大街上来去,高的矮的,老的小的,肥的瘦的,一大群在那里蠢动。从我们的眼睛、面貌、举动上,从我们的全身上,他看出我们的冥顽、卑劣、丑恶和饥饿。……我们知道他有三个特色,那也是老于手术富于经验的医生的特色,第一个,冷静;第二个,还是冷静;第三个,还是冷静。"[1]正是这种医生手持解剖刀式的冷静,使别人在面对花香虫鸣而诗兴大发的时候,鲁迅却吟出了"野菊的生殖机官下,蟋蟀在吊膀子"的诗句。当然,"三个冷静"是无法概括鲁迅作品的总体风格的,因为在"三个冷静"下面,可以发现鲁迅丰富的热情。"死火"——火一样的热情也在冰一般的冷静之中,并具有撼人心魄的强力,才构成了鲁迅作品的总体风格。然而,鲁迅作品冷峻的一面,也确实与他的学医不无关系。鲁迅后来回忆自己作小说的准备时说,他靠的是读了百来篇外国小说和一点医学的知识。将医学的知识渗透到小说的写作中,是鲁迅自己意识到了的。鲁迅在技巧纯熟的散文诗《复仇》中写道:

> 人的皮肤之厚,大概不到半分,鲜红的热血,就循着那后面,在比密密层层地爬在墙壁上的槐蚕更其密的血管里奔流,散出温热。……
>
> 但倘若用一柄尖锐的利刃,只一击,穿透这桃红色的,菲薄的皮肤,将见那鲜红的热血激箭似的以所有温热直接灌溉杀戮者;其次,则给以冰冷的呼吸,示以淡白的嘴唇……

从这段文字中也可以看到一种医生解剖式的冷静。因此,医生式的冷峻是贯穿于鲁迅所有文体之中的。

---

[1] 张定璜:《鲁迅先生》,见李宗英、张梦阳:《六十年来鲁迅研究论文选》上册,中国社会科学出版社1982年版,第33—34页。

三

我们在第一节中描述了作为患者的鲁迅,在第二节又描述了作为医生的鲁迅,这种割裂显然无法较为准确地把握鲁迅,因为鲁迅的伟大,恰好在于他既是医生又同时是患者。倘若仅仅是民族精神痼疾的患者,那么,他就无法成为揭露国民性的启蒙家。倘若仅仅是疗治民族精神痼疾的医生,那么,他就无法深切地体验这种精神痼疾,从而使他的揭露也只停留在外在的观察思考,而失却了反省批判的深刻性。鲁迅精神的这种复杂性,非但没有损害而且是增加了他作为文化伟人的高度。

鲁迅作为承担着启蒙使命的医生,从共时性的角度看,是以新文化的清醒去唤醒沉睡的国民;从历时性的角度看,则是以新文化反叛传统文化,在文化观念上实现现代化。但是,鲁迅不仅从传统的国民中来,而且在启蒙受挫的精神痛苦中,又会"沉入于国民"中。唯其出自传统的国民,他对国民的性格就看得格外透彻,剖析起国民心理来也就格外深刻。鲁迅劝青年少或者不读中国书,就有人嘲讽说,你鲁迅读了那么多的中国书,有什么资格劝别人不读中国书?鲁迅说,唯其自己读了很多中国书,深知其害,故而发此论。鲁迅对中国传统的罪恶有着深切的感受,所以其反传统比别人都来得激烈;然而他又深知自己在道德价值与审美趣味上对传统的承担。他的激烈反传统(启蒙医生)与对传统的承担(沉睡的患者)有时会各自走到极端,使他在告别传统走向现代化的路途中,显露了我们民族心灵的全部危机感和复杂性。

过去的鲁迅研究中,只注重阐发作为医生的鲁迅,而忽略乃至有意避开了作为患者的鲁迅,结果就造成了圣化或神化鲁迅。"神圣"固然不可侵犯,不过也与一般人拉开了距离,使鲁迅成为离我们愈来愈远的他者。对于鲁迅杂文中反语式的自剖,人们并不认真对待,而是说鲁迅在批判别人。对于鲁迅的小说,人们会以小说的虚构性为由,不将小说中的人物与鲁迅的自剖联系起来。《野草》虽然是表现主体对存在的体认的,但又朦胧难懂,不确定性很大。因此,具有讽刺意味的是,以善于自剖而感到自己并不渺小的鲁迅,后来却被简化或歪曲,成了比鲁迅批判过的"正人君子"

更为超俗的神。以小说为例,虽然鲁迅说小说"大抵是借别人以叙自己,或以自己推测别人的东西",而《在酒楼上》《孤独者》和《弟兄》等小说中的吕纬甫、魏连殳、张沛君等是鲁迅深刻自剖的产物。但一些研究者却说,鲁迅是站在"天上"对"地上"的这些革命的落伍者、个人主义者和自私自利者进行了无情的批判和揭露。假如鲁迅在世,那么会对文本与接受者之间的距离之大感到吃惊,然后对接受者不顾他的话而胡乱阐释表示愤怒,因为他早就说过:"我的确时时解剖别人,然而更多的是更无情地解剖我自己。"而鲁迅之所以是比一切胡适、梁实秋们相加都伟大得多的艺术大师,恰恰在于他对于自我乃至整个民族的精神痼疾敢于正视和揭露,由此而表现了一种惊人的坦诚。

鲁迅对萧伯纳的评论或许对于更为准确地把握鲁迅有所帮助:"假使萧也是一只蛆虫,却还是一只伟大的蛆虫……譬如有一堆蛆虫在这里罢,一律即即足足,自以为是绅士淑女,文人学士,名宦高人,互相点头,雍容揖让,天下太平,那就是全体没有什么高下,都是平常的蛆虫。但是,如果有一只蓦地跳了出来,大喝一声道:'这些其实都是蛆虫!'那么,——自然,它也是从茅厕里爬出来的,然而我们非认它为特别的伟大的蛆虫则不可。"同理,当国人在"地大物博,人口众多,道德天下第一"中陶醉时,鲁迅却指出了他们是病态社会文化中的患者,自然鲁迅也曾是患者,但却是伟大的患者。鲁迅自己就说,他从旧营垒中来,对旧事物看得格外分明,是故反戈一击,易致敌于死命。

四

我们上面讨论的患者(沉睡的国民)与医生(唤醒国民的启蒙者)之间的关系,基本上还是从理性的层面上立论的。而从非理性的层面上看,非传统的现代文化仍有其病态的一面。尼采、波德莱尔、陀思妥耶夫斯基、安特莱夫、阿尔志跋绥夫等等,作为现代文化的开路人与艺术家,其天才也都有病态的一面。而这些哲人与艺术家对鲁迅的影响是巨大的。胡适与周作人等在五四都是理性启蒙的代表,周作人就对鲁迅喜爱尼采与安特莱夫不能理解,他甚至认为鲁迅对这些病态天才的喜爱,可能与他喜爱李贺有关。

较早注意到鲁迅天才中病态一面的是夏济安。他认为鲁迅在一个层面上确是五四除旧布新(医生救治患者而走向光明)的代表,但在另一个层面上又体现着一些超越历史的更深刻的冲突。"鲁迅是一个善于描写死的丑恶的能手。……丧仪、坟墓、死刑,特别是杀头,还有病痛,这些题目都吸引着他的创造性的想象,在他的作品中反复出现。各种形式的死亡的阴影爬满他的著作。"对于"女吊""无常"等令人毛骨悚然的主题,鲁迅以极大的热情加以讨论,"死的美和恐怖,透过浓厚的白粉和胭脂的假面,窥探着生命的奥秘"。鲁迅天才中这病态的一面"使他看起来更像卡夫卡的同代人而不是雨果的同代人","仅仅把鲁迅看作一个吹响黎明号角的天使,就会失去中国现代历史上一个极其深刻而带病态的人物"。①

鲁迅天才中病态的一面,更多受到了世纪末思潮的影响,而这一点也恰好为夏济安所忽视了。以叔本华、克尔凯戈尔、尼采等人的哲学为基础的世纪末思潮,亦称"世纪病",更多地强调了人的孤立无援、理性的虚妄,从而导致了非理性主义的蔓延以及绝望与颓废主义。鲁迅在《文化偏至论》中对这一思潮及其代表人物做了详尽的介绍,以为这将成为新世纪的曙光。对这一思潮推波助澜的诗人与小说家,如波德莱尔、陀思妥耶夫斯基等,都为鲁迅所看重。五四时期,鲁迅借助日文和德文向国人介绍波德莱尔这朵"恶之花"。对于陀思妥耶夫斯基,鲁迅更是津津乐道。鲁迅说他"用了精神的苦刑",将笔下的人物送到"那犯罪,痴呆,酗酒,发狂,自杀的路上去",以示其"残酷的天才"。鲁迅也深知其天才中病态的一面:"凡是人的灵魂的伟大的审问者,同时也一定是伟大的犯人。"对于给鲁迅的小说创作以很大影响的安特莱夫,鲁迅以理性是虚妄的,绝望是有大威力的等语,来概括其思想。而集厌世、颓废、肉欲、破坏之大成的阿尔志跋绥夫,也很为鲁迅所看重,并译了其《工人绥惠略夫》"这一本被绝望所包围

---

① 夏济安:《鲁迅作品的黑暗面》,乐黛云译,见乐黛云:《国外鲁迅研究论集(1960—1980)》,北京大学出版社1981年版。

的书"。因此,世纪末病态的"恶之花",正是鲁迅天才中病态一面的渊源。直到后期,鲁迅还津津乐道病态的诗人王尔德与画家比亚兹莱(A. Beardsleg)。

世纪末思潮对鲁迅的影响,使鲁迅的启蒙也打上了悲观的烙印,而与陈独秀、胡适乐观主义的启蒙不同。陈独秀、胡适以为沉睡中的国人是病苦的,走出愚昧状态就可以获得欢乐和幸福。与此相反,鲁迅认为"做梦的人是幸福的",梦醒的人却是悲苦的:"人若一经走出麻木境界,便即增加苦痛,而且无法可想。所谓'希望将来',不过是自慰——或者简直是自欺——之法"。因为抛开了此刻当下的存在,而去"希望将来",这种希望"正如信徒的上帝"。陈独秀、胡适告诉笼中之鸟,飞出来吧,到自由的蔚蓝色的天空中,到处都是阳光和新鲜的空气!鲁迅也召唤鸟儿从笼中飞出来,但他告诉鸟儿,飞离群后,你是孤立无援的,你不但要对付凶恶的鹰,对付向你侵袭的暴风雨,而且还要以强力意志独自承担面对死亡的悲哀与绝望。在这里,鲁迅病态的悲观绝望比陈独秀、胡适理性的乐观主义更为深刻,也更能表现现代人的生存困境。梁实秋就很看不惯鲁迅的这种情感方式,他从古典主义的立场出发,在健康与理性的大旗下对鲁迅进行了否定。他也告诉鸟儿,飞回笼里吧,笼里有秩序。因此,鲁迅与梁实秋之争,是现代人的情感方式与古典的理性主义的冲突。

散文诗《野草》所表现的,正是一只飞出笼中的鸟儿以强力意志独自承担面对死亡的悲哀与绝望。在《一觉》中,鲁迅"宛然目睹了'死'的袭来,但同时也深切地感着'生'的存在"。然而生的存在却由于人的孤立无援而陷入大悲苦与大绝望之中。"希望"是什么?它不过是哄骗人的娼妇,然而在空虚之中,也只好"用这希望的盾,抗拒那空虚中的暗夜的袭来,虽然盾后面也依然是空虚中的暗夜。"(《希望》)要与空虚中的暗夜肉搏,却又发现面前竟至于没有真的暗夜,所有的是一座荒坟。于是,他只有面对死亡来体认此刻当下的存在。他发现自己不过是一个影,黑暗会吞并我,"光明又会使我消失"(《影的告诉》)。要把握存在的本真的确是困难的:"抉心自食,欲知本味。创痛酷烈,本味何能知?"(《墓碣文》)"痛定之后,徐徐食之。然而其心已陈旧,本味又何由知?"尽管如此,这只自由的鸟儿不但无返回笼子之意,而且还化为恶鸟——"叛逆的猛士"与"这样的战士",向着鸟笼掷去了投枪。他觉得布施与恩惠会妨害孤独的主体的自由选择,就加以诅咒:"倘使我得了谁的布施,我就要像兀鹰看见死尸一样,在四近徘徊,祝愿她的灭亡,给我亲自看见;或者咒诅她以外的一切全都灭亡,连我自己,因为我就应该得到咒诅。"(《过客》)鲁迅本人也深知其天才中病态的一面,说自己灵魂中有"毒气和鬼气"。而鲁迅面对墓碣的自剖的确是令人毛骨悚然的:"有一游魂,化为长蛇,口有毒牙。不以啮人,自啮其身……"

　　行文至此,或许有人会说,鲁迅不是又由医生变成患者了吗?然而后一种意义上的患者与前一种意义上的患者是极为不同的。前一种意义上的患者的病症是昏睡在传统之中麻木无知,愚昧不觉悟,疗救之道在于新文化的启蒙。而后一种意义上的患者却正是以新文化反传统之后,觉醒的个人从传统的牢笼走出来,在自由的荒原上体认存在的结果。因此,这种病症才能够穿越空间,表现出整个现代人的困境。对于这一种病症,最好的疗救方法是艺术。鲁迅就认为,诗人是苦痛的夜莺,艺术是苦闷的象征。

《黄帝内经》与中医神话

黄景贤

　　《黄帝内经》不但是中医的经典著作，而且对于我国古代的哲学、天文学、神话等，都有着重要的研究意义，关于其哲学、天文学的研究，已达到了相当的水平，但在《黄帝内经》与神话方面的研究，据笔者所知，目前尚属空白。

　　《黄帝内经》包括《素问》和《灵枢》两部分，但《灵枢》现存本1155年（绍兴乙亥）才由史崧氏将其家藏的《灵枢》9卷，共81篇，重新校正，扩为24卷，并附加音释镂版刊行，比《素问》晚出了一千多年。这一传本与唐人王冰所见的传本，在篇目和文字上并不完全相同。史崧传本出现后，对同期先后在金朝流传的《灵枢》传本有很大的影响，据文献记载，后者与前者本有不同，但在1249年李杲氏，1308年王好古氏和1315年朱丹溪氏等的著作中，均直接援引自史崧本的《灵枢》。且《灵枢》在史崧前有《九卷》《九墟》《九灵》《针经》等，名称相当混杂[1]，其行文亦与《素问》明显不同（详见下文），故本文的讨论主要以《素问》为对象。

---

[1] 马继兴：《中医文献学》，上海科学技术出版社1990年版，第80—82页。

一、《素问》书名与神话的关系

关于《素问》书名的来源,历来说法不一,权威的意见是取林亿等《新校正》据《周易·乾凿度》的提法:"夫有形者生于无形,故有太易,有太初,有太始,有太素。太易者,未见气也。太初者,气之始也。太始者,形之始也。太素者,质之始也。"所以《素问》乃是对人体形质形成后所发生的有关问题,通过问答进行阐明。至于不名"问素"而名《素问》者,正如丹波元胤所谓"犹屈原有'天问',是倒置而下字尔"。① 丹波氏的说法很有启发意义,现代《楚辞》研究专家萧兵同意游国恩先生"盖《天问》之义,与《素问》略同"的说法,并指出:"《素问》虽然不必是《天问》,不像《天问》那样恢宏奇伟,广涉宏微,提出许多有关宇宙以及宇宙影响下的人事问题,但它也努力从'天人相应'的角度探讨人体机能、变化与宇宙结构、运行的哲学性问题——这是时代的气派,时代的风格"。② 罗漫先生说:"先秦哲人讨论问题,往往采用问答的形式,故《管子》有《问》《小问》《主问》《桓公问》,《墨子》有《鲁问》,《列子》有《汤问》,《荀子》有《尧问》,《黄帝内经》有《素问》,《鹖冠子》有《学问》,甚至《论语》中也有《宪问》,出土的《齐孙子》有《威王问》《十问》,如此看来,《天问》也不过是春秋战国的区区一'问'!"至于其名为《天问》,亦如"名家著作中的'问',乃是取开头一语或数语中的要点来命题"。③ 饶宗颐先生说:"先秦典籍,每每于篇中发为问答。"特别举出《庄子》里的《逍遥游》《齐物论》《大宗师》等和马王堆汉墓出土的《老子》《十大经》为例,指出:"这种问答文体在战国末期很是盛行。"④ 春秋时期孔子及其一些弟子的言行集《论语》,就是摘取每篇第一句的两个

---

① 山东中医学院,河北医学院:《黄帝内经素问校释》(前言)(上册),人民卫生出版社1982年版,第7—8页。
② 萧兵:《楚辞的文化破译:一个微宏观互渗的研究》,湖北人民出版社1991年版,第890页。
③ 萧兵:《楚辞的文化破译:一个微宏观互渗的研究》,湖北人民出版社1991年版,第890—891页。
④ 转引自萧兵:《楚辞的文化破译:一个微宏观互渗的研究》,湖北人民出版社1991年版,第887页。

字作为篇名。① 现在通行的《黄帝内经素问》,已经过王冰的重新编次,据《皇汉医学丛书·总类(一)·素问识》(世界书局,1935年版)所述在唐代王冰重新编次之前的隋代全元起本(已失传)卷目第一卷,第一篇是《平人气象论》,本篇的开头是:"黄帝问曰:平人何如?"正与罗说一致。

据上所述,这里有两个问题:第一,根据《天问》即《问天》,则《素问》就是《问素》,从《平人气象论》乃至整个《内经》的内容来看,这个"素"是否作"素常""平常",即所谓的"平人"解,更符合其本意呢? 第二,《天问》为神话的渊薮,前引罗漫先生所列诸《问》,均涉神话,故《黄帝内经素问》似亦应与神话有关。

关于这两个问题,笔者均持肯定的意见,支持第一个问题的理由是:①"素"字,《说文解字》曰:"白致缯也。"王力先生讲得更明白:"指没染色的生绢帛"②,结合"素,故也"③,"素"的本义应为"本来的、原来的"(未曾染色的生绢帛),引申为没有生病的正常人。②《素问·平人气象论》着重讨论正常人的脉气与脉象,并以之与病人的脉象相对照,以诊断病情的变化,其他篇章均是围绕有关问题而展开,故《素问》就是指黄帝与岐伯等通过讨论正常人的生理现象,来认识人体的病理变化,并给予诊断和治疗。③中医的特点是重功能轻形质,在生理方面着重从整体上把握,而不注重其局部的结构形态;在病理诊断方面,主要是定性(辩证),而不是定量,所以如果认为《素问》是讨论人体形质形成后所发生的有关问题,这种提法是笼统的,因为人体形质形成后所发生的有关问题,既可以是功能的也可以是器质的,还可以是心理的,等等,因此是欠妥的。④中医的生理和病理并没有像现代医学那样明确分开,而是从生理来推断病理,其方式是,正常情况下是这样,反之则为有病,故《素问》不但讨论生理的问题,也包括病理的变化。至于第二个问题,关于《黄帝内经》与神话,并不是空穴来风,下面对有关问题进行探讨。

---

① 王力:《古代汉语》(第一册)(修订本),中华书局1981年版,第177页。
② 王力:《古代汉语》(第三册)(修订本),中华书局1981年版,第943页。
③ 阮元:《经籍纂诂》,成都古籍书店1982年版,第689页。

二、托古还是神话传说

《黄帝内经素问校释》指出:"关于《素问》的作者,虽然书名冠以'黄帝'二字,但这只是假托,该书实与传说中的历史人物黄帝,并无牵涉。故此,编著者已难确考。"①这是关于《素问》作者很有代表性的观点,这段话的关键处有两点:第一,承认黄帝是传说中的历史人物;第二,《黄帝内经素问》一书,是假托黄帝之作。说黄帝是传说中的历史人物是对的,这里要注意的是"传说"两个字,关于黄帝的传说是远古时代的产物,与神话的产生恰好同一个时期,传说则是神话的流传形式,故不能排除《黄帝内经》与神话有关。中国历史上由于各种原因,存在着一部分伪书,这种情况在中医古籍文献中亦有,有些人以一般人崇古的心理作为假托的依据,把《黄帝内经》《神农本草经》《难经》等中医经典著作均看作"伪书"②,这是不对的。关于伪书,中医文献学权威马继兴氏的观点比较可靠,他说:"旧时书商为了牟利居奇,每多伪装古书。其造伪方式或本属后世著作而伪称古书,或原系近刊而妄作古版,或改变书名,或变更撰者等形形色色不一而足"③。按照马氏所说,伪书是后世所为,所谓"本属后世著作而伪称古书,或原系近刊而妄作古版",《黄帝内经》出现极早,自有文字以来的殷商、西周、春秋时期的大量简帛医籍佚文,即有所反映,书名最早见于西汉的《七略》一书,其定稿时期应不晚于战国时期。所以《黄帝内经》是名副其实的、源远流长的经典著作,早已得到社会的公认,在这种情况下,作伪是不大可能的,只有在版本上作伪的可能。

现在我们回到黄帝是传说中的历史人物这一问题上来,因为黄帝与中医的经典著作《内经》有关,大量的有关中医的神话均围绕黄帝而展开。史学名著《史记》记载着黄帝的传说,前引马氏所说,殷商、西周、春秋时期的大量简帛医书佚文,已有《黄帝内经》的反映,那么有关黄帝的传说更可

---

① 山东中医学院,河北医学院:《黄帝内经素问校释·前言》(上册),人民卫生出版社1982年版,第3页。
② 秦玉龙:《实用中医文献学》,南开大学出版社1987年版,第43页。
③ 马继兴:《中医文献学》,上海科学技术出版社1990年版,第360页。

推到史前,这无疑是神话传说了。陆宗达先生说,汉代搜求六经旧籍有两个来源。一是凭记忆,靠背诵,口耳相传下来的,《黄帝内经》可能也是这样传下来的。《内经》有"祝由",陆宗达先生说:"《说文》有'祝'字,训'祭主赞词',今则以祝为庆祝、祝贺字,又别制'咒'字为诅咒字。"①可见祝与咒通,均涉及神话,《马王堆汉墓医书》有"杂禁方",专讲祝由之法。神话传说为"集体创作",这与某一书商的伪托所为是不同的,而且神话传说源远流长,并不是在后世才出现的,与伪托在时间上不相符,神话传说在流传过程中,经过很多人的加工润色、提高与升华,但这些人只是收集整理而不是作者,这就是民间传说、神话故事均没有作者署名的原因,神话传说本来就由古而来,故无须托古。后世有些人鉴于神话的巨大威力,故意制造"神话",君不见凡是"黄六先生"者,无不是不学无术之辈,但均谓其术得自"祖传"或"仙授"。从现代的意义上来说,《黄帝内经素问》的著作权应归于唐代的王冰,因为王冰是《黄帝内经素问》的收集整理者,正如民间故事、传说、民歌等的著作权归于收集、整理者一样,我国西部歌王王洛宾一生收集、整理、加工了很多的新疆民歌,这些民歌均署名王洛宾收集整理,法律上也承认他的著作权。故笔者建议,《黄帝内经素问》应注明"唐·王冰收集整理"。这样做有两个意义:第一,明确《黄帝内经素问》是由神话传说而来;第二,承认王冰对《黄帝内经素问》收集整理的贡献,并为从王冰的角度来研究远古经典著作开辟一条有效的途径。

三、黄帝其人及其臣子

关于黄帝的传说很多,《中国神话传说词典》对此有比较详尽的记载,摘录如下:

> 黄帝,亦作"皇帝"。皇帝者,皇天上帝之谓。……黄帝最初之神职盖为雷神。"附宝见大电光绕北斗枢星,照耀郊野,感而

---

① 陆宗达:《说文解字通论》,北京出版社1981年版,第68—69页。

生黄帝轩辕于青邱"(《河图稽命征》),"黄帝以雷精起"(《河图帝纪通》),明述黄帝起于雷电。"轩辕,主雷雨之神也"(《春秋合诚图》),此即其神职。"轩辕十七星在七星北,如龙之体,主雷雨之神"(《大象列星图》),此则为其星象。所举诸事,无不与雷有关。黄帝以雷神崛起而为中央天帝,乃又有黄帝胜四帝之说。……黄帝既胜四帝,神国组织于以建立,于是乃有如《淮南子·天文训》所描绘之美妙景象:"东方木也,其帝太皞,……南方火也,其帝炎帝,……中央土也,其帝黄帝,……西方金也,其帝少昊,……北方水也,其帝颛顼……"黄帝遂为五天帝之中央天帝。黄帝神话之主要部分,当为黄、炎战争,其中与蚩尤之战尤为激烈。……炎帝兵败,蚩尤崛起,为炎帝复仇。……蚩尤兵败被诛,而又有夸父、刑天、共工之属……为炎帝、蚩尤复仇,……黄帝既杀蚩尤,乃又有作乐庆功、蚕神献丝等神话出现。至于《山海经·西次三经》称黄帝在峚山服食玉膏,《史记·封禅书》称"黄帝采首山铜,铸鼎于荆山下,鼎既成,有龙垂胡髯下迎黄帝,黄帝上骑,群臣后宫从上者七十余人"云云,则为黄帝神话仙话化之开始。①

从以上引文来看,黄帝是中华民族的共同祖先,如范文澜先生所说:"古书中关于黄帝的传说特别多,如用玉(坚石)作兵器,造舟车、弓矢、染五色衣裳,嫘祖(黄帝正妻)养蚕、仓颉造字,大挠作干支,伶伦制乐器,虞、夏二代禘祭黄帝(尊黄帝为始祖)。这些传说多出于战国、秦、汉时学者的附会。但有一点是可以理解的,即古代学者承认黄帝为华族始祖,因而一切文物制度都推原到黄帝。"②黄帝与《内经》的关系,早在西汉时的《七略》(后为《汉志》转引)一书中的"方技略"及"诸子略"所著录③,后世均持

---

① 袁珂:《中国神话传说词典》,上海辞书出版社1985年版,第347—348页。
② 范文澜:《中国通史简编》第一编,人民出版社,1955,第89页。
③ 马继兴:《中医文献学》,上海科学技术出版社1990年版,第69页。

此说,如清人陈修园的《医学三字经》一开头就说:"医之始,本歧黄,灵枢作,素问详。"岐伯,雷公见于皇甫谧的《帝王世纪》,皆称"帝臣",而鬼臾区、伯高、少师、少俞则无记载。

既说黄帝是神话传说人物,那么关于黄帝的遗物,如黄帝陵等是怎么回事,其与中医学又是什么关系?其实这并不难理解,这种神话传说往往是假中有真,真中有假,如刘三姐是壮族传说中的神话人物,但古籍多有记载,并有多处遗迹。从神话的角度看,黄帝是无数古人的缩影或化身,故关于黄帝的传说(包括医学),如果落实到具体的某一个人身上(事实上也不可能),就失去真实性,如果从整个中华民族来看,则透露出某种事实。在文字产生以前,传说对知识的传播和发展起着不可估量的作用,如壮医直到几十年前,还是靠口耳相授的方式而流传下来的。文字产生以后,会有相应的记录,并遵循着由简到繁,由不完善到较完善的过程。正如《中国医学史》所说:"1973年底,长沙马王堆三号汉墓出土了大批简帛医书。……《内经》所述十二经脉,正是在帛书所述十一经脉的基础上发展起来的。由此可知,在《内经》成书以前,曾有过更为古老的医学文献。这一点,我们还可以从《内经》本身的记载中找到例证。有人统计,《内经》所引用的古代医书达二十一种……这些已佚的古代医学文献,还可以从《史记·扁鹊仓公列传》中找到某些印证。可以说,《内经》正是在上述各类更原始、更古老的医学文献的基础上,经过医学家们不断加以搜集、整理、综合成书的。"[1]对于历史上的真实人物,亦会产生传说,甚至成为半人半神的怪物,如儒家始祖孔子,也集怪、力、乱、神于一身,当代的毛泽东更是被神化的典型。这是传说的"异化作用"所致。试想,经过几个人耳传的一句话,在很短时间内就会变得面目全非,那么,神话传说经过无数人,时间跨度几千年,怎能不发生质的变化呢?当然这两种变化在性质上是不同的,传话游戏的变化是由于记忆遗忘因素所致,而神话传说质的变化则是理想化的结果,这是人类思维的共同特征,因为在人类生活的早期,自然环境恶劣,人们的知识极少,生产工具简单而原始,在强大的自然界面前,往

---

[1] 甄志亚:《中国医学史》,上海科学技术出版社1984年版,第20页。

往无能为力,因此神话是他们战胜自然的法宝,所以每个民族都有自己传自远古的神话。

四、《内经》与神话的关联

黄帝是一个神话传说人物,在《内经》本身亦得到很好的印证。现在通行的《黄帝内经素问》第一卷,第一篇《上古天真论》一开头就写道:"昔在黄帝,生而神灵,弱而能言,幼而徇齐,长而敦敏,成而登天。"这是黄帝为神话人物的重要证据,有人以唐代王冰曾对《素问》重新编排为由,认为这一段为王冰所补,其来源是《史记》《大戴礼》及《孔子家语》[①],这毕竟只是推测而已。当然,王冰曾对《素问》进行重新编排,并在文字上有所改动,但对"凡所加字,皆朱书其文,使今古必分,字不杂糅",可惜王冰所整理的底本早已失传,故今传《素问》孰为古经原文,孰为王冰所加,已不可考,导致今日《内经》的研究困难极大。现有文献缺乏"昔在黄帝,生而神灵"一段,取自《史记》《大戴礼》及《孔子家语》的证据,《黄帝内经》成书于公元前475—前221年的战国时期[②],而《史记》的作者司马迁生于公元前145年,卒于前86年,也就是说在司马迁出世前的七八十年,《黄帝内经》已经成书,岂有古籍引用后人著作的道理!至于《大戴礼》成书于汉代,也比《黄帝内经》晚出,《孔子家语》则更迟至三国时代才刊行。[③] 即使《素问·上古天真论》的开头一段话为王冰所加,亦不能据此否定其神话传说的色彩,同一篇又说:"上古有真人者,提挈天地,把握阴阳,呼吸精气,独立守神,肌肉若一,故能寿敝天地,无有终时,此其道生。"此处所谓真人,亦是神话传说。[④]《素问》的其他各篇虽没有像《上古天真论》这么明显的神话传说记载,但从"通天""圣人"的说法,以及五方、五色、五行、五帝、五藏之间的关系,也可看出个大概来。《黄帝内经素问》共出现"圣人"十二

---

① 山东中医学院、河北医学院:《黄帝内经素问校释》,人民卫生出版社1982年版,第2页。
② 甄志亚:《中国医学史》,上海科学技术出版社1984年版,第141页。
③ 赵洪钧:《〈内经〉时代》,学苑出版社2012年版,第21页。
④ 袁珂:《中国神话传说词典》,上海辞书出版社1985年版,第494页。

次,其中《上古天真论》二次,《四气调神大论》四次,《生气通天论》二次,《异法方宜论》一次,《汤液醪醴论》二次,《疏五过论》一次。这里有三个问题值得注意:第一,出现"圣人"的《素问》篇目共六篇,其中《上古天真论》《四气调神大论》及《异法方宜论》等三篇,在全元起本均属第九卷,"圣人"共出现七次,占58.3%,超过一半多。另外《生气通天论》《汤液醪醴论》及《疏五过论》分属第四、第五及第八卷,虽然在篇数上也是三篇,占出现"圣人"篇数的一半,但这三篇"圣人"只出现了五次,仅占41.6%,这背后的原因值得探讨。初步的考虑是,上述各篇(除《疏五过论》外)均事涉远古,在这些篇章中出现"圣人""真人"的传说是很自然的。第二,《内经》的"圣人"与后世的圣人似乎有别,《内经》的"圣人"都是征服自然的英雄,这与远古的英雄神话传说是相符的,而后世的圣人开初指地位高贵的人,后来才指道德高尚的人。第三,《灵枢》没有出现"圣人"这是有原因的,因为现存《灵枢》在1155年才由南宋的史崧氏将其家藏的《灵枢》九卷共八十一篇,重新校正,扩为二十四卷镂版刊行,此前的《灵枢》前身的各种传本,如《九卷》《针经》《九墟》《九灵》等均已失传。[①] 也就是说,现存《灵枢》是晚出的,从其文体也可看出端倪,《素问》是典型的问答体(除后代增补的七篇大论及遗篇外),而《灵枢》问答明显减少,有些篇章只在开头有问答,而很多篇章则既无问也无答,在体裁上已接近于后世的论说文。

五方、五色、五行、五帝、五藏之间的关系,也牵涉到神话传说,有人考察了古代五行的起源,认为"五行崇拜"是自然物崇拜的表现,带有宗教意味,自然物崇拜和宗教都与神话传说有密切的关系。

由上述可以说明,《素问》与神话传说有关,越是涉及远古的篇章越是明显,其他篇章虽经过后人的雕琢,但神话传说的线索仍若隐若现。由于现存《灵枢》是晚出之作,神话的痕迹则几乎全无。

若说《黄帝内经》尤其是其中之《素问》与神话传说有关系,那么又怎样理解其"拘于鬼神者,不可与言至德"的思想呢?这里要弄清楚"神话"与"鬼神"是两个完全不同的概念。神话是一种文化载体,当其产生及流

---

① 马继兴:《中医文献学》,上海科学技术出版社1990年版,第82页。

传时,并没有多少神秘的色彩,有的只是崇敬和崇拜,"神话"是后人对其之标识。研究证明,神话是原始人类的思维模式,由于神话的流传填补了人类历史有文字记载以前的大量空白,从这一角度来说,神话就是历史,如《史记》所记载的中华民族的远古时期历史,就是据神话而来的。而"鬼神"则是一种带有迷信色彩的心理意识,是不可知论的代名词。王冰对这一句话的原注说:"志意邪则好祈祷,言至德则事必违,故不可与言至德也。"邪者,不正也,在古代各种崇拜是正常的,如果不相信公认的崇拜,才是"邪",也就相当于今天我们所说的不相信科学,那么与这种人讲道理,不是白费力气吗?

由以上的讨论,我们可以得出《黄帝内经》不是伪书,即不是伪托之书,但同时也说明《黄帝内经》有神话的色彩,而神话是和尊古、尊祖密切相关的。

颐养生理　完善道德　超越生命
——生命意识与古文论"养气"说

黄保真

　　对于文学，人们从各种视角对其做过不同的界定。如果从文学与人类这种特定的生命形态着眼，可以说它是具有自觉意识的社会主体对生命体验的自由宣泄。一切民族文化中制约创作主体的深层因素大概就是生命意识。生命问题是个亘古常新的问题。它在人类自身发展的任何阶段，都或隐或显地占据着人类思维的中心，因而生命意识在任何时代都是人的精神生活的核心或构成人的精神世界的基石。文学艺术及人们对文学艺术的理性认识，作为人的精神活动的重要领域，其发生、发展自然同人的生命意识密切相关。

　　例如，文学艺术的发生就出于人对自身生存状况的体察与探究。我国的先秦古籍《吕氏春秋·仲夏纪·古乐》中整理、录存了多种有关文艺起源的传说。其中年代最为古远的三则中，有两则直接论及初民的生命意识与文艺发生的关系。其一云："昔古朱襄氏之治天下也，多风而阳气畜积，万物散解，果实不成，故士达作为五弦瑟，以来阴气，以定群生"。其二云："昔陶唐氏之始，阴多滞伏而湛积，水道壅塞，不行其原，民气郁阏而滞著，筋骨瑟缩不达,故作为舞以宣导之"。① 显然,用"阴气""阳气"来概括自然界影响人的生命活力——"民气"的两大要素,这不可能是朱襄氏、陶唐氏时代人的自觉观念,而是整理远古传说著作的语言加工。《吕氏春秋》的编者在编排有关文艺起源的史料时,以世代为序,把这两则列于模仿说、祭祀说、颂德说、昭功说、扬善说之前,可见在远古传说中,早就认定文艺发生的最初本原是初民对自身生存状态的体察和力图以人力干预自然,改善生存环境,提高生命活力的自觉意识。《国语·周语》(下)所载的单穆公谏铸钟、伶州鸠论声律两件事,则表明到了春秋时代,人们在继承远古传说的基础上,把古人对生命意识与文艺创造、文艺功能的关系的认识萌芽,发展成了相当系统的理论。单穆公说:"夫乐不过以听耳,而美不过以观目。若听乐而震,观美而眩,患莫甚焉。夫耳目,心之枢机也,故必听和而视正。听和则聪,视正则明。聪则言听,明则德昭,听言昭德,则能思虑纯固。"可见,艺术必须合乎生命活动的规律。合乎生命规律的文艺活动,不仅有益于人的生理健康,而且有助于提高人的精神品格和创造能力。伶州鸠论声律则一一列举了构成声乐的诸多要素的不同作用,以及声乐影响自然、人生、政教、治乱的特殊功能,"诗以道之,歌以咏之,匏以宣之,瓦以赞之,草木以节之……于是气无滞阴,亦无散阳,阴阳序次,风雨时至,嘉生繁祉,人民和利,物备而乐成,上下不罢"。但是,如果声律违背了人的生命规律,"视听不和而有震眩",不仅会危害个体生命,还会导致"刑政放纷",而祸及国家。这里所表现的生命意识,不仅限于自然的、肉体的、生理的层面,而且深及人这种生命形态所独有的社会性、精神性的层面。可见春秋时期,人们对文艺的特殊本质和社会功能的认识是深深地植根于当时人的生命意识之中的。

春秋时期,在中国古代生命意识的演化史上,正处于从朴素、原始的生命意识向自觉的、理性的生命哲学转化、演进的时期。其历史性的标志就是以道、儒两家为代表的自然论的生命哲学和社会论的生命哲学的创立。中国古代的文学理论,特别是其中的主体理论,可以说就是从远古的生命

---

① 陈奇猷:《吕氏春秋校释》(第一册),学林出版社1984年版,第284页。

意识,尤其是道、儒两家的生命哲学中脱胎出来的,它后来虽然走上了相对独立的发展道路,但却始终受这两种生命哲学及其发展演变的制约,其中最为典型的例子就是论述创作主体颐养生命、含蕴文思问题的"养气论"。

"养气"作为主体修养理论的一般命题是孟子首创的。后来刘勰、韩愈等人才把它变成了关于创作主体修养理论的专门命题。只是刘、韩诸家虽然都讲"养气",而实际上所"养"之"气"的内容根本不同。概括言之,中国文论中的"养气论"主要存在三种形态。产生这种理论现象,首先是同汉字本身的全息性有关。特别是中国古代哲学中的概念、范畴,差不多在每一个文字符号中,都包容着一个由多层内涵构成的系统,给理论家自由选择某层含义提供了方便。第二,更重要的原因则是三种不同的"养气论",分别选择了自然论生命哲学、社会论生命哲学和兼容会通两种生命哲学作为各自立论的基础。

一

我们先谈以自然论生命哲学为基础的"养气"理论。此派理论家主要是探索人在高层次的生命活动中,肉体机能同精神生产协调运动的规律、特点。刘勰在《文心雕龙》中阐明的"养气"理论虽然是此派"养气论"成熟的历史性标志,而其深远的历史渊源却要追溯到先秦老、庄学派的生命哲学。

老子的哲学观,从某种意义上说就是宇宙整体的大生命观。他把整个宇宙的运动看作是由"无"生"有"再从"有"归"无"的、既周而复始又循环无尽的、无始无终的演化过程。人只是宇宙演化链条上一次循环中出现的万物之中的一个物种,是宇宙大生命过程中产生的具有特殊性质、特定形态、特殊规律的,具体而微的一个生命过程。"道"(恒道)是老子哲学的逻辑起点。它是人们既无法感知也不能用语言、概念、文字符号确切表述的绝对实在、宇宙本体。它自然混成,先天地生,周行不殆,物物而不物于物,无以名之,"强字之曰'道',强为之名曰'大'"①,也可以称之为"无"。"天下万物生于有,有生于无。"② 所以"无"(恒道)又是宇宙万物的终极性本原。宇宙运化,从"无"到"有",生成万物的规律是:"道生一,一生二,二生三,三生万物。万物负阴而抱阳,冲气以为和。"③"道生一"是说从人所不能感知的本体界向人所能够感知的现象界转换、飞跃的关键。换言之,"一"是"有"的起点、初始,也是万物得生的物质性的直接本原。"一"到底是什么?人们曾经做出过不同的解说。但从老子关于宇宙生化的整体观念和此段文义的具体内容来看,释"一"为潜涵着阴、阳二气,而二气尚未判分的一元混沌之气,较合逻辑。"道生一"就是"无"生"有",就是超感知的绝对实在"道",自化为可感知的"气"。"一生二"则是一元混沌之气,判分为阴、阳二气,"二生三"便是说阴、阳二气运动激荡,融合而成"气"的第三种形态——"和气"。"和气"是构成万物的直接基质,故曰"三生万物"。"万物负阴而抱阳"则说明每一物种、每一物态中都兼容有阴、阳二气。人作为万物之一,自然也不例外。于是"气",确切地说兼容阴、阳而又配比万变的"和气",是构成人的生命形态并决定个体人生命活动具体特点的基质。《庄子》继承了《老子》的观点,也认为"道"是"有情有信、无为无形""自本自根"的绝对实在,宇宙本体④,但它却不能直接生成万物。直接生成包括人在内的天下万物的物质本原是"气"。所以说,"人之生气之聚也。聚则为生,散则为死……通天下一气耳。圣人故贵一"。⑤"贵一"就是"贵"通天下万物为一的"气"。老、庄讲"养生""卫生",强调"抱一""贵一""纯气之守","养其气、合其德,以通乎万物之所造"⑥,虽用语有别,实际上讲的都是一个意思。过去人们论老、庄哲学,多偏于其宇宙本体论层面,相对地忽视其宇宙生化论层面的问题。这表现于

---

① 《老子》二十五章。
② 《老子》四十章。
③ 《老子》四十二章。
④ 《庄子·大宗师》。
⑤ 《庄子·知北游》。
⑥ 《庄子·达生》。

范畴研究中重"道"而轻"气",甚至把"道""气"两个代表老、庄哲学体系不同层面的范畴分割开来,分别硬性纳入"客观唯心论""素朴唯物论"的近代西方哲学流派划分的框架,无端造出了许多缠夹,致使人们较看重道家哲学的思辨品格,而忽视了它作为生命哲学所蕴含的历史价值。其实,在老、庄哲学中,宇宙本体论、宇宙生化论是具有内在逻辑关系的两个不同层面。"道"是代表宇宙本体的最高范畴,也是整个哲学体系的起点;"气"是代表物质本原的次生范畴,道生气,无生有,气化生成万物则是其哲学体系的逻辑展开。因此可以说老、庄哲学这个中国古人创造的思辨体系所展示的就是宇宙大生命自本自根、自生自化、随机万变、自然而然、自成规律、周而复始而又无穷无尽的过程。人这种特殊的生命形态,只是这无穷过程中的一个瞬间、一个片段。我们称老、庄哲学为自然论的生命哲学,就其广义而言,是说它把宇宙的运化看作完整的生命过程;就其狭义而论,则是说它把人的生命过程看作气聚、气散,来于自然而归于自然的自然而然的过程。因此,人要珍惜生命就是对生命过程不要人为地进行干扰、破坏,而是任其自然地聚、散、合、离。这就是"养生""卫生"亦"守气""养气"之道。

两汉以降,老、庄自然论的生命哲学对文学理论,特别是有关的主体理论产生了重大影响,以生命哲学为基础的作家创作与养生的理论逐步发展,在刘勰之前开其理论先河的主要有三家——桓谭、王充、曹丕。桓谭在《新论·祛蔽》中指出:"人与禽兽昆虫,皆以交接相生。生之有长,长之有老,老之有死,若四时之代谢",人的生命过程是个自然推移的过程。他认为养生之要就是顺应自然,而不要违背自然,更不要人为地扭曲生命的自然节奏和规律。以烛火为喻,"精神居形体犹火之燃烛矣。如善扶持……可勿灭而竟烛"。对作家来说,顺应生命之自然,主要就是不要过分地劳神苦思。他说自己"少时见扬子云之丽文高论,不自量年少新进,而猥欲逮及。尝激一事而作小赋,用精思太剧,而立感动发病,弥日瘳"。他说,就连扬雄也有类似的经历,成帝时,因作赋"为之卒暴。思精苦,赋成,遂困倦小卧,梦其五藏出在地,以手收而内之。及觉,病喘悸大少气,病一岁。

由此言之,尽思虑,伤精神也"。① 同篇中,桓谭还举了一个相反的例子:琴师窦公,13岁就双目失明了,而活到180岁还依然康健,其秘密就在于"少盲,专一内视,精不外鉴"。桓谭虽然没正面提出养气概念,但却从正反两方面触及作家"养气"的内容、方法,并为后人谈"养气"者一再引用。王充则从理论到实践都自觉地提出了作家个人的创作与养气的关系问题。作为哲学家,王充不仅以彻底的"气"本体论,改造了道家的"道"本体论,而且相应地发展了自然论的生命学说。他认为,"天地合气,万物自生,犹夫妇合气,子自生矣","气之生人,犹水之为冰,水凝为冰,气凝为人",因此,人只要"养气自守","性命可延,斯须不老"。作为文论家,他自觉地提出了作家"养气"的必要性问题。他说,包括造论著说在内的一切创作活动,都是十分艰苦的精神劳动,无不"愁精神,幽魂魄,动胸中之静气",如果"精思不任",不仅会贼年损寿",甚至可能"绝脉气灭而死"。《后汉书·王充传》谓"充好论说,以为俗儒守文,多失其真,乃闭门潜思,著《论衡》85篇,20余万言。年渐七十,志力衰耗,乃造《养性书》16篇,裁节嗜欲,颐神自守"。可见王充论养气,是以自己写作和养生的经验为依据的。所以,《文心雕龙·养气》开头就说,"昔王充著述,制养气之篇,验己而作,岂虚造哉!"可见刘勰的"养气"理论同王充之说的确存在着历史的、逻辑的关系。不过,桓谭、王充主要是从生命的物质层面、生理机能上着眼论述文艺家创作活动中的"卫生""养气"问题,还没有涉及生命的本质同精神生产、艺术思维间的深层关系。曹丕的《典论·论文》则以自然的生命哲学为基础,揭示了文艺家个人的先天禀赋同其个人的艺术风格之间的内在联系,从而把主体理论推进到一个新的层次。他所提出的"文气说"主张"文以气为主。气之清浊有体,不可力强而致"。曹丕说的"清""浊"二气,通常称之为阳气、阴气。在两汉的自然论生命哲学中,一般都认为每个生命个体,都禀二气而生,但二气配比并不均衡,或偏于清,或偏于浊,这就是所谓"清浊有体",属于先天禀赋,不是后天可以改变的。文艺家禀气不同,决定了才性差异。偏于清者,才性俊逸刚健;偏于浊者,才性重厚阴柔;而文

---

① 严可均:《全后汉文》,许振生审订,商务印书馆1999年版,第128页。

学家从事艺术创作,其才性便直接体现为个人作品的艺术风格。曹丕评建安七子,称"孔融体气高妙","公干(刘桢)有逸气",即为禀气之偏于清者;而谓"徐干时有逸气","应玚和而不壮",即为禀气之偏于浊者。以往人们多谓曹丕的"文气说"为天才论,现在具体看来,他是从作家个体生命的物质特质着眼,揭示了决定作家精神产品的审美属性的奥秘。换言之,他认为一切文学艺术作品的独特风格都是创作主体个人生命特质的外现、物化。虽然曹丕的"文气说"没有直接论"养气"问题,但却在文学与生命的更深层面上启迪了刘勰。《文心雕龙·体性》作为"养气"理论的重要组成部分,篇中就大段引述了曹丕《论文》的原文,重点阐释了曹丕论文的"重气之旨"。当然,刘勰提出的成熟形态的"养气"理论,不仅是桓谭、王充、曹丕之说的逻辑延伸,而且还有其更广的哲学依托,如魏晋南北朝个体人生命意识的自觉和"才性""形神""养生"等问题的玄学思辨。

刘勰的"养气论"是以自然论生命哲学为依据的关于文艺创作主体调理生命、涵养文思的完整理论,他所设想的文艺创作的理想境界是作家的创作活动同生命节律的自然和谐。在《文心雕龙》中,除一篇名为"养气"的专论之外,《风骨》《体性》,"篇中亦多言气",即使专门论述艺术思维规律问题的《神思》篇,其立论持说,也是以"气"为本的生命意识。若就刘勰思想的整体而论,其哲学观点不同于老、庄,而接近玄学中"名教出于自然"的一派。其论文学则认为文学的本质是人的本质的外现。正如《原道》篇所说,人"为五行之秀,实天地之心,心生而言立,言立而文明,自然之道也"。在《文心雕龙》中,"心"是一个有多层内涵的重要概念,这里是指思维的功能和思维功能的物质载体。人在天地之间是唯一能够思维的物类,所以能思维的生命就是人的特殊本质。也正是由于人能够思维,才使它既具有自然的、物质的生命属性,又具有社会的伦理的生命属性。刘勰的文学理论可以说是以这两大层面为基点而展开的,不过在不同问题上又有所偏重。其论文学的功能较多地从社会伦理层面着眼;而谈创作则突出了主体自然的、物质的生命属性。在《文心雕龙》中,"气"是一个经常使用而且内涵丰富的文论概念。以"气"为词根组成的相对独立的子概念就有"血气""精气""素气","志气""才气""意气""体气""齐气""逸气"等等。这些子概念,按其内涵的差别可以分为三组。第一组有"血气""精气""素气",都是指构成个体生命的物质基质,即自然之气的不同说法。它是人的生命存在、生命活动的物质基础,也是决定作家个体特质、才性、品格的先天因素。第二组中,有"志气""才气""意气"等等,这些概念表示的则是创作主体主观所有的、直接参与文艺创作过程的主体诸要素,包括思想、情感、心理特质等。第三组中的"体气""齐气""逸气"等概念,则既可以指创作主体的才性、气质特点和驾驭语言文字、进行艺术思维的个性,也可以指每位作家创造的艺术作品所独具的审美属性、风格特征。刘勰使用这三组概念,完整地概括了人的生命活动的特殊形式——文艺创作全过程中的主体要素及其功能。刘勰的"养气"理论集中探讨文艺创作中个体生命活动的特殊规律。《文心雕龙·养气》云:"夫耳目鼻口,生之役也;心虑言辞,神之用也。率志委和,则理融而情畅;钻励过分,则神疲而气衰;此性情之数也"。文艺创作需要包括感官、心神在内的整个生命的投入。所谓"养气""守气",就是在文艺创作活动中遵循生命活动的规律,而不要扭曲生命的本然,不要损伤生命的本根。"率志委和"就是要求作家在保持生命和谐的前提下去抒情言志。"钻励过分"则是指过分追求情志之外的东西,在当时主要是指对于辞采形式的过分雕琢。所以刘勰接着说:"三代春秋,沿世弥缛,并适分胸臆,非牵课才外也","汉世迄今,辞务日新,争光鬻采,虑亦竭矣"。那么,作家"养气"应该遵循什么规律呢?刘勰认为一要顺应"岁时",二要自知"器分",三要调节劳逸。所谓"岁时",是说人在不同年龄阶段生命活动有不同的特点、规律。"凡童少鉴浅而志盛,长艾识坚而气衰,志盛者思锐以胜劳,气衰者虑密以伤神"。这就是"岁时"的一般规律。作家创作只能顺应它,不要违背它。特别是"识坚而气衰"的年长者,要注意"养气自守"。所谓"器分",就是指个人的天赋、才性的特点、能力的大小。于此必须有自知之明,创作要取性之所近,力之能及。因为对每个人来说,"器分有限,智用无涯",如果"沥辞镌思",不自量力,就会"精气内销""神志外伤",危及生命。至于调节劳逸,则尤为重要,因为文艺创作与攻读学业不同。"学业在勤,功用弗怠",必须刻苦自励,锲而不舍;文艺创作则是"申写郁滞",故宜从容率情,自然宣泄。如果一味地"销铄肝胆,蹙迫和气",破坏生命的和谐状态,逆着生命的规律行事,那就是"秉牍以驱龄,洒翰以伐性",加速自我毁灭。刘勰认为,在文艺创作过程中,生命活动的状态也是复杂多变的。同一个人,"思有利钝,时有通塞",意有反复,情有哀乐,作家应该针对不同情况进行积极的自我调节,所以说:"吐纳文艺,务在节宣,清和其心,调畅其气,烦而即舍,勿使壅滞;意得则舒怀以命笔,理伏则投笔以卷怀;逍遥以针劳,谈笑以药倦",使自己通常在气定心闲、神清思锐、理融情畅的状态下从事写作,这就是"卫气""养气"的基本方法。这种方法,在刘勰看来,还不仅是作家调理生理节奏的方法,而且是涵养文思的方法。刘勰的"养气"理论把以自然论生命哲学为基础的"养气论"发展到成熟阶段。此后的文论家如萧绎的《金楼子·立言》,王昌龄的《诗格》(见《文镜秘府论》南卷《论文意》)等亦沿此绪,但体系性的重建,就无人继轨了。

二

其次,我们评述以社会论生命哲学为基础的"养气"理论。此派理论家主要论述了创作主体提高品德修养、健全心理机制、涵养主观精神同孕育文思、搞好创作的关系。其立论的基础是儒家的社会论生命哲学,而其直接的理论源头则为孟子"养气"说。孔、孟虽然不否认人是自然的、物质的生命存在,但却认为人之所以为人的特殊本质不在于它的自然、物质的生命属性,而在于它具有社会的、伦理的、精神的属性。孔子论学,稀言"性与天道",不语"怪力乱神",而自觉地提出了以"仁"为核心的社会哲学。"仁"既是孔子社会哲学的逻辑起点,也是他所提出的人之为人的理想境界。"仁者,人也",就是把人作为社会性的生命实体作理性研究。如果说老子从思辨的高度打破了鬼神统治,推进了思想解放,那么孔子则从实践的层面上确立了人作为社会性生命实体的主体地位。他认为人不仅是纯个体性的生命存在,而且是社会性的生命群体。他不否自我(己),甚至认为可以作为思考问题的出发点,但却必须推己及人,像对待自己一样对待别人。他还进一步提出了理想人格的建构模式,要求具备"五美":

"惠而不费,劳而不怨,欲而不贪,泰而不骄,威而不猛"①,"恭、宽、信、敏、惠"②皆备。可以说在中国历史上是孔子第一个建构了自觉的社会论人的哲学。孟子则把孔子开创的人的哲学沿着思辨方向推进了一步,而提出了"人性善"的哲学命题。他的人性论把人这种生命形态的固有本性分为高低两大层面,名曰"大体"与"小体"③。"大体"就是人先天固有的仁义礼智之性。那么人如何对待自己本性中的两大层面呢?孟子主张"立乎大者"以制其"小者",这就叫"存""养"。朱熹解释说:"存谓操而不舍,养谓顺而不害。"孟子说:"体有贵贱,有大小","饮食之人则人贱之矣,为其养小而失大也"。所以存养之功在于"先立乎其大者,则小者不能夺"。孟子并不简单否定人对饮食男女的感性需求,而主张"勿以小害大"。"仁义礼智根于心,其生色也,睟然见于面,盎于背,施于四体,四体不言而喻",就是说,精神美决定肉体美,精神与肉体的和谐发展,才是人的生命的理想境界。因此可以说,孟子的生命哲学是伦理本位的生命哲学。而他所提出的"养气"说,就是人"存心""养性""修身""立命",达到生命理想境界的主要方法。有人问孟子有何特长,他说"我善养吾浩然之气"。"何谓浩然之气"?曰:"难言也。其为气也,至大至刚,以直养而无害,则塞于天地之间。其为气也,配义与道;无是,馁也。是集义所生者,非义袭而取之也;行有不慊于心,则馁矣。"④显然,这里使用的"气",既不是万物化生的物质本原,也不是人的生命的物质基础,而是在主观心理体验中感受到的发自内心的精神力量。"浩然之气",也是伦理本位的社会性生命个体所能达到的一种极高境界。它"配义与道",义与道都不在主观之外,而是每一个人先天、内在的、本身固有的。不过必须自觉地保持它、发扬它、实践它,才能把它转化为自己所能体验到的强大无比、无所不在的主观精神力量。这个保持、发扬、实践、转化的过程就是"养气"。"我善养吾浩然之气",就是说我善于把我先天固有的至善本性转化为现实的、可感的、强大充盈的主观

---

① 《论语·尧曰》
② 《论语·阳货》
③ 《孟子·告子上》。
④ 《孟子·公孙丑上》。

精神力量。由此可见，孟子所说的"养气"是指涵养伦理本位的生命境界。只有达到这一境界的生命，才是真正有价值的生命。这在当时并非专门的文艺创作的主体修养理论。

韩愈第一个以孟子的"养气"理论为基础而创造性地论述了作家的思想修养同文艺创作的关系。他在《答李翊书》中提出了一个"气盛言宜"的著名命题。他说："气，水也；言，浮物也；水大而物之浮者大小毕浮。气之与言犹是也，气盛则言之短长与声之高下者皆宜。"韩愈将"气盛"与"言宜"共同组成一个命题，专用于表述文学创作中达到的自由境界而非孟子揭示的一般意义上的生命境界。至于"养气"的目的与方法，韩与孟的差别就更大了。就目的说来，孟子是"养性"，韩愈则为"立言"，即为了高标准地搞好古文写作。就方法而言，孟子是"反求诸己"，发扬自己先天固有的仁义礼智之性；韩愈则求诸古圣贤人及其文化遗产，以期从中汲取思想道德的营养和写作艺术的经验。因此，韩愈的"养气论"是确切意义上的关于作家精神修养和艺术修养的理论；也可以说它是孟子的伦理本位的生命哲学在作家修养层面上的逻辑展开。韩愈"养气论"的基本内容可以概括为四个方面：一曰立志养本，端正态度；二曰师古学圣，忘我投入；三曰德艺兼取，循序渐进；四曰亦知亦行，终生不懈。韩氏所谓"养气"，首先就是不断地以儒家的"仁义"之道提高自己的思想道德品格，培育健全的心理机制，以求发挥出个人生命中的最大潜能。其次也要自觉地提高写作能力。所谓"惟陈言之务去"，"又惧其杂也，迎而拒之，平心而察之"等等，都是说在写作中要刻意追求独创性、醇正性。至于他在《进学解》中所说的"沈浸醲郁，含英咀华"，"上规姚姒，浑浑无涯；周诰殷盘，佶屈聱牙"，如此广综博采，以求"闳中肆外"，可以作为韩愈"养气论"的补充，说明它不仅是关于创作主体的思想修养的理论，也是艺术修养的理论。

韩愈之后，对此派"养气"理论作了重要补充与修正的是苏辙。他在《上枢密韩太尉书》中指出："文者，气之所形。然文不可以学而能，气可以养而致。"他虽然标举孟子的"养气"说，且谓"观其文章，宽厚宏博，充乎天地之间，称其气之大小"，但只是一笔带过。全文则主要以司马迁为典范，阐明了以阅历、交游为主的养气理论。他说："太史公行天下，周览四海名山大川,与燕赵间豪俊交游,故其文疏荡,颇有奇气。"就他自己来说,年少家居时,"百氏之书,虽无所不读,然皆古人之陈迹",起不到激发志气的作用。苏辙之说,的确同韩愈大异其趣。韩愈论"养气",主张"行之乎仁义之途,游之乎诗书之源",是要求作家完全按照正统儒家的道德伦理准则塑造自己,想成为作家,先成为纯儒。苏辙则认为阅历、交游,积极自觉地观察自然,体验人生,求得江山、人文之助,使生命升华,才是"养气"的根本。苏辙之说,虽然未达到以生活实践为根本的思想高度,但其强调多层面的现实人生的体验是一种外向的、开放的生命追求,在宋代文人精神生活普遍内转的情况下是十分可贵的。当然,苏辙之说也没有越出儒家社会论人生哲学的范围。孔子早就说过,"知者乐水,仁者乐山。知者动,仁者静"。每个人可以就性之所近选择自己的修养方式。不过苏辙比之韩愈,的确离孟子"养气"说的宗旨是越来越远了。所以元人郝经出而矫之,提出"内游"说,反对"外游"论,力图使此派的"养气"理论向孟子复归。宋元以降,此派文论家论文、论诗、论书、论画而论及"养气"问题者,不胜枚举。其中一部分人着重谈学术修养和艺术修养的作用,持论尚有新意,而大多数人实在是创见不多。

三

古代文论中"养气"理论的第三种形态是超越人的感性生命局限的"养气"论。这种理论的哲学基础是会通道、儒两家的宇宙大生命观。远古时代初民就强烈地意识到肉体生命的局限而力图超越它,但只能寄之于神话、巫术。直到老子才在历史上第一个以思辨的方式提出了宇宙大生命观并指出了人超越自身的门径。《老子》十六章云:"致虚极,守静笃,万物并作,吾以观其复。夫物芸芸,各复归其根。归根曰静,是谓复命。复命曰常,知常曰明。"老子认为,宇宙运化是周而复始的。每一度循环都是生于"道"而归于"道"。所谓"虚"是指宇宙本体之"道"的不可被感知性。所谓"静"是指万物复归于"道",而中止生化时的状态,但这种状态又是新一轮宇宙生命大循环的开始。人这种生命形态处于宇宙大生命的运化过程之中,它同万物一样变动不居。如果以动观动,似"运钧之上以立朝夕",不能得到真理性的认识。所以要想真正地把握真理、认识自身和认识万物,认识主体就必须超越于宇宙运化之外,让生命升华到与"道"同体的状态。苏辙说:"致虚不极,则有未亡也;守静不笃,则动未亡也。"[①]可见,致虚就是超越万有,守静就是完全复归。《老子》十章说:"载营魄抱一,能无离乎?专气致柔,能如婴儿乎?涤除玄览,能无疵乎?"这则是教人除掉感性生命的一切欲求,复归于初始的本然状态。《庄子·天道》把这种状态叫作"虚静恬淡,寂寞无为",认为人若达到这种境界,他的整个精神世界就成了"天地之鉴,万物之镜",不须借助任何感官经验、概念、逻辑,就可以直接把握变化不定的万事万物了。这在《老子》中谓为"涤除玄览",而在《庄子》中则把这种境界称为"坐忘",把这种把握事物的方式叫作"心斋"。"坐忘"就是超越感性生命,冥合直契于道的最高的生命境界。"心斋"就是超越感官经验、超越概念和逻辑,而以生命的本然之气,直契全部真理的方式。实际上,"归根""复命""心斋""坐忘"都是要超越感性生命的局限而获得精神自由。至于实现这一目标的方式,老子曰"涤除",即不断地净化心灵,排除一切欲望;庄子曰:"养其气,合其德"[②],"汝齐戒,疏瀹而心,澡雪而精神,掊击而知"[③]。如果说颐养,保护物质的感性生命的长存是道家对生命的最低要求;那么,"归根""复命""心斋""坐忘"就是道家追求的生命可达的最高境界。道家自然论的生命哲学,完整地说,就是由这高低两大层面构成的。

儒家学说最初着重揭示了人的生命的社会本质,后来也借鉴、吸取了道家的理论,不仅深化了对人的生命的自然物质性的认识,而且也逐步形成了儒家特点的宇宙大生命观。在中国儒学发展史上,以自然哲学的观点来研究宇宙生命现象的理论开拓者是荀子。他首先把"天"还原为自然之天,把"道"还原为自然之道。第二,荀子揭示了人在自然界中的地位及其

[①] 焦竑:《老子翼》,中华书局1985年版,第35页。
[②] 《庄子·达生》。
[③] 《庄子·知北游》。

特殊本质。他说:"水火有气而无生,草木有生而无知,禽兽有知而无义,人有气、有生、有知,亦且有义,故最为天下贵也。"①这可以说是荀子提出的宇宙生命图式。这既是一个以"气"为共同的物质本原的宏大序列,又是一个由低到高本质各异的宏大序列。人居于宇宙生命发展序列的顶端,是最可宝贵的一个物种。荀子把人的本质分为先天、后天两大层面,这就是所谓的"性伪之分"。他与孟子针锋相对,提出一个"人之性恶,其善者伪也"的著名命题。所谓"伪"就是"师法之化,礼义之道"的后天教育。"善"是后天教育的结果,也是人的本质的主导方面。人必须不断地"化性起伪",以解除人的生命中自然的、感性的欲望的蔽障,以不断超越自身。于是第三,荀子进而提出了人超越自身的方法。他说:"心不可以不知道……心何以知?曰虚壹而静","人生而有知,知而有志。志也者,臧也……不以所已臧害所将受谓之虚"。②显然,荀子的生命观和虚静观与老、庄根本不同,但却对古代文论中超越感性生命的养气说的形成也产生了重大影响。

荀子之后,西汉大儒董仲舒进一步建构成天人一体、天人同构的宇宙大生命理论。他认为,在这个宇宙大系统中,"莫精于气,莫富于地,莫神于天……莫贵于人","天人同类","天人相副","天有阴阳禁,身有情欲栓,与天道一也"。③虽然董氏建构的天人系统具有自然论与道德目的论的双重属性,但他却明确地提出了"循天之道""静神养气"的理论。他说:"养生之大者,乃在爱气……心之所之谓意,意劳者神扰,神扰者气少,气少者难久矣。故君子闲欲止恶以平意,平意以静神,静神以养气。气多而治,则养身之大者得矣"④。"闲欲""止恶""平意"主静,总之还是教人超越感性生命。到了三国时代,佚名的《徐干中论序》中说徐干创造了一种合道、儒、神仙为一的养气方法。其语略云:徐干"深美颜渊、荀卿之行,绝迹山谷,幽居研几,用思深妙,惟存正道","养浩然之气,习羡门之术"。这

---

① 《荀子·王制》。
② 《荀子·解蔽》。
③ 《春秋繁露·深察名号》。
④ 《春秋繁露·循天之道》。

大概就是以超越感性生命为特点的养气理论用于作家身心修养的开始。清代刘熙载《艺概·文概》中评徐干云:"干之文非但其理不驳,其气亦雍容静穆,非有养不能至焉。"

不过,最早把超越感性生命的养气理论引入艺术家的艺术创造活动并作为艺术思维过程的起点的理论家是陆机和刘勰。陆机《文赋》开头第一句就说"伫中区以玄览"。其后又谓艺术思维"其始也,收视反听,耽思旁讯,精骛八极,心游万仞",就是力图以老子"涤除玄览"和庄子"无视无听,抱神以静"思想引导文艺家凝神运思、心无旁骛、超越自我、静观万物,但他没作更多的发挥。刘勰则在《文心雕龙·神思》中把净化文艺家的主观精神作为艺术思维的起点。他说:"陶钧文思,贵在虚静,疏瀹五脏,澡雪精神"。从字面看,刘勰此语出自《庄子·知北游》,但就《神思》全篇而论,却与道家虚静说异趣。刘勰既不主张"掊击而知",也不推崇"心斋""坐忘",而认为文艺家从事创作必须"积学以储宝,酌理以富才,研阅以穷照,驯致以绎辞"。在刘勰看来,净化主观精神,达到"虚静"境界,只是艺术思维的起点,只是要求文艺家专心致志,用思不分而已。他并不主张艺术思维的前提是艺术家达到老、庄式的完全超越感性生命的境界,因此也没有把"虚静"纳入他的"养气"理论。实际上,他论"虚静"与作家修养、艺术思维关系是折中于老、庄、荀子之间的。

到了唐代,书论、画论、乐论、诗论中,运用道家观点论述艺术家修养的言论便多了起来。论书如李世民论要求创作主体"心合于气,气合于心","思与神会,同乎自然";虞世南则谓"字虽有质,迹本无为,禀阴阳而动静,体万物以成形,……学者心悟于至道,则书契于无为。苟涉浮华,终懵于斯理也"[①]。论画如张彦远则主张画家"守其神,专其一","不滞于手,不凝于心,不知然而然"。至于符载对张璪作画时情状的描写及对其作品的理论评说,更是形神妙理兼备。论乐如薛易简的《琴诀》亦要求"鼓琴之士",

---

① 虞世南:《笔髓论》,见王伯敏、任道斌、胡小伟:《书学集成·汉—宋》,河北美术出版社2006年版,第107—108页。

"志静气正","专精注神"。① 而白居易的《清夜琴兴》则把在古琴演奏中达到的生命境界描绘得淋漓尽致。其诗云:"月出鸟栖尽,寂然坐空林。是时心境闲,可以弹素琴。清泠由本性,怡淡随人心。心积和平气,本应正始音。响余群动息,曲罢秋夜深。正声感元化,天地清沉沉。"至于论诗,其代表人物则前有王昌龄《诗格》,后有司空图《诗品》。王氏要诗人做到:"凝心天海之外,用思元气之前"②。司空图《诗品》中所谓"素处以默,妙机其微","惟性所宅,真取弗羁"③,更是把超然尘嚣之外,远离人间烟火,洗尽世态俗念,只留一片素朴本性作为诗人修养的至境和创作真诗的主观前提。总之,在有唐一代的文艺理论中,超越感性生命的主体修养理论是以老、庄思想为主导,并将之充分地展开了。

到北宋时,以苏轼为代表的理论家则把探讨的重点转向了心、物关系,而把超越感性生命的创作境界作为追求的理想目标。苏轼论文与可画竹诗云:"与可画竹时,见竹不见人。岂独不见人,嗒然遗其身。其身与竹化,无穷出清新。庄周世无有,谁知此疑神。"④这里所讲的艺术家超越感性生命,就不仅体现在主体精神层面上的个人修养了。这种超越已进而表现于创作主体与审美客体在审美过程中的形神交融,已经分不出何者为我何者为物了。换句话说,这时的物我关系是两种生命的自然契合。这种境界可以见之于画,也可以见之于诗。苏轼《送参寥师》诗云:"欲令诗语妙,无厌空且静。静故了群动,空故纳万境。阅世走人间,观身卧云岭。咸酸杂众好,中有至味永"⑤。如果说苏轼论文与可画竹只是描写了一物我两忘的创作境界;这里则揭示了达到这一境界的奥秘,这就是以空、静之心"了群动""纳万境"。这样,超越自我的感性生命就不仅是艺术思维的起点,而且就是艺术创造活动的本质了。可以说,老子提出的超越个体的感

---

① 吴钊、伊鸿书、赵宽仁等:《中国古代乐论选辑》,人民音乐出版社2011年版,第162页。
② 遍照金刚:《文镜秘府论》,人民文学出版社1975年版,第131页。
③ 司空图:《二十四诗品》,见陈伯海:《唐诗学文献集粹》,上海古籍出版社2016年版,第185、187页。
④ 苏轼:《书晁补之所藏与可画竹三首》,见邓立勋:《苏东坡全集》(上),黄山书社1997年版,第314页。
⑤ 苏轼:《送参寥师》,见邓立勋:《苏东坡全集》(上),黄山书社1997年版,第194页。

性生命,冥合于宇宙大生命与本体之道的生命哲学,这时才完全彻底变成了审美理想、创作规律。当然,审美主体以空、静之境"阅世""观身",把握"至味"的思想,也同佛家的空、静观,特别是同禅宗南派对于生命的超越意识相关。"阅世走人间,观身卧云岭",在现实人生中完成对世界与自身的超越,这同南禅之"行住坐卧,皆是道场""劈柴担水,无非妙道"的观点是非常接近的。

唐、宋以降,道、儒、禅三家的生命意识,在文艺理论中渐呈交融之势。即便理学大师如朱熹者,论创作主体的心性修养也强调"以虚心静虑为本",而追求精神世界的"虚静空明"了。他说:"只如个诗,举世之人尽命去奔做,只是无一个人做得成诗,……只是心里闹不虚静之故","若虚静而明,便识好物事。虽百工技艺,做得精者,也是他心虚理明"。[①] 其论书,亦推崇韩琦之"安静详密,雍容和豫",而批评王安石之"躁扰急迫"。朱熹的再传弟子李塗在他的文论专著《文章精义》中说:"做大文字,须放胸襟如太虚始得。太虚何心哉?轻清之气旋转乎外,而山川之流峙,草木之荣华,禽兽昆虫之飞跃游乎重浊渣滓之中,而莫觉其所以然之故"。[②] 可以说这位人称"性学先生"的理论家,把古代文论中超越感性生命的养气理论、审美追求,全盘置于理学家的心性理论及其相关的生命意识之上了。大概正是由于理学家的心性理论、生命意识,具有融通道、释,尚虚主静的特点,再加上理学作为官方哲学地位的逐步确立,便对元、明两代的文艺理论家产生了重大影响。如元陈绎曾《文说》即谓"养气之法,宜澄心静虑,以此景、此事、此人、此物,默存于胸中,使之融化与吾心为一,则此气油然自生,当有乐处,文思自然流动充满,而不可遏矣"[③]。不过,在理学家的心性理论、生命意识支配下,诗论、文论中,没有多少独到见解。而在明代的音乐

---

① 朱熹:《清邃阁论诗》,见郭绍虞:《中国历代文论选》(中册),中华书局1962年版,第157页。
② 李塗:《文章精义》,见陈骙、李塗:《文则 文章精义》,刘明晖校点,中华书局香港分局1977年版,第79页。
③ 陈绎曾:《文说》,见陈良运:《中国历代文章学论著选》,百花洲文艺出版社2000年版,第663页。

理论,特别是琴论中,以理学家的心性理论、生命意识为依据,论述怡心养气、超越感性生命同艺术创造的关系问题,尚有所开拓。其中成就最高的是徐上瀛的《溪山琴况》二十四论。此书模仿司空图《二十四诗品》,论述了古琴演奏中的二十四种审美境界和演奏技法,而始终将演奏主体的精神境界作为审美创造的中国古代的文人雅士,一向把弹琴看作比吟诗、为文更能真实、直接,不可为伪地表现自我的艺术方式。因此,在琴论中追求超越感性生命,则集中地表现了中国古代文人精神生活中与追求道德完善不同的另一重要侧面。

从某种意义上说,中国古代文论中"养气"理论——确切地说是创作主体的修养理论的三种形态,既是中国古代生命哲学的不同流派在文艺理论领域里的逻辑展开,也是构成中国古代文人的生命意识的三大层面的理论表现。颐养生理,完善道德,超越生命三者,能够兼取并至者很少。在古代文人中,大多因选择不同而所"养"各异,于是呈现为丰富多彩的生命境界,也深深地制约着艺术家、理论家的审美取向和理论观点。

唐宋诗词与梦

户晓辉

大自然的昼夜循环和交替,为人类的生活带来了"日出而作,日入而息"的周期特点。因此,睡眠与清醒的生活就构成了人类存在的两极。清醒时,我们要"作"(行动);睡眠时,我们较多的是接受自我体验,从而和现实相对隔离开来。[①] 那么,梦作为睡眠的副产品,至少有人生的三分之一的时间伴随着人类。

从古代的占梦术到现代精神分析学的释梦理论,无不体现出梦的神秘对人的智力产生的持久的诱惑。在中国,《周礼·占梦》中曾经把梦分为正梦、噩梦、思梦、寤梦、喜梦、惧梦六类。在古希腊,著名的占卜家阿尔特米德路斯(Artemidorus of Ephesus)著有《释梦》("Oneirocritica")一书,把梦分成两类:一类是命题式的(theorematic),这种梦的含义与梦中的意象直接对应;另一类是寓意式的(allegorical),这类梦具有象征作用,因此梦的意象就相当于"言此及彼"的符号。在弗洛伊德那里,梦被看成人类欲望受到压抑的一种征兆,梦的歪曲、移位和压缩不过是躲过意识(文化的

---

① 参见埃里希·弗洛姆:《弗洛伊德思想的贡献与局限》,申荷永译,湖南人民出版社1986年版,第112页。

心理代表)的稽查,从而使欲望获得象征性满足的手段。事实上,弗洛伊德解释的并不是梦本身,而是梦所叙述的本文(text),梦者的欲望和意愿通过梦转化成一系列象征意象,精神分析学家懂得欲望的"语言",也懂得这些语言的语法和句法。① 所以,通过分析,他可以把梦的象征意象还原为欲望的原始语言。在这个过程中,他要与梦者展开一场对话,发现梦者的叙述文字之间的缺漏和空白点,发现梦者在叙述梦情时,掩盖了什么,增添了什么。弗洛伊德的释梦工作不仅试图重建梦的符号体系,而且还要由这种重建进展到第二步——重建梦者的个人历史,并且为梦中的压抑找到文化根源。

精神分析学第一次把梦从原始的占梦术中解救出来,并且在人类的文明中为梦找到了立足之地。弗洛伊德曾经颇为自信地宣称,"梦的学说始终是精神分析的最特别而为其他科学所绝对没有的东西,是从民俗及神话的领域内夺回来的新园地"②。

沿着精神分析学释梦的思路,我们可以对诗人的梦进行一番剖析。

二

打开唐诗与宋词(尤其是词),我们发现,描写夜中景象的诗词特别多,感梦与记梦的作品也不在少数。李白诗云:"处世若大梦,胡为劳其生"(《春日醉起言志》),苏轼词曰:"人间如梦,一尊还酹江月"(《念奴娇·赤壁怀古》),不仅以梦比人生,也间接道出:梦的体验伴随着人生,并且可以帮助人们了悟人生。李白的《梦游天姥吟留别》:"……我欲因之梦吴越,一夜飞渡镜湖月。湖月照我影,送我至剡溪。谢公宿处今尚在,渌水荡漾清猿啼。脚著谢公屐,身登青云梯。半壁见海日,空中闻天鸡。千岩万转路不定,迷花倚石忽已暝。熊咆龙吟殷岩泉,慄深林兮惊层巅。云青

---

① 参见查尔斯·里克罗夫特(Charles Rycroft):《精神分析学与未来》,芝加哥大学出版社1986年版,第47页。
② 弗洛伊德:《精神分析引论新编》,高觉敷译,商务印书馆1987年版,第3页。

青兮欲雨,水澹澹兮生烟。列缺霹雳,丘峦崩摧。洞天石扉,訇然中开。青冥浩荡不见底,日月照耀金银台。霓为衣兮风为马,云之君兮纷纷而来下。虎鼓瑟兮鸾回车,仙之人兮列如麻。……"全诗以梦境的渲染为主,一气呵成,把梦中景象写得触目惊心,撼人心魄。诗人平素的抑郁不得志在梦境中被一扫而空,留下的只是令人荡气回肠的仙境,这是诗人对自己的梦所做的一番诗意的陈述,每每让读者难以分辨它究竟是梦境还是诗人虚构的"乌有之乡"。

如果说人一半是天使一半是魔鬼,那么对应于大自然的昼夜循环来说,白天正体现了人的文化的一面(天使),夜晚则体现了人的自然的一面(魔鬼),因为"太阳沉睡之际,正是强大的力比多苏醒之时,白昼的光明则往往是欲望的黑暗时期"[①]。现实与欲望的冲突,往往在睡眠的梦中得到解决。杜甫曾写过两首《梦李白》的诗,其一曰:"故人入我梦,明我长相忆,""魂来枫林青,魂返关塞黑"。白天对诗人李白思念甚深,夜里,果然能够在梦中相见。李商隐《无题》诗之一:"来是空言去绝踪,月斜楼上五更钟。梦为远别啼难唤,书被催成墨未浓。蜡照半笼金翡翠,麝香微度绣芙蓉。刘郎已恨蓬山远,更隔蓬山一万重!"诗人因和情人远别,积思成梦,连梦中都是离别的场景,一觉醒来,又不知是梦是醒。"蜡照半笼金翡翠"一句以实境写梦境,烛光半笼,仿佛仍在梦中,"麝香微度绣芙蓉"一句以梦境写实境,麝香微度,疑所爱的人也许真的来过这里,而且还留下了依稀的余香。现实与梦似乎融为一体,似梦非梦,似真非真,诗人的幻觉与梦境在诗中已经结合得天衣无缝,使人无法辨认。

在唐代与宋代的词里,感梦、记梦之作更是俯拾皆是。温庭筠写过两首《梦江南》。其一:"千万恨,恨极在天涯。山月不知心里事,水风空落眼前花。摇曳碧云斜。"其二:"梳洗罢,独倚望江楼。过尽千帆皆不是,斜晖脉脉水悠悠。肠断白蘋洲。"全词中虽未提及梦事,却以"梦"为题写出诗人对江南的追忆和怀恋,那么,梦在这两首词中只是一种表情达意的象征,并非实有其事。梦作为诗词字面背后的一种不在场的东西在发挥作用。

[①] 诺斯罗普·弗莱:《批评的解剖》,普林斯顿大学出版社1957年版,第159页。

皇甫松也写过两首《梦江南》。其一:"兰烬落,屏上暗红蕉。闲梦江南梅熟日,夜船吹笛雨萧萧。人语驿边桥。"写诗人梦见江南梅熟,梦见夜雨吹笛,梦见驿边人语,梦中是当年的江南,在诗人的梦中,时间退回到当年的理想状态,在诗人的潜意识中,江南的梅子,江南的夜雨,江南的驿边人语似乎是永驻的,它活在诗人的记忆中,活在诗人的梦里,也活在诗人的词里。

韦庄《女冠子》:"昨夜夜半,枕上分明梦见。语多时。依旧桃花面,频低柳叶眉。半羞还半喜,欲去又依依。觉来知是梦,不胜悲。"诗人在梦中与爱人团聚,爱人的面容依旧,而且喜怒悲欢,形之于色,娇羞妩媚,呼之欲出。然而,梦醒人散,周围万物依然如旧,只留下一片迷惘和惆怅,可见梦是一个"骗局",是一种象征的满足。

苏轼《江城子(乙卯正月二十日夜记梦)》:"……夜来幽梦忽还乡。小轩窗,正梳妆。相顾无言,惟有泪千行……"也写梦中与阔别十年的亡妻相见。梦中加入了现实的体验,因为经过十年的离别之后,即使相见,也只能以"此时无声胜有声"来表达内心的复杂情感,所以"相顾无言,惟有泪千行"。这里,相见的欢喜之梦已经被现实歪曲了,明显地带有现实经验的烙印。

李煜作为南唐旧主,一切荣华富贵都已经成为昨日的一场美梦,于是,他要在诗词中反复述说这个已经破灭的梦,他只能沉睡在梦里,在回忆和感伤的梦幻中度过余生。"多少恨,昨夜梦魂中。还似旧时游上苑,车如流水马如龙。花月正春风"(《望江南》);"梦里不知身是客,一晌贪欢"(《浪淘沙》);"闲梦远,南国正芳春。船上管弦江面绿,满城飞絮辊轻尘。忙杀看花人"(《望江南》);"人生愁恨何能免,销魂独我情何限!故国梦重归,觉来双泪垂。高楼谁与上?长记秋晴望。往事已成空,还如一梦中"(《子夜歌》)。可以说,他的很多词都是对自己梦幻的叙述,而他的词之所以对后人产生了独特的魅力,也许正是因为这些词为他的梦赋予了完美的艺术表达形式。

晏几道写梦的词句则更多:"梦后楼台高锁,酒醒帘幕低垂"(《临江仙》);"梦入江南烟水路,行尽江南,不与离人遇。睡里销魂无说处,觉来惆怅销魂误"(《蝶恋花》);"春梦秋云,聚散真容易"(《蝶恋花·醉别西楼醒不记》);"从别后,忆相逢,几回魂梦与君同。今宵剩把银釭照,犹恐相逢是梦中"(《鹧鸪天》);"梦魂纵有也成虚。那堪和梦无"(《阮郎归》)。诗人意识到,梦像天上的云朵,虚幻缥渺,时聚时散,现实将把一切梦幻击得粉碎——"梦魂纵有也成虚"。诗人在词中更多的是写自己对梦的体验而不是写这些梦境本身。

苏轼的《永遇乐》题为:"彭城夜宿燕子楼,梦盼盼,因作此词"。"明月如霜,好风如水,清景无限。曲港跳鱼,圆荷泻露,寂寞无人见。紞如三鼓,铿然一叶,黯黯梦云惊断。夜茫茫、重寻无处,觉来小园行遍。　　天涯倦客,山中归路,望断故园心眼。燕子楼空,佳人何在?空锁楼中燕。古今如梦,何曾梦觉,但有旧欢新怨。异时对,黄楼夜景,为余浩叹。"诗人梦登燕子楼,醒后往其地寻梦无处,遂思及人生无常,古今如梦。梦良辰美景,梦清景无限,事实上是象征"佳人"往日在楼上,人美景也美,如今人去景也去,所以"重寻无处""燕子楼空",唯有往日的情景在梦中保存完好,依然如故。

姜白石《踏莎行》题为:"自沔东来,丁未元日至金陵,江上感梦而作"。"燕燕轻盈,莺莺娇软,分明又向华胥见。夜长争得薄情知?春初早被相思染。　　别后书辞,别时针线,离魂暗逐郎行远。淮南皓月冷千山,冥冥归去无人管。"伊人轻盈的步态、娇美的身姿,"别后书辞,别时针线",都在梦中得以重现,诗人也许在梦中听到了伊人述说别后之苦——"离魂暗逐郎行远"。现实中的离别被梦中的相会"超越"了,白天的压抑在夜晚的睡梦中得以"释放"。

由此可见,诗词与梦结合起来,似乎能够更好地排解诗人的离愁别恨。梦与诗词构成了诗人情感欲望的表达形式(语言),那么,梦与诗词乃至艺术作品的关系究竟如何呢?

三

弗洛伊德在《创作家与白日梦》一文中曾经把家比喻成游戏中的儿

童,儿童以游戏来满足自己的幻想和欲望,作家则创造出大量的艺术幻想(白日梦)来满足自己的理想和愿望。笔者认为,从文化与个人的关系来看,梦与艺术作品之间不仅具有一种类比关系,它们至少在四个方面是相通的。

第一,梦与艺术作品都是人的欲望的象征性满足。马克思在《1844年经济学哲学手稿》中指出:异化是文明的必然产物。只要存在着人类的文明(文化),也就必然存在着对人的本性(包括爱欲和其他欲望)的压抑,因此,也就存在着作为欲望的象征性满足的梦。艺术作为一种自由的象征,也同样是人的欲望的想象的、象征的满足。

第二,梦与艺术作品都是欲望的表达形式,换言之,它们都是一种表达欲望的语言。梦通过歪曲、压缩和移位的手段,通过把欲望转化成一系列象征的视觉和听觉意象来曲折地表现人的欲望;艺术作品则通过文字符号来表达欲望。以上我们对唐宋诗词中描写的梦的分析,已经充分地说明了这一点。

第三,梦与艺术作品都是文化压抑的征兆和象征性的治疗。精神分析学家在梦中发现了梦的显内容和潜内容。发现梦的内容被歪曲,被压缩,被移位,被稽查,所有这些都是文化或现实压抑的一种病理征兆。同时,如果没有梦,那些被压抑的梦者也许会有精神崩溃的危险。所以,梦也是对文化压抑的一种象征的治疗。精神分析学家的分析工作在于通过释梦,把梦的真相告诉梦者,从而把梦者从一种压抑的情境中解放出来,这对梦者来说,可能是一种真正的治疗。艺术作品,无论是写实的还是写意的,无不体现着作家的理想与梦幻。在作家写出来的文字中,我们可以发现文化压抑的痕迹,在作家回避或(有意无意地)没有写出来的东西中,在文字与文字之间的缺漏处和空白点上,我们更可以发现意识的稽查在起着作用。因此,艺术作品作为一种文化产品,也同样是文化与现实压抑的征兆和表现形式。同时,艺术家通过描述自己的不幸和梦幻,也就达到了对自己的压抑的象征的治疗。

第四,梦与艺术作品都是幻想的产物。"幻想(phantasien)的动力能量是不能满足的愿望,每一个独特的幻想都是一个愿望的满足,是对不能满足的现实的一种校正。"①从上文列举的唐宋诗词中我们可以看出,诗人的幻想经常与梦中的幻想融合在一起,很难分出彼此。即使那些不直接描述梦幻的作品,也同样是一种幻想的产物。意识流小说,法国的新小说,超现实主义和达达主义等艺术流派的作品,不正表明艺术作品与梦幻的关系日益密切和明朗化了吗?

从以上四点来看,我们可以说,一部作品就是作者的一个梦幻,批评家可以像精神分析学家分析一个梦那样来分析一部作品,他可以发现作品文字的"零度"(罗兰·巴尔特语),找出缺失和遗漏,发现被歪曲、被压缩和被移位的内容(这很有些像新批评派的"细读法"),从而重构作家的个人历史。批评家还可以跳出本文之外,进入文化的精神分析,这一点尤其重要。

不过,梦与艺术作品也存在着根本的差别。尽管梦中存在着用象征意象表达欲望,用显内容(表层结构)表达潜内容(深层结构)的现象,然而,这些并不能像精神分析学家所说的那样,会使每一个梦者都成为诗人。因为梦是我们在睡眠中失去的一种个人情感的表达形式,它没有语言文字和其他物质作为物化和外化的手段。因此,一般来说,当梦者醒来,梦中意象也就随之消失了,一般的梦是属于个人的。艺术家的幻想,却能够通过文字、画笔和石头等物化手段转化成一种文化客体,被人们欣赏,被人们阅读,也就是能够与不同时间和空间的读者进行交流。因此,艺术作品更多的是一种大众化的文化产品。

唐宋时代的诗人们正是用文字符号写下了自己的梦,从而使这些梦幻保留在他们的诗词里,并且能够和当时及后来的读者进行交流。

在今天,读一读诗人们对自己的梦的描写,再看一看精神分析学对梦的论述,也许我们对这二者都会有新的领悟。

---

① 弗洛伊德:《弗洛伊德标准版心理学著作全集》第九卷,霍格斯出版社 1955 年版,第 146 页。

穷而后幻：才子佳人小说的创作心态

吴光正

才子佳人小说作为一个流派是指明末清初一批不得志文人创作的一批小说，这些小说大率"以文雅风流缀其间，功名遇合为之主，始或乖违，终多如意"。① 自从20世纪80年代春风文艺出版社将这批小说整理出版以来，学术界愈来愈认识到它们在白话小说由整理改编模拟话本拟话本小说到由文人独立操觚写作过程中的桥梁作用，并对它们的叙述模式、妇女观和婚恋观进行了深入研究。本文拟从精神分析的角度揭示落泊文人是如何在小说中实现精神补偿的，揭示作为精神补偿的才子佳人形象到底存在着一种什么样的特质。

一、狂士与高人

众所周知，才子佳人小说的作者均是清一色的落泊文人。他们在小说的序言中详尽地揭示出了科考失利的种种艰难苦恨以及借小说以抒愤和

---

① 鲁迅：《中国小说史略》，东方出版社1996年版，第149页。

自慰的创作心态。天花藏主人《平山冷燕》序云:"奈何青云未附,彩笔并白头低垂狗监,不运上林与长杨高阁,即万言倚马,止可复瓿;道德五千,唯堪糊壁,求乘时显达,刮一目之青;邀先进名流,垂片言之誉。此必不得之数也……欲人致其身而既不能,欲自短其气而又不忍。计无所之,不得已而借乌有先生,以发泄其黄粱事业……凡纸上之可喜可惊,皆胸中之欲歌欲哭。"①烟水散人也在《女才子书》的序言中提及自己寒窗苦读却"犹局促作辕下驹"的苦楚:"予云庑烟障,曾无鹪鹩之一枝……予一自外人,室人交遍谪我……予弦冷高山,子期未遇,弊裘踽踽,抗尘容于阛阓之中,遂为吴侬面目。其有知我者,唯松顶清飚,山间之明月耳。"②谋食方艰备受世人乃至家人白眼的烟水散人于是"特以寄其牢骚仰郁之概"。从这两位作者的夫子自道中,我们可以发现落泊士子创作小说是凭借小说来实现其在现实中受到阻碍的人生愿望,在小说中寻求一种替代性满足;我们还可以发现小说中的人物形象是落泊书生们借助幻想自我理想化了的形象。

美国精神分析学家卡伦·霍尔奈指出,为补偿软弱感、无价值感和缺陷感,人生中的不得意者往往会借助想象的翅膀创造出"理想化"的自我,认为自己具有极高的天赋和无限的力量。"这个理想化的自我比他真实的自我更加真实,这主要并不是因为它有吸引力,而是因为它能满足他的全部迫切需要……理想化的自我成了他观察自己的视角,成了他衡量自己的尺度。"③卡伦·霍尔奈把具有这种理想化倾向的人称作神经症患者。在她看来,"健康的努力奋斗和神经质的追求荣誉之间的差别是自发性和强迫性之间的差别;是承认和否认局限性之间的差别;是着眼于看到荣誉的最终产物和着眼于感觉到进化过程之间的差别;是生活和装样子之间、幻想和真实之间的差别"④。

---

① 天花藏主人:《平山冷燕》,李致中校点,春风文艺出版社1982年版,第232—233页。
② 烟水散水:《女才子书》,见大连图书馆参考部编《明清小说序跋选》,春风文艺出版社1983年版,序第1页。
③ 卡伦·霍尔奈:《神经症与人的成长》,张承谟、贾海虹译,上海文艺出版社1996年版,第8页。
④ 卡伦·霍尔奈:《神经症与人的成长》,张承谟、贾海虹译,上海文艺出版社1996年版,第25—26页。

按照这一理论来观照才子佳人小说中的人物形象,我们完全有理由认为才子佳人小说的作者是一群神经症患者。这群神经症患者让真实的自我和理想化的自我同时进入了小说中,从而使得汲汲于功名的才子们呈现出狂士与高人的形象特质。落泊书生在现实中饱受艰辛已经对功名富贵产生了一种疏离情绪,但为了证明自己的人生价值又不得不让自己在幻想中实现世俗社会对功名富贵的期待。前者是自发性的,后者却是强迫性的是外界逼迫的。正因为这两种自发性和强迫性的心态同时进入到了小说的创作中,小说中的才子们才一方面追求功名富贵,另一方面却展示出对功名富贵的蔑视和冷漠;才子们的形象一方面展示出名利场中的俗人气息,另一方面却展示出愤世嫉俗的狂士、高人气质。

神经症患者的自我理想化是不现实的,但他们却指望无须做出足够的努力就可以使自我理想得到实现。落泊书生们的挫折直接渊源于科举考试的屡战屡败,但是在小说中,才子们一个个才如子建,视拾青紫如拾草芥。在落泊书生自我理想化的形象中,我们发现才子们对功名的信心简直令人叹为观止:"这富贵二字,兄倒不消提起。若论弟辈既受业艺林,谅非长贫贱之人。"(《玉娇梨》)"她若嫌我寒士,我明年就中个状元给她看,那时就不是寒士了,她难道不肯?"(《平山冷燕》)《赛红丝》中的宋古玉"声名籍籍,以为功名垂手可得";《麟儿报》中的廉清甚至狂妄到不屑参加县、府两级考试,昂首阔步越级参加省级考试。在这种心态的支配下,十年寒窗苦读在小说中被浪漫化为游山玩水似的轻松之旅。廉清参加乡试和会试,压根就没把考试放在心上,终日只是"看山看水,游行寻乐",却以十来岁的年龄中了状元。《玉支玑》中的长孙肖"到了秋闱,真是文齐福齐,早不知不觉中了北榜第一名",会试第一却由于触怒权贵被取为第二,殿试时由于为心上人哀伤过度精神恍惚"草草完事","不期才高过人,不十分落人之后,仍殿得一个榜眼"。明清乡试会试殿试每三年举行一次,殿试一甲三名,即状元、榜眼、探花。有清一代状元才114人,江苏49人,浙江20人,安徽9人,其他各省或一两名,有的省甚至连榜眼、探花都没有。可是,小说中的才子们不考则已,一考便一鸣惊人,不是状元便是榜眼、探花,这不能不说是神经症患者们的一种不切实际的白日梦。

现实中的士子们以八股时艺参加科考惨遭失败,小说中的才子们便极力颂扬诗文之才贬低八股之才,并对科举弊端展开了猛烈的抨击。唐代以诗赋取士,所以士子们便苦心钻研诗赋;明清以八股取士,所以士子们便皓首穷经于四书五经之中。《玉娇梨》中的老者请才子苏友白作寿文时说道:"不瞒苏相公说,我这山东地方,读书的虽不少,但只晓得在举业上做工夫,至于古文词赋,其实没人。"《平山冷燕》中的张公子也自称:"小弟因遵家严之教,笃志时艺,故一切诗文不曾留意。"可是小说中的才子却偏偏以"文人之才""诗人之才"自许,把八股时艺当作等而下之的才学,对时艺之才极尽鄙薄之能事。"当今士子只不过熟习时文,相沿剿袭,已成陋规,功名到手,即便弃掷。即有一二锦绣文章,亦不过鉴赏一时,无有实际。怎得有才如班马、诗成李杜……于八股中去求生活,何其愚也!"(《人间乐》)在这种心态的支配下,才子们对附庸风雅的富家公子和八股名士极尽挖苦之能事。比如《平山冷燕》中的才子平如衡"见张寅诗作不来,知是假才,心下怫然,遂拱拱手一径去了",根本就不顾忌作为东道主的尚书公子脸面是否过得去。《麟儿报》中的廉清肆意凌辱漫骂富家秀才钱万选不才,最后竟然招致钱万选的切齿仇恨。佳人作为才子的知音揭穿假才子们的作弊行经尽情嘲弄八股名士的壮举也让才子们备感扬眉吐气。比如《平山冷燕》中的尚书公子张寅抄袭才子平如衡的诗作向才女山黛求婚,结果被识破;才女们把他戏弄一番居然把他满脸涂得花花绿绿赶出相府。类似的场景频频出现于假才子向佳人求婚之际,这一事实表明了诗文之才对八股时艺之才的极度蔑视。此外,由于书生们在现实中科举不第,所以尽管小说中的才子们最终都一个个金榜题名却无法掩饰其对科举弊端的愤慨。才子平如衡一听说燕白颔是个富家子弟,当即怀疑:"你见燕白颔考个案首,便诧以为奇,焉知其不从夤缘中来哉?"《铁花仙史》中"那等白木尚且中了"而才子王儒珍却名落孙山,同伴们愤愤不平,责骂"主司真所谓冬烘头脑者也"。《女开科传》则简直是一篇声讨科举弊端的檄文:"要知那科场中,如买号、雇倩、传递、割卷、怀夹种种弊窦,难以悉举","况且文章好歹,那有定评,有银子就是好文章,没银子,任凭你锦绣珠玑,总是嚼蛆放屁。"从精神分析的角度来看,这批落泊书生们的这种心态实质上是把落第的责任转移到自己以外的因素上去。他们在现实中极度自负:"落笔时惊风雨,开口秀夺山川",退而著书,"上可佐邹衍之谈天,下可补东坡之说鬼,中亦不妨与玄皇之梨园杂奏";"笔尖花足与长安花争丽"。天花藏主人和烟水散人的这种极度自负之情却屡遭挫折,结果使得他们在小说中"把应该由他自己负的责任转移给别人,转移给环境,或转移给命运"。①

尽管才子们皆出身寒门,贫穷落泊,渴慕着改变一己的生存处境,但是,才子们在骨子里却对富贵者有着满腔的仇恨。这种仇恨具体表现为三个方面。其一,才子们自视清高视富贵之人为俗物,拒绝与富贵之人往来。平如衡对"王公大臣、金紫富贵""直尘土视之",声称自己"素性不欲轻涉富贵之庭""宁可孤生独死,若贪图富贵,与这些纨绔交结,岂不令文人之品扫地"。当他发现结交的张公子不会作诗时,他当即感到自己的"锦心绣口因贪杯酒而置于粪土之中,可辱孰甚!"《赛红丝》中的才子宋古玉"只以诗酒为缘,文章交结,一辈龌龊小人,哪里看得上眼"。《好逑传》中的才子铁中玉虽出身富贵之家却视富贵如仇敌:"倘或交接富贵朋友,满面上也括得下来,一味冷淡。却又作怪,若是遇上贫交知己,煮酒论文,便日欢然,不知厌倦。"其二,张扬一己之才学,极力丑化富家公子。寒士们唯一可以自傲自慰的便是他们的才学,《平山冷燕》中的燕白颔就认为"富人家绝无才子""大约富贵中人,没个真才,不是倚父兄权势,便借孔方兄之力向前"。在这种心理的支配下,小说中的富贵子弟便一个个以粗蠢的纨绔子弟形象出现在读者的面前。比如《两交婚》中的富家公子刁直"生得仪容甚陋,心情颇愚,所好者枕上之花,所贪者杯中之物,虽也挂着个读书之名,却恨与书无缘,每每相见不相亲"。其三,才子们对富贵的蔑视还体现在对权贵逼婚的反抗。才子们为坚守自己与佳人的盟约,金榜题名后并没有像宋元小说中的才子们那样负心他娶,而是与求婚逼婚的王侯将相乃至皇帝们展开了不屈不挠的斗争。《定情人》中的才子双星辞权贵之婚,声称婚娶与门户无关:"若论门户,时盛时衰,何常之有?","只要其人当对",

---

① 卡伦·霍尔奈:《神经症与人的成长》,张承谟、贾海虹译,上海文艺出版社 1996 年版,第 53 页。

"则性命可以不有,富贵可以全捐"。《两交婚》中的甘探花以寒贱书生不便娶侯门之女为由向做媒的皇帝辞婚:"纵思娶妇,钗荆裙布,亲操井臼,是所望也;朝夕侍奉,代供菽水,是所愿也;贫贱不悲,糟糠自厌,是所甘也。"甘探花抗旨拒婚不成,愤而挂冠而去,最后被权贵打入大牢,结果引起三百新进士的义愤而集体辞官。甘探花和众进士的所作所为无不昭示出新进寒士对权门贵族的蔑视。

尽管才子们最终都一个个金榜题名功成名就,但是,这批书生的内心深处却处处流露出他们对功名的漠视,儒家的修齐治平理想在他们的人生中没有多大地位,他们所关心的仅仅是个人的自由、个人的小天地。未中举前,才子们视功名如浮云全不以功名为念。比如《女开科传》中的余丽卿"不把功名两个字放在心上,只是娱情诗酒,散心山水之间",认为功名"就是得之,不足为荣,失之不足为辱。朝荣夕落,岂堪耐久?"《玉娇梨》中的苏姓才子之所以名友白字莲仙就是因为他仰慕李白的风流才品仙风道骨,俨然以世外高人自居。即使涉足名利场,才子们也会为了舒展内心的意愿而置功名前程于不顾。平如衡指责宗师阅卷不公愤而自弃秀才前程,纵情于山水。苏友白认为"门生这一领青衿,算得甚么前程,岂肯恋此而误终身大事",因拒权贵之婚被黜退了秀才资格之后,"每日在家,只是饮酒赋诗、寻花问柳……不以功名贫贱动心"。中举之后,面对达官贵人乃至皇帝的逼婚,《玉娇梨》中的苏友白、《两交婚》中的甘探花、《吴江雪》中的江潮、《飞花艳想》中的柳友梅等一大批才子们为坚守自己与佳人之约不顾个人的前程乃至最后弃职挂冠而去。鉴于对官场险恶的畏惧和对人间天伦之乐的向往,中举后的才子们并没有"学成文武艺,货与帝王家"的政治热情,并没有把整个身心投入到精忠报国的行动上去,也没有为功名而极力钻营,反而一个个视功名为身外之物,纷纷辞官隐退。苏友白回家后"只顾与小姐做诗作文,不愿出门"。《飞花咏》中的昌谷"见父母年老"便致仕归家;《定情人》中的双星中举之后便乞归故里孝养寡母;《锦香亭》中的新科状元"割断尘缘悟本真",告老还乡,与岳父大人"终日赋诗饮酒";《麟儿报》中的廉清中第之后,在家待了十年才去做官,做官不久便致仕归家,"日与二位小姐尽享闺中韵事"。

二、才女与淑女

　　落泊书生们治生救贫的唯一办法就是金榜题名,科考不得意往往导致婚姻家庭生活的不如意乃至不幸。现实中的这种挫折使得书生们在小说中寻求梦幻式的满足:"唾壶击碎,收粉黛于香闺;彤管飞辉,拾珠玑于绣闼。贞姿艳魄,彼美宜彰;赠药采兰,我怀匪属。"于是佳人们以才女和淑女的形象纷纷出现于才子们面前。时贤们以民主性和进步性对才女形象加以肯定却以封建糟粕性对淑女形象加以否定。如果我们从精神分析的角度来观察佳人的形象,便会发现这种评价尚有可商榷之处。佳人们的才女和淑女特质只不过是才子们的精神安慰品,是才子们自我理想投射到女性身上的产物。

　　表面上看起来佳人们一个个才高八斗、下笔千言、蛾眉不让须眉,是女性的一大进步,但佳人的诗才实质上是佳人们慧眼识珠识英雄于沉沦中的一大天赋而已。才子们唯一可以自傲的就是他们的才学,其婚姻成功的唯一砝码就是凭借其才学博取功名。世有伯乐,然后才有千里马。佳人必须有才才能够赏识沉沦中的才子。所谓"色之为色必借才之为才"是也。《平山冷燕》中的平如衡心里就打着这样的小算盘:"或者有才女子的心眼与世人不同,见纨绔乞怜愈加鄙薄,今见了你我有才人,转垂青起敬也未可知。"才女们的择婚标准亦是唯才是举。冷绛雪声称:"人家总不论,城里乡间也不拘,只要他有才学,与孩儿或诗或文对做,若做得过我,我便嫁他。假若做不过孩儿,便是举人进士国戚皇帝却也休想。"才女辛荆燕之所以十八岁尚未许人,就是"只因荆娘眼高,看得这些贵族公子直如豚犬",务要寻才子,以求才对才美对美快乐终身。才女的父亲属于那种顺从女儿心愿的开明家长,在择婚观上与女儿的主见如出一辙。《玉娇梨》中的白老爷、《麟儿报》中的幸尚书、《玉支矶》中的管侍郎、《好逑传》中的水侍郎等人均是一批"要看终身不认眼前"以才择婿的家长。在这种观念的支配下,才女们一方面通过面试诗文的方式拒绝毫无才学的权门纨绔子弟,一方面以诗结缘以诗定情心系寒门才子。《玉娇梨》中的白红玉、《两交婚》中的辛解愠一个出题招婿一个开诗社招婿,使得稍有才气的寒士们辗转反侧,寤寐吟诗以求之。

佳人们坚信自己凭才选中的乘龙快婿一定能够给自己带来金榜题名的荣耀。《赛红丝》中的贺秉正为宋萝、裴松和裴紫仙、宋采两对才子佳人议婚时就明白无误地打出了"金屋佳人配才子,玉堂才子配佳人"的旗号。那些原本对功名不甚挂念的才子们在佳人的劝勉鼓励下一个个如梦初醒转而信心百倍地走进了科场。佳人们甚至以中举成婚为条件鼓励才子们蟾宫折桂:"君无他,妾无他,父母谅亦无他。欲促成其事,别无机括,惟功名是一捷径,望贤兄努力。"(《定情人》)"望郎君早占龙头,以谐凤卜。"(《麟儿报》)《驻春园》中的才女曾浣雪寄信勉励黄玿,后来又遣丫鬟严加督促,以"共遂于飞"鼓励黄玿努力功名。就连佳人的双亲也在一旁殷勤勉励,以才子的金榜题名作为洞房花烛的根本前提。《驻春园》中的曾浣雪之父对未来女婿说道:"公子正宜矢志前驱,恢宏大业,老身仍留东床,待君坦腹。"《两交婚》中的辛祭酒的言行如出一辙:"幸努力功名,此姻自在。"面对知己的鼓励,才子们一个个致力于功名最终一举成名,这是对知己的最好报答。

"大都绝世佳人既识怜才,自能守贞。"《玉娇梨》中的这一观念揭示了落泊士子们无力战胜现实中的竞争者而产生的幻想特质。于是小说中的佳人们凭借自身的胆智识见巧妙地周旋于权贵小人的逼婚过程中,矢死靡他地为才子们守节。从世俗的眼光看来,身处贫寒的才子们根本就无法在与那些富贵子弟的婚姻争夺战中获得胜利。尽管佳人有心于才子,才子们还是顾虑重重。面对强梁,书生们的性命尚且难保,更不要说英雄救美了。比如《玉支矶》中的寒士长孙肖夺了卜公子的婚姻,遂使卜公子杀机顿萌,幸亏管小姐设计相救,否则性命难保。在这种情况下,才子和佳人之间的情缘就全寄托在佳人们守节抗暴的壮举上了。《玉支矶》中的管小姐是个女中秀士,一次次替父母和情人出谋划策,使得强梁之徒卜公子的逼婚计划彻底破产。在万不得已的情况下,管小姐先仗剑唬退了卜公子,后来又施苦肉计以假自杀断绝了卜公子的痴心妄想。《麟儿报》中的昭华小姐为躲避贝公子的求婚女扮男装出逃,结果被毛御史收留并赘为女婿。昭华小姐以未经父母许可为由拒绝与毛小姐同房,并以探亲为由把毛小姐哄骗到婆家。昭华小姐不仅为情人守贞,而且甘居第二让毛小姐做了廉清的正室。《定情人》《飞花咏》等小说中的佳人为了坚守盟约甚至以自杀来反对权贵的逼婚。

才子们心目中的佳人除了具有慧眼识珠的才干和抗暴守贞的胆识之外,还具有标准的封建淑女特质。这种特质具体体现为两个方面。其一,佳人与才子的感情追求始终恪守儒家道德,向往河洲之情而不屑于桑间之求。《飞花咏》中的彩文与唐昌跪拜订盟后,"唐昌即欲挨近小姐,渐渐昵狎。小姐正色推开道:'哥哥不可轻薄,后自有时也'","若将河洲瘖寐作桑间濮上之求,小妹深不敢也。"面对书生情不自禁流露出的轻狂之态,就连小姐的丫鬟也会援引礼义对书生严加斥责。(如《锦香亭》《驻春园》)。水冰心、铁中玉的守礼之德在这类小说中堪称登峰造极。铁中玉为水小姐的胆识才干所折服,"水小姐"三字,魂梦中也未尝能忘,但这对孤男寡女被迫独处一室时却恪守着儒家男女授受不亲的信条。两人"恭恭敬敬,并无半个邪淫之字,一点勾挑之意","真真是个鲁男子柳下惠出世了"。为了不让人指责他们先奸后婚,他们后来两番花烛却不肯同房,直到皇帝命宫人验明小姐仍为处女后,方才共谐鱼水之欢。"三番花烛始于归,表正人伦是与非。"可见,才子佳人的一见钟情已经完全道学化了,佳人一改崔莺莺卓文君密约偷情的奔女形象而为"以礼自持"的淑女形象。其二,不妒之德是佳人作为淑女的又一大品格。《玉娇梨》中的苏友白认为:"若非淑女,小弟可以无求;若果淑女,那有淑女而生妒心者?"《玉支玑》中的卜小姐担心自己不见容于管小姐,没想到管小姐心地非常坦荡:"至于长孙归娶,誓必双飞双宿,决不独自于归,有负此盟,天地不容盖载!"《玉娇梨》中的白小姐对卢小姐的心里话表明佳人们确实能够满足才子们对淑女不妒的愿望。才子拥双美数美的现象在后期才子佳人小说中显得越来越突出。比如,《梦中缘》中的佳人替才子择佳人时就宣称:

"知己之人,多多益善,何妒之有!"才子吴生在佳人的帮助下共娶了三妻二妾,"夫妻六人夜则同眠,姊妹们琴瑟静好似水如鱼,自始至终绝无嫉妒之意。"

佳人们的这些品格给书生们带来了莫大的安慰,佳人对才子的垂青源自于才子对知遇之情的渴求。落泊书生们在序言中纷纷传达了自己对知己之情的渴慕。苏友白就认为:"不遇个绝色佳人,叫我一腔情思何处去发泄。"《人间乐》的许绣虎也认为:"若以天下之大,何患无才美之妇,然不有一番默默相关弄情言外者,终非奇偶。"《女开科传》中的余丽卿甚至认为"不娶得一个有才有色有情有德的绝代佳人终身相对,便做到玉堂金马","终是虚度一生"。《春柳莺》中的石延川谈到自己的两大愿望时指出,"必须得个才女,白头吟哦;得个侠士,终身啸傲,使吾内有琴瑟之欢,外有胶漆之乐"。可见,才子之于佳人,正像石延川指出的那样:"舍彼则我无知己,舍我则彼无知己。"

这种强烈的渴慕之情一旦化为行动就使得才子们进入了一种迷狂的感情追求之中。"谁知一片遨游志,只为温柔别有乡"。《定情人》《两交婚》《平山冷燕》中的才子们放弃功名云游四海,目的就是为了寻求心中的佳人。《玉娇梨》中的苏友白宁可被革掉秀才前程也不迁就吴翰林的逼婚,宁可挂冠而去也要抗拒顶头上司的逼婚,最后游荡江湖,寻找理想中的佳人。一旦寻找到心目中的佳人,才子们往往为之疯魔甚至因思念而恹恹成病。《两交婚》中的甘颐一听到佳人的种种妙处便"情都乱了,心都荡了,身子都酥去了半边"。《定情人》中的双星见蕊珠小姐天仙般走近前来,"惊得神魂酥荡,魄走心驰""心猿意马",连与他人对话都没头没绪。频繁出现于小说中的这类描写所折射的是才子们在现实中的性压抑。压抑越严重,幻想中的痴情就越深厚。

通过上述分析可知,佳人的形象特质完全来自于落泊书生们对于性爱情爱的病态迷恋。才子对佳人的渴求和幻想表明,"他们把性爱看成是至高无上的满足。爱情似乎必须而且的确是进入伊甸园的入场券,在那里一切的苦恼全都结束:不再感到孤独,不再有失落感、负疚感和无价值感;不再需要为自己承担责任;不再需要和他对之无丝毫准备的严酷世界进行搏斗。相反,爱情似乎能保证给他以保护、支持、钟爱、鼓励、同情、理解。爱情使他感到自己具有价值。爱情会使他的生活有意义。爱情是获救和赎罪。"[1]

---

[1] 卡伦·霍尔奈:《神经症与人的成长》,张承谟、贾海虹译,上海文艺出版社1996年版,第258—259页。

一个表演的版本：酒神祭仪中迷狂的"治疗"作用

彭兆荣

　　文学的学院化、精致化是对文学原始发生的民间性、民俗化的一种提升，但同时也是一种阉割。就过程而言，"进化"永远伴随着"退化"，甚至可以说"进化"就是"退化"！这或许是历史上"达尔文们"贡献最大同时又是永存不足的地方。文学的提炼是要使之更"精美"，剔除本已为一体的某些品质，于是有了"粉饰"意味，仿佛女人之化妆，粉施厚了，雀斑便看不见，可雀斑没有因此消灭。真正的文学"美色"原应是"著粉则太白，施朱则太赤"的本来。

　　文学是人类"自然之镜"，尽管人们已经完全腻味于这个没有任何新意的比喻，却无奈人类语词贫乏之于想象丰富间的无助而忍受其嚼蜡般煎熬，那么，人类的"自然终极"的表象是什么呢？是恐惧。贪生怕死为人类生命和自然的"第一母题"(the first motif)；人类最基本的叙事精神便是悲剧精神。这样，人类最早的口传文学——神话，就成为传达人类在自然面前无力的异化。而悲剧成为文学的"第一文类"也就不足为怪了。以西方文学来看，就可资为据并公认为最早的文学，是与盲诗人荷马的名字连在一起的两大史诗《伊利亚特》和《奥德修纪》。荷马史诗整个地弥漫着悲剧精神。以《伊利亚特》为例,荷马曾明言,这是个"阿基琉斯愤怒"的故事。阿基琉斯这位海神之子,集伟大、勇敢、英俊、雄辩于一身,可是"命运对于他却只能是死——这是最能体现时代观念"的主题。正因为如此,荷马才让他成为其不朽之作的主人公①,"悲剧精神"和"阿基琉斯的命运"在史诗中成了聚现"时代观念"互不可少的内在因素。它给后人留下了这样一种理解和阐释:英雄时代渗透着一种强有力的、统摄人们观念的时代精神、悲剧精神。它不仅仅为某一艺术种类所特有,而且也普遍存在于古希腊人的意识世界之中,它是感知也是认识。建立了这样的理解,我们便不难领悟为什么希腊人对他们认为最能体现其时代精神的史诗和悲剧如此钟爱,以致热衷到如痴如狂的地步了。

众所周知,希腊悲剧从赞美酒神的颂歌和祭祀发展而来。按照亚里士多德的解释,悲剧来源于模仿。在《诗学》中,他为悲剧作了一个流传百世的界定:"悲剧是对于一个严肃、完整、有一定长度的行动的摹仿","借以引起怜悯与恐惧"②。所谓模仿,首先是在"理念世界"建立一个参照系,让意识主体在对对象的模仿上完成艺术的创造。说到底,模仿是"意识主体的对象化"问题。那么,落实在这里就成了这样一个程式:悲剧是对酒神及其祭祀的模仿,而诸因素必须同时满足一个条件:悲。

据词源考察,悲剧(tragoidia)一词意为"山羊之歌",系模仿酒神狄奥尼索斯及侍从萨提儿、西勒诺斯,故有"萨提诺斯剧"(羊人剧)之称。迄今为止,作为悲剧性格,尽管狄奥尼索斯在流传下来的希腊悲剧中很少出现,然而,按照格雷特的考证,"狄奥尼索斯以及他的生平构成了最古老的悲剧素材"。我们虽无法确知狂热的酒神崇拜什么时候始于希腊,但古希腊诗人热衷于把酒神作为生活和艺术表达的主人公便足以证明,酒神的悲剧主题"不仅仅反映了当时的个人生活,也反映了社会的普遍情绪。"

"酒神祭仪""悲剧题材"和"社会普遍情绪"三者之间究竟有什么逻

---

① 莫里斯·鲍勒:《古希腊文学》,牛津大学出版社1959年版,第22页。
② 亚里士多德:《诗学》,罗念生译,人民文学出版社1982年版,第19页。

辑关联呢？一种解释是：通过对酒神祭仪的模仿和悲剧性表演完成人们对内心普遍恐惧、压抑的宣泄，求得对人们精神和心灵积郁的治疗。痛苦是人类自我意识的表现，但却并不是终极境界，它必然会寻觅某种宣泄途径以求得心灵上的慰藉，而将这种宣泄凭附在某一具有特殊功能的神灵上就很自然了。卡西尔说："在非常原始的神话思想阶段中，我们就发现了这样一种信念：人，为了达到意欲的目的，必须与自然及其神圣的或有魔力的力量合作。"①酒神及其祭祀仪式恰好满足人们宣泄痛苦的条件。"原始的狄奥尼索斯祭祷是一种宣泄，它使人们超乎自我，净化人们非理性的欲力，或引导它们进入这一特有的渠道。"②

　　酒神的特殊功能迷狂(ecstasy)与纵酒之醉态互为表里。酒在这里已不独表现为物质形态，还是特殊文化意义之载体，含有浓郁的象征成分。据说狄奥尼索斯生前发明了种植葡萄和酿酒技术，后来被巨人泰坦所杀，并将其尸体像榨葡萄酒那样来对待，因而后来狂醉被认为"后世生活"的象征。个中关系颇似鲁迅先生在《魏晋风度及文章与药酒之关系》所透析："吃药可以成仙，仙是可以骄视俗人的；饮酒不会成仙，所以敷衍了事……既然一切都是虚无，所以他便沉湎酒了。"③无论是吃药以求"成仙"抑或是纵酒以追"虚无"，都无例外地对人类心疾进行着"化疗"。

　　一个颇为有趣且能发人深思的考古现象或许会引起人们的联想。德国考古学家施里曼根据荷马史诗所提供的线索，在今土耳其西北部的希萨里克地区发掘出特洛伊遗墟，发现战争时用的武器、头盔经常和酒具葬在一起。在第41、42、43号墓穴都发掘出形态各异的大酒杯。④它不由得使人想起这样的细节：当阿凯亚人把特洛伊人在激战时受伤垂死的马卡翁带到涅斯托耳的篷帐里时，人们就给他端上了酒：

---

① 恩斯特·卡西尔：《人论》，甘阳译，上海译文出版社1985年版，第128—129页。
② 周宁：《西方戏剧理论史》（下册），厦门大学出版社2008年版，第1213—1214页。
③ 厦门大学中文系：《鲁迅论中国古典文学》，福建人民出版社1979年版，第206页。
④ 兹拉特科夫斯卡雅：《欧洲文化的起源》，陈筠、沈澂译，生活·读书·新知三联书店1984年版，第130—132页。

> 旁边放着一个酒杯,是老人从家乡带来的,
> 它镶嵌着金钉,杯的提耳一共有四只,
> 每一只提耳上面站着一双黄金鸽子。
>
> 《伊利亚特》第 11 卷

如此仔细的描写与施里曼挖掘出的鸽子酒杯完全吻合。那么,把生死攸关的重要事件和饮酒联系在一起,是当时的普遍行为还是偶然巧合呢?"历史之父"希罗多德在《历史》中以大量事实证明了这个问题。[①] 在人们的眼里,酒不仅为饮料,更有酒神的迷醉功能,它可以使人忘却或淡化生命的恐惧,达到治疗效果。而这种医疗最好的叙述方式不是别的,正是悲剧。

二

文学是对祭仪表演的阐释算得上少数几个有代表性的"起源说"之一。而人类生命的意义首先是通过时序性庆典的娱神展演出来的。因此,破坏时间的通常规则,打破时间的维度以达到对人类生命延续的渴求或使生命拥有二度再生是"人类病因"。"时序"原本没有"分割"意义。物理学在时序上的一维性已科学地阐明了时间在任何时候、任何情景中所呈示的历史指向都是一致的,它并没有留下"隙"给人们作定量的分离。很显然,时序上的区分不过是时间在自然界历史"进行"中所遗留下的一些自然物类(species)在形态上的变化,这些变化作用于人类则成了极度功利的,甚至是生死攸关的了。比如物种的生长随着时令的历史性嬗递而演变:春回大地,万物复苏,人的生计随之有了希望;秋去冬来,万物萧索,人类也就失去了生活的保障。生命就是在自然的时序变化中被体现,被认识的。同样意义的演绎,酒神及其物化属性的表现,完成人类对自我的认识,而这样的认识所要满足的条件正好为"治疗"。

原始的祭神仪式除了毁灭时间上的秩序外,还建立了一个神圣规则下

[①] 希罗多德在《历史》中多次列举了酒与人们生命攸关的事件。

的暂短时空和活动,这就是仪式。常伦在这个神圣的短暂时空是不产生作用的。它有一个依据:此时此地"人/神"获得一定程度的转换,仿佛在说,"因为神需要,人就自然为之"。生命便在迷狂中振作。诚如克雷维列夫说:"古代神跟人一样,不但需要饮馔,而且需要声色。因此,在崇拜除了让神醉饱以外,还为他举行蔚为壮观的盛大游行,表演各种各样的戏曲游艺。例如,在古希腊罗马,每逢为葡萄种植业和酿酒业的庇护神狄奥尼索斯奉献秘密祭时,要举行人山人海、载歌载舞的游行,史称酒神节。这种活动照例是在夜晚凭借光亮进行。参加酒神节的多半是妇女(酒神女巫)。她们身披斑彩兽皮,头戴青藤花冠,手持酒神锡杖,开怀畅饮,翩翩起舞,沉浸在一片狂欢之中,竟至极度兴奋,放荡不羁。"①此外,酒神祭祀仪典的"羊人",完全是生命情欲的象征。在古希腊罗马神话中,山林之神潘(Pan)即羊人及其延伸语义就是原始欲望。"Panic"既有恐惧之意,又有迷狂之意,昭示出二者所衍出的宣泄关系。也就是说,酒神祭祀仪式成为人们释放压抑的最好管道。"人类从狄奥尼索斯那里学到的不是禁欲和节制,恰恰相反,是漠视和放纵欲望。"②

人类理解生命的过程为不断地"通过",以使生命永远不息。无怪人类的生命仪式被说成"通过仪式"(the passage rites),开导这扇想象之门者正是时序的变迁和轮回,它帮助人类平复心灵的痼疾,从中找寻平和的部分。其实,如此这般的生命自我解读成为文明进步的动力。所以,在西方文化中,酒神狄奥尼索斯(Dionysus),古罗马为巴科斯(Bacchus),"不仅代表着致醉能力(the intoxicating power of wine),而且是对社会有益的影响力,被认为是文明的推动者,法(自然法)的制定者和和平的使者。"③自然界的时令变化呈现为周期性,春夏秋冬的律动直接伴随着万物生命的枯荣,仿佛白居易诗中所描写的"离离原上草,一岁一枯荣"的景致。这在人类祖先那儿唯一所能做的就是直觉的类比。于是,复活的观念、轮回的意

---

① 约·阿·克雷维列夫:《宗教史》上,王光睿译,中国社会科学出版社1984年版,第84页。
② 查理斯·色尔蒙:《十二大奥林匹斯神》,理查德·克雷出版公司1952年版,第170页。
③ 托马斯·布尔菲斯:《传说的时代》,艾尔蒙德出版公司1965年版,第20页。

识缘此生成:

> 死游进了水里,
> 春天来到了我们中间。
> 带着红红的孵蛋,
> 带着黄黄的煎饼。
> 把死神逐出村庄,
> 把夏日迎进家园。[①]

这是波希米亚人对新生的歌咏。死在秋冬里延伸,生在春夏中复归。这种朴素的带直觉性的意向在世界许多民族的原始文化中普遍存在。也在酒(酒神)身上得到了文化确认。在埃及,"俄赛利斯死而复生象征在埃及发生的自然现象,人民也把它与尼罗河和植物的生长规律相联系。"[②]与俄赛利斯一样,酒神狄奥尼索斯也是死而再生,生命在时序中作意象性的变化。酒神原为宙斯(自然力的化身)的儿子,又是人间最重要的神祇,他的生死变化契合着自然时序的更替,仿佛生命与时令成了内容和形式的哲学体现。无独有偶,这种文化观念上的表演,我们可以在埃及和美索不达米亚找到相同的"复本"(counterparts):杜穆兹(Dumuzi)和俄赛利斯神即是明例。在那里,酒的时序性庆典意义显然已经达到哲学化的概括和文学化的叙述。尽管如此,我们仍依稀可悟其沉淀于物象上的感性经验和意义。

时序的四季交替和循环变迁造就生命的奇迹,人类对生命的感受和认识也正是在这样一种直接的经验参照中体现出来的,并因此被自然地神化和宗教化。人类学家注意到,早期人类都把生命过程置于超自然——策动自然的力量之下来看待;而超自然力量的技术表演便是巫术。巫术的一个重要功能是治病,当然它也可以表现为致人以病。不少人类学家,尤其是早期的进化论者,都将人类的第一阶段定位在巫术上。如泰勒、弗雷泽等

[①] J. G. 弗雷泽:《图解的金枝》,麦克米兰公司1915年版,第120页。
[②] 阿·费克里:《埃及古代史》,高望之译,商务印书馆1973年版,第52页。

人。李弗斯是较早注意到文化形态与人类身心医疗关系的人类学家。他认为巫术的(magic)、宗教的(religious)和自然的(naturalistic)分别会衍生出一套医疗术,包括生命、身体、病因、医治等的体系。而人类初级社会少不了借助仪式巫术参加对人类身心的具体医疗。

文化形态及类型作为民族、族群的历史沉淀和集体表现,也相应地体现出对身心的医治系统。美国著名人类学家本尼迪克特在她的《文化模式》中巧妙地借用了尼采的酒神型(Dionysion)和日神型(Apollonian)来比喻不同类型文化的差异。酒神型人"打破生存的通常束缚和限制"而寻求生存价值;他寻求达到所谓最有价值的时候,逃出五种感官所强加在他身上的那些界限,以便破格获得另一种层次的体验。在个人体验中或仪式上,酒神型的愿望是要竭力使自身达到某种心理状态,即出格(excess)状态。对他所寻求的情绪最为接近的类比就是沉醉了,他看重迷狂的启迪。[1] 某种文化模式之下所形成的文化人格即是一特定人群同质性的集体外表,也是自然形态中人们所表现出的"病因"和医治。

三

说来并非巧合,西方人在阐释"精神"(spirit)(相对于物质而言)、灵魂(相对于肉体而言)、神灵(相对于世俗而言)是与酒、酒精(spirit)相提并论,共用一字。"spirit"既是物态又是情态,互为照映,妙趣横生。其实,酒(酒精)和精神一格双象:前者为物象,后者为意象。这大约算是对酒、酒神之悟性的深层领会了。

酒在物态上呈液体状,这"水/酒"并非简单的东西,从某种意义上说,它构成原始人类认识宇宙的物质本源和基本元素,几乎世界上的所有民族都将水视作构成万物的要素,此已为常识。另外,由"水—酒—血"的转化和通缀在古代文化中是极为常见的表述主题。它的隐喻意义是生命的生成和转化。在宗教中表现得更为明确。古时的密特拉教(Mithraism),作

---

[1] 鲁思·本尼迪克特:《文化模式》,张燕、傅铿译,浙江人民出版社1987年版,第76页。

为罗马帝国时期的秘传宗教曾经是基督教有力的竞争派别;同样,该教的首领密特拉也就是耶稣基督的强劲对手。尽管如此,两教在对"水—酒—血(生命)"的认识上竟完全相通。相传密特拉教有一使徒为处女母亲所生,他是上帝和人类的使者和中介。该教有以酒加面包的神圣餐,用血洗涤罪恶、再生的生命仪式等等与基督教的圣餐仪礼颇为相似。"原罪"及罪感表述形式尽管多种多样,但作为人类的心理积淀总是存在。水、酒、血转化生成洗涤罪恶、焕发生机的意思并不能只囿于一般宗教信仰、巫术技艺来解释,它具有以下关联:

水(生命原质)—酒(精神迷狂)—血(转化再生)
　(原罪过程)—(治疗过程)—(再生过程)

难怪酒神在西方被当作"宗教精神"疗法。

如果说,酒神在西方奥林匹斯神山上是一个大角儿(十二大神之一)的话,中国的远古神谱里却实在没有酒神之类。看来中国人并不习惯于将简单的物质放置哲学里去讨论,"精神疗法"之类似也不甚讲究。一派文化景致全听任于被捂得严严实实的伦理道德围藩,其文化展演风格自然显得实实在在。不过,酒之入药却为华夏祖先所熟稔。酒之强身壮体、医治体疾古有传统,这可以从古老中国医籍、医典里不经意地找到。这或许可以说明中华文化务实的一面。

不过,随着现代科学的发展和学术的挺进,"治疗/疾病"大大地被宽泛地解释了。加之精神分析法的一度热闹,让人类体会到精神病态的普及性以及"做梦"的释放宣泄之疗化作用。甚至在弗洛伊德看来,天下文章尽皆"积郁/释放"。如果人们将这情结和表演的解释超越弗氏的泛性论,倒也不乏其精妙之处。因为文学的表现过程倒是活脱脱的"迷狂"表演的一个版本。如果放在这样的背景下来解释,作家表演惯了所谓"抒发胸臆"就是一种治疗过程;因为倘若"不许抒发"定然是"骨鲠在喉"的积压了。酒的神奇在于催化。关于此,早在《诗经》里就有讲述:"幡幡瓠叶,采之亨之。君子有酒,酌言尝之。"(《小雅·瓠叶四章》)至于大诗人陶渊明则更"惨",没有酒怕是什么也不行的。他坦白:"平生不止酒,止酒情无喜。暮止不安寝,晨止不能起。"《(止酒)》如此文学"病"于酒可谓入膏肓矣。

醉境出华章。说的是好的文章往往出自"非常状态"。这种现象在中国古诗文里多有描述:"落日留霞知我醉,长风吹月送诗来。"(陈与义《后三日再赋》)"老去读书随忘却,醉中得句若飞来。"(范成大《明日分弓亭按阅,再用"西楼"韵》)"俯仰各有态,得酒诗自成。"(苏轼《和陶渊明饮酒》)"一饮三百杯,谈笑成歌诗。"(元好问《后饮酒》)"要入诗家须有骨,若除酒外更无仙。三杯未必通大道,一醉真能出百篇。"(杨万里《留萧伯和仲和小饮》)显而易见,醉境与诗文之间有着某种奇特的效应。诚如白居易所言:"麦麴之英,米泉之精;合作为酒,孕和产灵。"(白居易《酒功赞》)从此可以看出,中国虽无"酒神"却有"神酒",在诗文中都表现为灵感。"灵感"就是一种文学创作的"非常态",关于它的特征柏拉图在《伊安》篇中作过描述:"凡是高明的诗人,无论在史诗或抒情诗方面,都不是凭技艺做成他们优美的诗歌,而是因为得到灵感,有神力凭附着。科里班特巫师们在舞蹈时,心理都受一种迷狂支配;抒情诗人们在做诗时也是如此。……诗人……不得到灵感,不失去平常理智而陷入迷狂,就没有能力创造,就不能做诗"[①]。按此逻辑,灵感状态亦可视为一种特殊的"病态",而作诗便成"疗法"。这倒有些类似弗洛伊德的"释放"说了。

醉感与灵感在很大程度上被认同,除了其表演上的形似和神似外,内涵上也极通融;所谓灵感乃是指在创作中情绪超乎寻常的高涨以至于在不能自己的情形下获得一种能力。其最形象的表演就是迷狂,李渔对此神态有过描述:"作者于此,有出于有心,有不必尽出于有心者乎?心之所至,笔亦至焉,是人之所能为也;若夫笔之所至,心亦至焉,则人不能尽主之矣。且有心不欲然,而笔使之然,若有鬼物主持其间者"(《闲情偶寄·填词余论》)。既有"鬼物主持"便茫茫不能自己,如此文学的沉迷之态便是灵感(迷狂),它正好是酒神精神的本质内涵。

[①] 伍蠡甫、蒋孔阳:《西方文论选》(上卷),上海译文出版社1979年版,第18—19页。

大江健三郎与社会病态人格"性的人"的意义

王 琢

"性的人"是日本作家大江健三郎初期作品中的关键词,它与"政治的人"相对应,是对当代日本社会一种病态人格的发现。从《看之前就跳》(1958)起,大江健三郎就开始了对"性的人"的研究。可以纳入"性的人"这一范畴的有:《我们的时代》(1959)中的南靖男、《迟到的青年》(1960—1962)中的"我"、《十七岁》(1961)中的"我"、《性的人》(1963)中的J以及《个人的体验》(1964)中的"鸟"和《万延元年的足球》(1967)中的蜜三郎等。

一、"性的人"的生存环境

从20世纪60年代起,日本经济出现了前所未有的繁荣,经济增长率连续三年超过10%,被称为"岩户景气"。经过"1965萧条"后,日本继续推行经济高速增长政策,1966年经济增长率超过17%,大大超过了其他资本主义国家,1968年即成为仅次于美国的第二经济大国。经济高速增长,使国民个人收入不断提高,人们的消费观念也发生了巨大的变化。这对日本的社会生活、风俗文化等都产生了深刻的影响。从外在的(物质)生活条件来说,一是电视机等家用电器的普及,使人们改变了对世界的感官认识;二是公共住宅和家用车的普及,改变了人们的生活方式;三是劳动时间缩短,享乐休闲时间加长。从内在的(精神)生活需求来说,一是即成的"性"的观念发生变化,即所谓性解放的意识增强;二是传统的家庭意识受到严重的冲击;三是人与人之间的冷淡关系所造成的孤独与不安。

出生于1935年的大江健三郎,在1945年日本无条件投降前的小学时代所受的是日本军国主义教育,紧接着又受到了美军占领下的战后民主主义教育。幼小心灵被扭曲后产生的混乱,首先是对价值观形式的影响。大江健三郎初期创作的"墙壁意识",就是他对他和同时代的青年的基本人生价值判断:失去了作为"皇国少年"为国捐躯的机会,被无可奈何地固定在战后被美军占领的社会里的"迟到的青年"。由眼前的"被占领",思考着"败战""毁灭与屈辱"的二重感觉调动了处于青春发动期的学生作家的审美关注。当然,如果说"毁灭"是日本军国主义者咎由自取的话,那么"屈辱"则是一个民族所要为之付出的惨痛的代价。这就是大江健三郎初期作品让人们咀嚼"墙壁意识"的意义之所在。高大的美国兵和小小的日本孩子,胜利者和战败者……这就是大江初期"被占领文学"的基本素描。而从《看之前就跳》起,这一风景中又多出了一笔——娼妓——向美国兵卖身的女性。以这种女性为情妇的大学生"我",依然和初期小说中的主人公一样,在"被监禁、被封闭的墙壁里的状态"下,受着挫折感和徒劳感、屈辱感的折磨。①

> 总之,我认为,自从战争以来,日本人确实变得又老实又稳重了。他们绝对不发火。就是让他们在杜部河淹死也只是默不作声地看着。无论多么下流的动作都随客人的便。她那平平展展

---

① 参见王琢:《"反英雄"人物与"性"冒险的意义——大江文学的创新意识或探险者的误区》,载《海南大学学报》(社会科学版)1996年第2期。

的乳房,一天到晚都在公开着。多么老实的国民呀。就是你也没什么了不起的。给你去越南杀法国人的机会,你却连个回话都没有。你只是看着。不发火,就连跳跳脚的勇气也没有……(《看之前就跳》)

嫖客格普利埃尔,对日本青年极尽轻蔑之能事。"连跳跳脚的勇气也没有"的国民,只有受屈辱感的压抑了。可见,在"被美军占领"这个"墙壁"里,他们在精神和肉体两个层面上经受着屈辱感的折磨。再加上人类意识中最隐蔽最敏感的"性",这种屈辱感就产生了质与量的变化。就是说,在所有人类种族的集团意识中,"性"是最敏感最脆弱的一个领地。对此施加暴力或其他形式的攻击,就会让人产生出难以启齿、无地自容的屈辱感。大江健三郎表现"屈辱感"的"性"和"被占领"的现实紧密相关,产生了不同凡响的意义。这无疑是"性的人"所赖以生存的社会环境。遗憾的是,日本文学评论界一直没能从这个角度接受大江健三郎的这一发现。

二、"性的人"与"政治的人"的对应

大江健三郎对"性的人"的探讨,逐渐形成了一个对当代日本社会现状和当代日本青年的基本设定:"性的人"和"政治的人"。这一组对应的概念带有很大的象征意义,也就是说,大江试图使这组对应的观念具有更深更广的社会意义。无论"我的天使"南靖男,还是J等,这些人物都被规定为"性的人"。大江健三郎对"性的人"有着明确的规定:

政治的人以他人为对立面,才得以开始成立。其终极目的在于或把他人做为对立面,或让对立面灭亡。围绕着政治的人的这个宇宙,充满他人、只有异己。

与其相反,对性的人而言,这个宇宙没有异己、没有他人。性的人不相互对立,只是同化。(《严肃的走钢丝——我们的性的世界》)

"只有他人"的"政治的人"和"只是同化"的"性的人",仿佛劳伦斯笔下的"白天的孤独,夜晚的同一"。不难看出,大江健三郎的基本构思是要把"性的人"和"政治的人"相对化,使社会价值观的标准简单到两个层面上,当社会上存在着"绝对者"的时候,政治的人就不能不"窒息",性的人"像牝性从属于强壮的牡性一样"接受它。当代日本青年的精神和肉体的宇宙就是由这二者构成。这种"政治的人"与"性的人"或"牝"与"牡"的比喻,可以直接替换成殖民与被殖民或"日本"和"美国":

> 国际上的势力关系,也可以把一个强大的国家看做政治的人的国家,把一个弱小的国家看做性的人的国家。
> 我认为,现代日本这个东洋的一个国家,简单说来在安全保障条约体制的基础上,正在逐渐变成性的人的国家。我觉得现代日本人有政治的人的志向是极无意义的。(《严肃的走钢丝——我们的性的世界》)

美国是强大的政治的人的国家,是殖民统治者;相反日本是弱小的性的人的国家,是被统治的殖民地。在一个殖民地国家里的"现代日本的青年是性的人"这一定义也是无可奈何的现实。在"安全保障条约体制的基础上"——"被监禁、被封闭的墙壁里的状态"下,无论你有多么坚定的"政治的人"的指向,由于没有付诸行动的可能,所以最终只能起到"性的"作用。在日美安全保障条约的政治格局中,日本只能处于附属国的地位,日本的青年也绝对没有成为"政治的人"的可能。正是基于对日本当代社会现实的这一认识,大江健三郎为自己确立了新的创作目标:

> 我要描写日本的青年普遍存在的停滞(现象),坚持以性的意象创造出客观现实的日本青年形象。
> 我要描写的是停滞者的不幸,尤其是停滞的青年的不幸。自不待言当然要写做为现代日本性的人的青年的不幸。(《严肃的走钢丝——我们的性的世界》)

这些当代日本的青年形象,就是《我们的时代》中的南靖男、南滋等"不幸的青年",《性的人》中的J以及其他属于"性的人"的人物。所谓"停滞",是指被扼制了的积极进取的意欲,或自由发展自己的可能性。大江健三郎初期的小说,尤其是在20世纪50年代末60年代初的作品中,集中再现了生活在"停滞"现实中的"性的人"的当代日本青年,他们无疑都要具有时代综合忧郁症的倾向。

这种病症的显著特征就是只有主体,没有真正的客体。体现在性欲表征上则是无法避免的违背自然的"手淫"指向。

> 我看,没有哪个手淫的少年和姑娘没有羞辱、恼怒、无济于事的感觉,亢奋过后,羞愧、恼怒、耻辱以及无用的感觉就接踵而至。由于难以摆脱,这种无济于事和蒙受耻辱的感觉就会随着年月的消逝而日益加深,终至酿成一种被抑制的狂怒。一旦习惯业已形成,看来手淫就是一桩难以摆脱的事了。尽管有婚姻、爱情或别的什么东西,手淫还会继续下去,直到步入老年。而且一直伴随着隐秘的无用感和耻辱,无济于事,蒙受耻辱。也许,这就是我们的文明最深重最危险的癌症。[①]

英国的劳伦斯发表于1929年的这番言论,在几十年后日本的大江健三郎的创作中有了充分的体现。"性的人"的"徒劳感"和"挫折感"等,最终必然会"酿成一种被抑制的狂怒"。这无疑是我们20世纪乃至21世纪的现代文明所要面对的"最深重最危险的癌症"。

三、"性的人"——反英雄的反抗

相对于传统现实主义文学作品的英雄人物,"性的人"属于现代主义文学的反英雄人物。这首先表现在《我们的时代》的主人公对现实的逃避

[①] D. H. 劳伦斯:《色情与淫秽》,崇亮节译,载《环球文学》1989年第2期。

意识上:

"逃离日本的希望,逃离这混合着快乐与屈辱让人讨厌的生活的希望,逃离番红花味儿的洗涤液、五升精液、七三〇五次向污水里的射精、微笑着老死、这所有的一切、反行动的、反英雄的生活的希望,靖男把这些都赌在这篇论文上了。"如果靠这篇关于日本和法国文化的有奖征文不能实现留学法国、逃离日本——逃避现实的希望的话,还有另一个希望——"我可以自杀","我唯一的行动,就是自杀"！然而,自杀也不是那么容易付诸行动的:

> 我们知道自杀是唯一的行为,而且没有任何东西能够阻止我们。但是我们没有为了自杀而纵身一跳的勇气。于是我们只好活着,去爱去恨,去性交去搞政治运动,去搞同性恋去杀人,去得到名誉。然而一旦突然觉醒,就会发现自杀的机会就在眼前,只要我们做出决断。可是我们都没有这种自杀的勇气,我们只能眼睁睁地看着遍地都是的自杀机会活下去,这就是我们的时代。(《我们的时代》)

这已经不是大江健三郎创作伊始所表现的苦闷与不安了,而是对自己生存环境的绝望。依然是对存在的关注,依然是日本当代青年生存问题的存在主义思考,依然是"我"这个主人公……但是,对人生、对社会、对爱情……的认识,却深刻了许多。著名评论家平野谦说初期是"徒劳的抒情"[①],那么我们则称这一阶段为"绝望的抒情"。挫折与徒劳、挫折与绝望,乃至"性的人"的发现,无疑是青年作家大江健三郎不断走向成熟的标志。

小说《十七岁》尝试了"性的人"向"政治的人"的转化。主人公"我"——一个十七岁的少年,在孤立无援的处境中面对自己青春期的烦恼:他希望自己成为猫似的"存在",但是"我的脑袋里却有着猪仔样的蠢

[①] 平野谦:《〈大江健三郎全作品Ⅰ〉解说》,筑摩书房1965年版。

脑,还有自我意识",所以这一希望也告破灭。于是,他一见到人"就感到羞耻,就想到死",现实世界是别人的,"我"只有一个人面对着死的恐怖。"像建筑工人一样改造和完善这整个世界的都是别人"。"我"这个十七岁的少年,只有躲在贮藏间里自渎时,手握匕首模仿暗杀动作时,才能感觉到自己手里应有的东西——"我的敌人是父亲?我的敌人是姐姐?是基地的美国兵?是自卫队员?是保守政治家?我的敌人在哪里?我要杀了你!杀了你!嘿!嘿!杀!"这就是那种"被抑制的狂怒"。此时,十七岁的少年还只属于观念上的左翼,听了右翼党魁的演讲后他似乎为自己孤独的青春找到了知己,而当听到别人说他"这小子是(右仔)"时,一个右翼少年的转变就完成了。因此,我们可以说,创造"右"的,不光是"右"的政治思想,"左"的价值评价也起到了推波助澜的作用。换言之,是全日本造就了"右翼"。"(右仔)怎么了?喂,我问你们,我们(老右)怎么了?这些婊子!"十七岁的少年发誓效忠天皇,加入镇压学生运动的皇道派青年俱乐部,对参加游行示威的青年学生大打出手。续集《政治少年之死》以暗杀社会党委员长浅沼的少年杀人犯为原型,描写了一个右翼少年走向自我毁灭的人生。遗憾的是,这部充满批判社会现实力量的小说在《文学界》上一发表,大江健三郎就受到了右翼势力的人身威胁,杂志社被迫公开发表道歉信,直到今天小说还不能出版单行本。这一方面说明日本右翼势力的猖獗,同时可以看出小说也没有得到左翼知识阶层的支持。这主要是因为"这部小说对十七岁的暗杀少年内部人生写得过于深入了"[①]。

到了《性的人》(1963),在主人公 J 的身上比较真实地反映了 20 世纪 60 年代安保斗争前后日本青年的心路历程——面对外部世界的挫折,转向虚无颓废的"以自己为中心的性的小宇宙":

……两千多年来人类把整个世界改造成橡皮圈围起的育婴室,把所有的危险都消除在萌芽状态!但耍流氓的可以把这个安全的育婴室变成猛兽出没的丛林。就像做祈祷的仪式一样,比如

---

① 渡边广士:《性的人解说》,新潮文库 1994 年版,第 42 页。

说手指触摸小女孩的腿,这动作哪怕只有一秒钟,他也要把自己迄今为止所建起的全部人生置于险境。(《性的人》)

在现实社会生活中,他们无力左右社会政治、无力改变自己所处的环境。于是,他们的虚无与颓废……相对《我们的时代》的南靖男的向国外逃避,J却向更小的圈子——"以自己为中心的性的小宇宙"里逃避。J等小说人物的一切行动:乱交、同性恋、在公共地铁上耍流氓等,都是存在主义英雄和反英雄人物对现实的一种反抗:

要流氓的人虽然对被发现、被惩罚怕得要命,但是如果没有那伴之而生的危险的感觉,他们的快乐也就变得寡淡无味含糊不清,最终落得一无所获。禁忌保障走钢丝的得到冒险的快乐。一旦耍流氓的平平安安地如愿以偿,那么在那一刹那安全的结果就会把这一整个紧张过程的革命性意义一笔勾销。最后他们就会发现,因为没有任何危险,所以至今自己的快乐所隐藏的做为动机的危险的感觉不是虚假的。也就是说,刚刚尝到的快乐本身就是虚假的。接着他们不得不再次开始那颗粒无收的走钢丝,直到不久他们被当场捉获,他的人生陷入危机,迄今为止的虚假的尝试全都结出了真正的快乐的果实……(《性的人》)

这是后半部里对在公共场所"要流氓的人"内心世界的素描。受虐狂般的性愿望是主人公内心封闭的世界"虚无"与"孤独"寻示出路的唯一管道。宣称"这个宇宙没有异己、没有他人"的"性的人",在对"他人"的性骚扰中寻求"冒险的快乐"。这种"革命性意义"的行动只能以反社会、反道德的性的方式来实现,最终无法完成向"政治的人"的转换,只能得到"受虐狂"受虐后的"快乐"。

在《个人的体验》中,生下了残疾婴儿的主人公"鸟"在扼杀婴儿和与婴儿共同生存下去的问题上,依靠唤醒人类道德良知,挣脱了"性的人"的阴影的笼罩;《万延元年的足球》的蜜三郎和鹰四也是"性的人"和"政治的人"的对应关系,相对于"绝对者"的鹰四,"性的人"的蜜三郎只能以妥协来求得新生。这一系列的人物都证明了大江健三郎"性的人"与"政治的人"理论的结论:"现代日本人有政治的人的志向是极无意义的"。

四、"性的人"的意义

关于"性的人"的发现,大江健三郎本人说:

> 我要从性的侧面把握人物形象,我选择了最适于这一攻击方法的一群人,并称之为"性的人"。这当然决不是错觉。错就错在我要综合地把握"性的人"上。这是一个很大的野心,是否应该称之为想当哲学家的野心呢?一个小说家,综合处理一种类型的人或一种观察人的方法类型,并就此写出所谓概论,就我而言是写出性的人概论,这是不可能的。(《严肃的走钢丝——所谓困难的感觉》)

这是大江健三郎对此期创作的反省,个中的"苦涩"溢于言表。对决心"转换方向"的年轻小说家而言,此期的创作是教训多于经验。

从世界文学史上来看,在现实生活中发现一种人物,并把这种类型的人物变成文学形象,这是古今中外各个流派的小说家都为之尽力的。现实主义文学理念以为,这就是发现或再现典型环境中的典型人物。大江健三郎的文学追求当然不属于传统的现实主义,但是在发现典型形象这一点上却与现实主义不无相通之处。比如,十九世纪俄罗斯文学中"多余人"以及鲁迅的"狂人"的发现,都是对现实人生的文学把握。大江健三郎的"性的人",也是对当代日本青年的文学把握。我们认为,"性的人"的发现与"多余的人"和"狂人"的发现有异曲同工之妙。文学是人学;一个出色的作家,他的创作的最高宗旨,应该是为了全民族乃至整个人类精神生活水平的提高。所以,对"多余的人"的批判、对"狂人"的同情以及对"性的人"的抨击,都是这个作家社会道德责任感在文学产品中的集中体现,都是他们对一种社会病态人格的发现,都是他们对社会文明进步的伟大贡献。也就是说,对一种社会病态人格的发现,其根本目的还是在于对这种病变的根治。正是在这一意义层面上,我们充分肯定大江健三郎"性的人"的发现。

通过以上粗略的分析,我们似乎能够理解大江健三郎《我们的时代》和《性的人》等一系列小说中的"性的人"的人物形象了。荒谬的世界造就了"性的人";面对这种残酷的生存环境,"性的人"想要成为占据统治地位的"政治的人"的意向是极无意义的。这一方面为"性的人"走向虚无与颓废找到了病理根据,而同时也深刻批判了日美安全体制下的日本社会。因为,"对现实社会、人生,文学的作用就仿佛是思考和感情的研究室。在文学表现的世界,可以把现实社会、人生无法试验的可能性以体验的方式追求到它的极限。这种文学的功能,只有在现代这一充满未知的环境里才能充分发挥它的力量。"①所以说,"性的人"这种病态人格的发现,无论对大江健三郎本人的创作,还是对日本当代文学史乃至世界文学史都有着不可替代的终极追求的意义。

---

① 奥野健男:《文学会走向灭亡吗》,见《现代日本文学大系 96 文艺评论集》,筑摩书房 1988 年版,第 13 页。

从快乐原则到现实原则
——童话《三只小猪》的心理学蕴含

B. 贝托海姆/著；叶舒宪/译

　　赫拉克勒斯的神话涉及人在生活中是追随享乐原则还是追随现实原则[①]的选择问题，《三只小猪》的故事亦是如此。

　　《三只小猪》这样的故事远比一切"现实"的故事受儿童喜爱，尤其是它们被充满感情地讲述的时候。孩子们往往因生动表演出的狼在小猪门前的吼叫、吹气而兴高采烈。《三只小猪》以一种极其快乐而富有戏剧性的形式教导幼儿们不能懒惰和只图轻松，因为倘使那样了，我们便会毁灭。智谋远见加之辛勤劳动则使我们战胜最凶残的敌人——狼！由于第三只也即最聪明的一只猪常被描绘为最大的和最年长的，这则故事也就还显示了成熟的优势。

　　三只猪建造的三所房子象征了历史上人类的进步：从一个单坡顶小棚

[①] 快乐原则和现实原则是弗洛伊德精神分析学的术语。他认为人的行为受本能支配，但同时又受到社会现实的约束限制。因此，人的心理也就产生两种离心的驱动力系统。受快乐原则支配的第一系统形成于婴儿期，其特点是受制于本能欲望的驱动，追求生物的快感和自由；受现实原则支配的第二系统形成于婴儿期结束之后，其特点是要求顺从社会伦理规范，克制本能冲动和享乐欲望，从而适应现实生活的要求。——译者注

到一座木屋,最后到一幢坚固的砖砌房子。从内心方面看,小猪们的行为表现了从被本我支配下的个性到受超我影响,实质上是自我控制下的个性的进步。

最小的猪用麦秆漫不经心地搭了他的房子;第二只猪用了干树枝,它们都尽可能省事地撂下要搭建的房子,好用余下的时间去玩耍。这两只年幼的猪依据享乐原则生活,寻求直接的满足,对未来对现实的各种危机不予思索,尽管第二只猪在试图建一个比最小的猪稍稍结实的房子上显示了某种发展。

只是第三只即最年长的猪懂得按现实原则行事:它暂搁自己玩耍的欲望,运用才能去预见将要发生的事。它甚至能正确预测狼——这个敌人的行动或者这个陌生来访者那企图引诱和捕获它的内心,因而它能击败既强大于它又较它更凶残的力量。野蛮、企图毁灭一切的狼代表了所有自私、无意识和贪婪的力量,这是人必须学会保护自己来加以抵抗,并能通过自己自我的力量来打败的。《三只小猪》比伊索那个类似的但明显含有道德意味的寓言《蚂蚁和蚱蜢》给儿童留下更强烈得多的印象。在这一寓言中,一个在冬天挨饿的蚱蜢乞求一只蚂蚁给他一点食物,这食物是蚂蚁夏天忙碌收集的。蚂蚁问蚱蜢夏天做什么了。最后,模仿着蚱蜢只唱歌不工作的样子,蚂蚁拒绝了它的恳求并唱道:"既然你能唱一夏,你也能跳它一整冬。"

就寓言来说,这个结尾是典型性的,也是为民间故事代代相袭的。"一个寓言似乎该是,在它的真正状态里,一个存在的非理性,有时毫无生气,是为道德建设的目的,用人类的利益和热情虚构出的行动和言语的叙述。"(萨缪尔·约翰逊)寓言常常伪装虔诚,有时引人发笑,它总是明确地阐述一个道德的真理;它没有隐含的意义,<u>丝毫不给想象留有余地</u>。

相比之下,童话则把一切结论留给我们做,包括我们是否愿意做出什么结论。这取决于我们是要把一个童话应用于生活,还是只单纯地欣赏它所展示的富有想象力的事件。由于可能展示了我们的生活体验及个体发展上的目前状态,欣赏便能使我们以自己度过的美好时光回应故事中那些隐含的意义。

《三只小猪》与《蚂蚁和蚱蜢》比较鲜明地体现了一个童话与一个寓言之间的区别。蚱蜢很像前两只小猪及儿童自己,热衷玩耍,不关心未来,儿童经常把自己比附为两个故事中的动物(当然只有虚伪的道学先生才把自己与卑俗的蚂蚁看成一气,只有患精神病的儿童才使狼与自己合为一体);但一旦把自己比作蚱蜢,根据那个寓言,儿童就只好绝望了。蚱蜢只因爱好享乐原则便厄运临头。这是个非此即彼的情境,一经选择就永不可改。

但与小猪相联的童话则显示了发展——从享乐原则到现实原则的进步的可能性,这一点,说到底,是对前者的一种更正。三只小猪的故事提供了一个转变过程,在这儿,满足是以对现实要求的真正重视而获得的,因而留下了更多的享乐。聪明顽皮的第三只猪几次智斗了狼:一开始,狼三次企图用宣扬口腹之乐,提议去猎获佳肴引诱猪离开它那安全的家。狼用偷青饲料、苹果,最后用赶集诱惑猪。

当这些努力都未能奏效,狼便穷凶极恶。但它不得不进到猪的屋子里去杀它,而猪又赢了,狼从烟囱中掉下来,落入滚开的水里并最终成了猪的熟食。这是正义的报应:吞噬了那两只猪并还想吃掉第三只的狼最后为猪所吃。

听完这一故事,被吸引而与故事里的主角之一融为一体的孩子不仅不会绝望,而且懂得了:通过发展智慧,他能战胜强大得多的敌人。

根据原始的(也是孩子的)正义感,只有那些真正做了坏事的人才会毁灭,但寓言告诉我们,当生活美如夏天时,享受生活却是错误。更糟的是,这个寓言里的蚂蚁是个卑俗的动物,它对蚱蜢的痛苦毫无同情——而这却是要孩子以为榜样的人物。

狼则正好相反,明显是个要毁灭他人的坏动物。幼童在狼身上认出自己内心的某些东西:他的毁灭的欲望,而狼的毁灭他人的结局——这使孩子担心他自己也可能遭到这样的命运。狼是儿童内心恶的一种外化和投影——故事也表明了怎样积极地对待它。

最年长的猪巧妙获取食物的各次远足是故事里一个易被忽略但却意义重大的部分,它们显示了一个在吃喝与毁灭之外的另一世界。儿童下意识地理解这一点,把它作为无控制的享乐原则——只想吞没一切,不顾各种后果,与那和智慧地寻觅食物一致的现实原则间的区别。那只成年的猪在狼出现前及时起床,把食物弄回来。还有什么比他这样做并且用这种做法挫败狼的邪恶计划更能说明:什么是按现实原则行事的价值,以及它是由什么构成的呢?

在一般童话里,总是写那最年幼的儿童,虽然最初被小看或被轻视,最终却成为胜利者。《三只小猪》偏离了这一模式,最年长的小猪始终高于那两只小猪。所有三只猪都是"小的",因而是不成熟的,像儿童自己那样,这个事实可作为一个说明。儿童将它们逐个比附为自己并看出其中本性的进步。《三只小猪》之为童话是由于它的美满结局,由于恶狼罪有应得。

当儿童的正义感因可怜的并未做坏事却不得不挨饿的蚱蜢的遭遇受到伤害时,却因狼的受惩罚而获得满足。三只小猪体现了人生发展的几个阶段,前两只猪的消失并不造成痛苦;儿童潜意识懂得要向更高层次发展就得抛弃早期的存在形式。对幼童讲述《三只小猪》只会看到狼应得惩罚和年长猪的获胜表现出的欢欣鼓舞,而不是哀悼那两只猪。即使一个幼童似乎也懂得这三只猪不过是一只,是同一只的几个不同阶段——这透过他们用完全同样的话回答狼被暗示出来:"我不开,我不开,就像我下巴上长的鬃毛那样硬,硬不给你开。"如果我们仅以我们本性的更高层次存在,问题就是如此。

《三只小猪》引导儿童自己思索他的发展,不指点什么该是什么,而是让儿童自己做结论。告诉儿童该去做什么以代替用成人意见的束缚来控制他的不成熟,这正是为了促成真正的成熟。

[编者按]本文译自《愉悦之术:童话的意义与价值》("The Use of Enchantment: Meaning and Importance of Fairy Tales")一书第一部分,美国精选书屋(Vintage Books)1977年版。作者贝托海姆(Bruno Bettelhelm),维也纳大学心理学博士,1939年赴美,现任芝加哥大学心理学和精神病学教授。他多年从事教育学和儿童心理研究,是当代公认的最卓越的儿童心理学家

之一，著述甚丰。《愉悦之术》一书是贝托海姆创造性地运用精神分析学理论研究童话故事的力作。书中论述了童话作为一种文学体裁的独特性质，它与神话、寓言等的关系及区别，从心理学角度重新分析了西方最流行的著名童话作品，挖掘出这些深受儿童喜爱的故事中潜含的意义，以及这些童话对儿童心理发展的积极作用。该书问世以来，受到心理学界和文学理论界的高度评价，先后荣获美国国家图书奖和国家批评界图书奖。这里的选文是该书中解析英国童话《三只小猪》的一节，题目是编者改加的。文中借用弗洛伊德的一对术语"快乐原则"和"现实原则"去分析童话中三个小猪形象的差异，描述了儿童心理发展的规律过程在这个童话中的无意识投影，并同伊索寓言《蚂蚁和蚱蜢》相比较，指出这个童话对于儿童读者的魅力和独特价值。

附录

文学与疾病
——比较文学研究的几个方面

波兰特/著;方维贵/译

一、报告瞻望

在比较文学纷繁的研究课题中,本文仅涉及其中一个特殊的侧面,然而却要从各个不同的角度,根据提纲逐一论述。

在比较文学中,"文学与疾病"这个专题既可以归入题材及主题的比较研究领域,又可以作为文学社会学的比较研究。就题旨本身而言,这个题目不仅是比较文学的,而且也是边缘科学的。由此而生发出——也许开始会使人感到惊异——对这个题目的带有医学性的处理。

疾病是不受欢迎的而又是人人都能体念的基本经验之一。这个前提使下面的情况成为可能,即人们可以借助疾病引申涉及一些经验和认识。这些经验和认识超越了生病这一反面基本经验。在文学和语言艺术作品中,疾病现象包含着其他意义,比它在人们的现实生活世界中意义丰富得多。在生活中,疾病几乎始终是反面的、遭排挤和拒绝的。文艺理论家和比较文学学者则试图解开疾病的意义之谜。他们不为疾病的不美或丑恶所扰,而是探寻它们文学形象的意义所在。他们试图看清事物背后的真相,描述它们的表现形式,并且研究这一题材和主题在国际上的关系交流。

下面谈到的各个方面并不是试图提供一个总体结果,而是想就其总体性更多地昭示这一论题。这个报告只是想推动进一步的研究。本文作者深感遗憾的是,她只谈论了部分地区,亦即西方。关于中国和亚洲文学,她很乐意向你们各位学习。

二、艺术与医学

艺术与医学自古以来就存在着基本的、本质上不无根据的联系,古典思想将医学和艺术合二为一奉为和谐的最高目标。希腊神话中的阿波罗同时是诗歌神和医药神,因为他是作为和谐之神供人祭祀的。如今,这种结合随着各个门类的专门化几乎为人忘却,而且西方世界对和谐的追求也随着世纪的更迭有所改变。当代医学追求稳定平和,也许出于这样一种认识:一个人要达到完全的和谐是很鲜见的。医学将本学科的目标转向达到生理、心理以及外界生活环境的平衡。同样,艺术原则和古老的和谐理想也几乎不再有什么一致之处。然而阿波罗迄今依然是医药神和艺术神的象征。

医学在德语里有一种古老的表达,叫作"治愈艺术"(heilkunst)。尽管许多词汇今非昔比,这个概念却仍然展示了原来狭义的相互关系。医学在这里被理解为艺术(治病的艺术),艺术获得了医学的功能。这种思想现在越来越深入人心,有如音乐的医疗功能是古往今来众所周知的。如圣经故事中的大卫弹奏齐特尔琴,为生病的国王扫罗驱除郁闷。这一疗法今天被称为"乐疗"。

与此同时,人们还试图通过写作或绘画中的艺术形象,通过对艺术创造力的促进来克服心理紊乱。人们希望通过音乐的和谐给病人带来心理平衡从而达到治病的效果,或者通过自己的创造性才能来增强自己独立驾驭生活的能力。

与此相反然而并不矛盾的是,古希腊的柏拉图同样有类似的颇为感人的观点,他论及诗人的"迷狂"借指天才艺术家的先知,亦即柏拉图把艺术创造行为理解为可与迷狂相比的灵感的下意识行为。先辈诗人向其企求灵感的缪斯,人们依然把她们想象为阿波罗提挈下的艺术和科学之神。鉴于这一艺术创作,艺术品就加上了超验的突然领悟的内涵。即便人们今天不再愿意把上帝的启示这一崇高的价值施与艺术品对真实的追求,那么也应该把这一原始的观点记在心上。

探索这一结合的历史网络以及它们在各文化间的影响会是很迷人的,但是,这个报告只是想就疾病和文学这个题目在比较文学研究中的作用提供一个综览和系统。

三、文学与疾病,题材联系

(一)患病的作家

"文学与疾病"的结合,一下子就使人联想起问题的丰富多彩的角度和方面,想起那些著名艺术家,疾病促使他们创造了非凡的成就或者过早地丧失了创造力。人们也许会想起嫉世妒俗者和疑病患者乔纳森·斯威夫特(1667—1745)笔下想象丰富、嘲讽辛辣的世界画面;想起弗里德里希·荷尔德林(1770—1843)精神错乱时创作的诗篇;想起鸦片嗜者 E. A. 坡(1809—1849)的恐怖小说;想起精神分裂症患者奥古斯特·斯特林堡(1849—1912);想起马赛尔·普鲁斯特(1871—1922)和他的长年哮喘病;想起肺结核病者弗朗茨·卡夫卡(1883—1924);想起忧郁的斯维沃洛特·M.迦尔询(1855—1888);想起宋代诗人陆游(1125—1210)虽然晚年多病,依然为国担忧;想起肺结核病使叶紫(1910—1939)过早离开人间;……我们不必一一举例了。

精神病科医生根据现存的传记和文学作品,把许多作家写进了他们的病症论述。其中有马克尤·德·萨得(1740—1814),乔治·G.拜伦(1788—1814),海因里希·封·克莱斯特(1777—1811),古斯塔夫·福楼拜(1821—1880),奥斯卡·王尔德(1854—1900),列夫·尼古拉耶维奇·托尔斯泰(1828—1910)等等。

（二）患病作家的疾病记述

不仅身缠疾病，而且还以传神之笔将疾病形诸笔墨的大作家中，有费多尔·米哈依洛维奇·陀思妥耶夫斯基，他深受癫痫病的侵扰，并将其表现于《白痴》中的艺术形象梅什金公爵身上，而且进行了淋漓尽致的描写。幻觉和狂念促使居伊·德·莫泊桑命笔《奥尔拉》这篇小说，他本人的经验成了进行性麻痹作用的根源。格拉特·德·奈瓦尔在自传体小说《奥蕾丽亚》中展现了癫狂。尤金·奥尼尔将亲身遭受的肺结核反映在剧本《直到夜晚的漫长一天》的一个角色身上。美国女作家西尔维亚·普拉斯的长篇小说《钟形的坛子》，将自己体察的本人的深重而最终导致自杀的郁闷形之于文字。约瑟夫·罗特这个奥地利流亡者和酒徒在他的小说《一个神圣酒徒的传说》中供认了自己的贪杯。弗吉尼亚·伍尔芙将她的抑郁掺和在长篇小说《黛洛维夫人》的创作中。托马斯·贝恩哈特多次将肺结核这个题材自传性地写进他的小说中去，如《寒冻》《呼吸》《严寒》。这类例子可以信手拈来，这张单子可以一直罗列下去。

（三）疾病素材、题材、主题

疾病题材在长、短篇小说，戏剧和诗作中的出现如此频繁，以致美国1975年提供的国际书目中，仅仅关于文学和疾病或医药关系的书目就超过一千五百之众，在此只能作为例子遴选些许：J. W. 歌德的剧本《托克瓦托·塔索》（抑郁症），格奥尔格·毕希纳的中篇小说《棱茨》（精神分裂症），亚历山大·索尔仁尼琴的长篇小说《癌病房》（癌症），爱弥尔·左拉的《娜娜》（梅毒），阿尔贝特·加缪的《鼠疫》（鼠疫），托马斯·曼的《魔山》（肺结核），鲁迅的《狂人日记》（被追踪妄想症），巴金的《第四病室》（肺结核），当代的被拍成电影的肯·基塞的《一个飞越布谷鸟窝的人》（精神分裂症），另外还有保罗·魏尔兰的诗和戈特弗里德·贝恩的诗（他的著名的默居丛书）以及艾伦·金斯堡的《嚎叫》。

（四）作家医生，医生作家

综观西方文学史，许多作家和医生的职业不分主次。《巨人传》的作者弗朗索亚·拉伯雷（1494—1553）又是里昂市立医院的医生。阿尔布雷希特·封·哈勒(1708—1777)这个医学家和他那一时代最后一位博学家,创作了在文学史上占有一席之地的著名诗歌《阿尔卑斯山》。医生兼作家的约翰·济慈(1795—1821)本人就因为肺结核过早去世。安东·契诃夫(1860—1904)把他临床获得的精神分析学知识运用到自己的文学作品中去。阿尔弗雷德·德布林(1878—1957)最初运笔是在急救医疗所行医的空闲时间。还有中国作家鲁迅(1881—1936)和郭沫若(1892—1978),他们在成为作家和诗人以前,也曾专攻医学。

(五)医生作为文学作品形象

作为文学作品形象,医生在所有职业中无疑是最常见的之一,这一主人公包含着医学、健康和疾病以及心理和生理痛苦的整个世界。

医生形象的塑造是丰富多彩的;从正面的救死扶伤者——作为神的形象——到以批判的目光描写自私自利、唯利是图的医生——作为江湖骗子——乃至把医生刻画成狼心狗肺、凶神恶煞的撒旦形象,病人成了听天由命、束手待毙的牺牲品。

(六)作家作为医生

这里与其说展开,不如说提示的另一个方面是:作家视自己为医生的想法是屡见不鲜的。

一方面作家可以通过主观描写使读者有身临其境之感,把自己和故事人物等同起来,作家进而以助人者形象出现在读者面前。

另一方面作家又开阔他的诊断目光,把目光从确诊个人体内的疾病——这通常是医生的事情——扩展到确诊社会机体内的"疾病"。如果还没有走到开方治病这一步,那他至少试图揭示或揭示了被视作"疾病"的缺陷和弊端。托马斯·曼曾把自己看作文化和文明的批判者,克努特·汉姆生也一样。两人都把疗养院选作小说发生地点(《魔山》和《最后一章》),为了从这个缩影世界中形象地诊断现实的"病原菌"。

第三方面就是作者通过文学创作获得了自我克服疾病或错乱的方法,并将其在他们的作品中传播开去。

四、从心理学角度看文学与疾病的关系

下文论述的三个方面与主题有关,但只能看作我们的论题"文学与疾病"的边枝。

(一)医学角度

从医学角度观察疾病和文学,它的兴趣不同于从文艺理论的角度。文学可以对医学和社会学起辅助甚或启示作用,这种论点也该一提。

1. 敏感性

文学形象不但能深化对疾病的一般认识从而为病人解忧,而且还能使人理解人的这种特殊境况。对疾病只有知其然以后,才能进行人力和医疗上的帮助。对疾病的知觉通过文学而更敏感,它能认识病人、失常者和错乱者的异样状况,并且要防患于未然。

2. 医疗情况

文学作品能使医生对医生—病人—疾病这个三角的各端作各种各样的观察,医生可以从旁观察而不囿于偏见。病人及他的病史在文学中得到如此生动的描写,这是医生在任何教科书上都无法找到的。

3. 疾病的全面观察

通过对病人的社会关系、心理特征以及个性和社会前提的描写,文学就给医学这个通常只顾及孤立的人的学科展现了一个完整的现实。在文学中,人们心理和生理的天然关系以及文化、社会和个性的交叠,它们的涉及面远比临床医学广得多。

4. 文学的批评功用

病人对各种专门处理方法、诊断过程和治疗的反应以及与医疗机构和康复设想的关系,同样可以在文学描写中得到表达,它们可以证实、批评甚至反驳临床,例如医学界对托马斯·曼的长篇小说《魔山》就有过强烈反响:对书中的医生形象表示反感,担心在疗养院的病人中引起不良后果和医学威信大跌。甚至有人说,这本小说生活中的原型即达沃斯森林疗养院的延森博士因为这本书而提前退休。

5.预知

文学表述也可能是一种医学知识的先见,有如格奥尔格·毕希纳的《棱茨》所示,在医学对精神分裂症还没有系统确切定论以前,一个作家已经将这一精神病现象作了淋漓尽致的描写。需要强调的是,医学对文学作品中疾病主题的兴趣更多地具有实用性而不是美学性,它可以扩大医学家人类学知识的视野。

(二)创作心理学角度

和扩大视野有关,同样也得评论一下创作心理学这个方面,它涉及艺术作品尤其是语言艺术作品是怎样产生的,涉及产生原因和它的非美学功能。

1.客观具体化

艺术家在创作过程中将自己的主观经验赋予普遍意义。在他把这一经验用艺术手段表达出来的时候,他已经超越了主观经验。这一客观具体化过程将文学作品上升为一种普遍有效的认识介质。

2.心理病理学与创造性

特别是探索艺术和疾病的心理学联系对医生不无意义。现在存在如下问题:一件艺术品的诞生,是否因为艺术家由于自己的疾病而产生一种扩大的、源于经验的能力,这种能力非显露不可;或者说虽然艺术家疾病缠身,但因为他以艺术家的气魄与病症做斗争,从而导致一件艺术品的出现。艺术天才是否通过疾病以及由此带来的对人的极限状况的了解而得到促进,或者因此遭到戕害而局限到一个特定的领域。还有一个悬而未决的问题是,一件艺术品的非凡成就,是否并非根源于一种社会的和个人的隔绝,这种隔绝最终导致作者患病。另一方面必得一提的是病人最初并非按艺术和美学的写作标准进行,他丝丝入扣地写下他的恐惧和感受(如在回忆录中),这些写下的东西日后竟然会偶尔显露其艺术价值。这也许能用艺术作为疾病的表象这一概念来描述。在本文范围内揭示艺术创作过程与疾病和创作者心理和社会状况的所有来龙去脉是不可能的,我们只能从概要中得到慰藉。

3. 交际功能

这涉及艺术创作过程中一个重要的创作心理因素。"若是在折磨中缄默无语一天,神便告知我,我是多么难受。"托克瓦托·塔索在 J. W. 歌德的同名剧作中的这一台词便用诗的语言表达了这一思想。艺术家成了人类苦难和悲惨境遇的传声筒,他试图用诗的语言来克服疾病,使它为人知晓,可以叫人设身处地地理解,以此来保持受到形形色色的内因和外因威胁的交流。除此以外,他是否还能进入人们所追求的那种有益于克服疾病的自我医疗的认识过程,这还不能保证。我们依然可以以歌德为例说明此理。他完全从自我医疗的功用上看待《少年维特之烦恼》的创作:"健康的人是不会写这些东西的",或对维特说:"挑我生存,选你离去。"他以虚构的主人公的死亡暗指卡塔西斯(净化)的自我解脱。另外,鲁迅的名言"不在沉默中爆发,就在沉默中灭亡"(《记念刘和珍君》)也说了同样的意思,只是他在另外一种场合说出,并更多地针对社会疾病而已。

(三)接受心理学角度

1. 通过阅读达到自我解脱

上文所说的作家自我解脱的思想是与主题的接受心理学方面相关联的,因为治疗作用不只局限于进行创作的艺术家,同样包括读者在内。另一方面,文学作品也可以引起疾病或者通过震惊、恐惧和冲动加深病情。《少年维特之烦恼》这本书在欧洲甚而在中国的接受就显示了这一反应。尽管如此,文学描写,尤其是疾病题材的文学描写,其所达到的治疗作用是不可忽视的。通过对生活真谛、生活观念的揭示,通过激励战胜困难的信心,文学可以为医疗做出重大贡献。

2. 卡塔西斯

成为戏剧特定范畴的古希腊卡塔西斯观点引起了多少世纪的艺术理论之争。在亚里士多德看来,悲剧的功用在于引起观众的恐惧和怜悯的感情,并使这种感情得到净化。莱辛则认为观众的怜悯和恐惧可以转化为崇高的道德能力,这完全符合启蒙思想。现代诠释心理学和唯物主义将亚里士多德法式说成观众得以排遣的感情宣泄。卡塔西斯观点偶尔接近医学上对精神病人的休克疗法,这种疗法试图通过惊吓来治病。需要切记的是,古典悲剧理论已经论及艺术在接受者中的美学功用和治疗功用的联系。

3. 书疗

这种称作书疗的努力也同样写在一份治疗方案上。当然这类研究还没完结,特别是通过文学、通过阅读有益书籍这种类型的治疗,尤需根据一种疾病的发生、形成过程和后果以及病人的生活环境而定。这种借文学来帮助人们平衡生活矛盾的愿望究竟有多强烈,当代西方的书市便是明证。那里充斥着各种各样的、然而经常是不可靠的"行动指南",它们一方面加剧人们对疾病现象的神经过敏,另一方面可能对自我医疗作一些错误的或不可靠的引导,加深病人的自卑感。因此,书疗更多地是指运用世界文学中那些伟大的经典著作,从而使诸多美学范畴起作用。最后还得包括人类的经验之谈,即分担痛苦、痛苦减半。

我们就以这一小节结束这个部分,文章最后的参考书目索引也许有助于感兴趣者进一步探讨这个问题。

五、文学的疾病主题

仅仅文学中的疾病这个题目就包含了一连串各种各样的问题,下文将要系统论及。

通过疾病达到界限逾越。考察文学内涵的角度一般是,把文学这个艺术作品看作是原样的背离,因为艺术不等于日常一般,即便它现实主义地以现实为其创作根据。表现在艺术和文学中的常见的人类疑难问题、经验和感情、生理和心理状况以及幻想,它们并不一定非要从疾病这个角度去考察,然而却可以作为文学的疾病主题的发端,例如描写毫无节制、恣意纵情的状态,这种状态升级以后就接近于病态。之所以出现对这类作品的研究,因为这类作品中越过了通常和非常之间以及健全和病态之间的界限。与这有关的问题是,界限在哪里?是否非有界限不可?作家在何处发现了它?是否由作家定界限?还得继续问下去的是,谁来断定一部长篇小说中出现的"疾病"之所以为疾病?是医生还是叙述作品的作家,或以一般众人的理解为前提,为什么说是病态或曰不正常?

生理或心理疾病。上文所说的疾病还得有所区分,看它们是否是生理疾病,实在地存在于病人的肉体之中,或者是否可以看作心理的或精神上的疾病,没有生理上的原因或症状。

事实与(或者)比喻。名目繁多的疾病,从肉体受伤到机能障碍和传染病乃至身心疾病,还有精神失常和错乱,作为文学主题或题材,它们首先传导了人们不寻常的经验。这种患病的经验或通过疾病表现出来的经验丰富了关于人类存在的知识。其次,疾病在文学中的功用往往作为比喻(象征),用以说明一个人和他周围世界的关系变得特殊了,生活的进程对他来说不再是老样子了,不再是正常的和理所当然的了。另外,在文学中以主题出现的疾病之间存在巨大差别。卡夫卡的小说《乡村医生》中的创伤的象征意义不同于托马斯·曼的《死在威尼斯》中的伤寒,或阿尔弗雷德·库宾的《那一边》中的癫痫,或尼古拉·V.果戈理的《狂人日记》中的精神病。

作为提示,一般可以这么说,文学中的生理疾病多半是指具体的、医学上可以描述的病理现象,而精神上的疾病可以建立在并不系统的、古怪的或虚构的形态之上。同样,文学描写中的精神疾病对人们交往中的问题,或者更准确地说,对失败的交往或根本没有进行的交往中的问题更具象征意义;而生理疾病虽然也用来比喻异常现象,诸如孤苦、失常和离群等,然而并不排除个人经验的表述。两种疾病都在文学中被状写,为的是形象地再现人们的危机状况。疾病便以此组合进"个人—疾病—社会"这个病理与社会三角形。疾病除了经验以外,伴随它的还有比喻功能,以揭示社会和个人的失灵。比较文学研究必须在比较研究以前就阐明,疾病描写是不是作为题材、比喻、象征或是实际主题,以保证对它们进行比较。

(一)生命的升华,生命的贬值

两种互相矛盾的观点总是和疾病这个事实同时出现,亦即生命的升华和生命的贬值;两种观点也出现在文学表现中。生命升华的观点以多种不同看法为根据。古典时期把神经错乱说成上帝的启示;德国中世纪"可怜的亨利希"(哈特曼·封·奥埃所作传奇)经历麻风病的不幸而感知上帝的宽宥;因肺结核而早逝的浪漫主义诗人诺瓦利斯(即弗里德里希·封·哈登贝格,1772—1801)在他的理论著作中影响深远地把疾病肯定地说成创造力,说成一种虽然充满痛苦但能获得精神升华的生命浓缩的状态。患病可以是"一种刺激生活,刺激丰富多彩的生活的强有力的兴奋剂",德国哲学家弗里德里希·尼采也持这种观点。在这样的传统下,创造性和天才与疾病连在一起的思想在19世纪广为流传,因此就得出了一种观点,这种观点可以在现代欧洲文学中频繁地令人惊异地碰见:疾病可以成为一种升华生活的、超越现实的、使个人品格和认识能力得到发展的状态。有人有时甚至会完全不现实地把疾病理想化。然而正是世界文学中的伟大作家,他们在描写疾病的时候多半展示了它们的矛盾(双重)功用和结果,揭示正面,也加上反面,即生命贬值的一面。例如 F. M. 陀思妥耶夫斯基,马赛尔·普鲁斯特,弗吉尼亚·伍尔芙,弗朗茨·卡夫卡,托马斯·曼,R. M. 里尔克,安德烈·纪德,夏尔·波特莱尔,等等。

显而易见,生活贬值的观点,不仅出自痛苦的经验,而且也由于疾病的摧毁力,疾病削弱病人,限制他,使他失去活动能力,减少他和周围世界正常的交往,使他日暮途穷而不得不依靠他人。疾病导致病人产生软弱、畏葸、厌恶、异化和悲世的感觉,导致精神和肉体的衰败,并把病人隔绝在一个无望的世界里。这一面常在现实主义文学中得到突出表现,并和社会批判内容连在一起。例如康士坦丁·费定的《"阿尔克图尔"疗养院》,赫尔曼·海塞的《疗养病人》,J. P. 萨特的《疾恹恹的天使》,罗曼·罗兰的《约翰·克利斯朵夫》,斯坦尼斯拉夫·雷姆的《神化的疗养院》,等。

(二)个人,社会

疾病将个人和社会置入一种特殊的亦即不是一般通常的关系之中,它在一定程度上似乎作为一个不可捉摸的东西介入个人和周围世界之间本来很正常的关系之中。病人在患病时向社会谋取他在健康时得不到的权利,社会又反过来解除病人在正常的健康情况下作为社会一员必须履行的义务。文学上和这些关系有联系的因素和影响是值得研究的。

由此,我们一方面可以看到个人的境遇,看到他由疾病而产生或加剧的需要、困顿、恐惧、意愿和要求。电影《十六号病房》就以四个肺病女患者的事例,向人们展示了各人对同一病症的反应以及生病时改变了的心理行为方式。

这里就给文艺评论家提出了一个问题:疾病是否可以被写成一种对社会关系已经发生的偏离状况的表露,并把这种偏离视作疾病的本源,或者是疾病成了关系变化的原因。在文学作品中以疾病为主题有什么功用呢?它应该揭示个人与社会的关系变化并使之跃然纸上,或者它应展示通过疾病而在传统关系中发生了社会不得不作为例外而接受的变化,也就是这种有限期的特殊存在。

另一方面,从社会这个角度讲,社会对患病的个人如何反应?能否保证对他进行保护和帮助?或是对病人的苦难置若罔闻?文学此时是否完成了它的任务:描写现实关系,或以病人世界,如病房这个缩影来形象地反映社会,用以批判地道出一个非人道的社会状况?巴金的《第四病室》展现了一个封建的、自私自利的社会中的一个正面形象,一个女医生努力和病人的疾病做斗争。索尔仁尼琴的《癌病房》要借助于省医院的癌病房这个世界一隅来揭示被视作"罪性肿瘤"的一个社会制度的痼疾。这里应该指出的是,在医疗机构的主题中,在把个人和机构联系起来时,个人和社会的关系得到了极其充分的展示,至于涉及的是疗养院、医院、传染病院,还是癌病房或精神病院,这都无关紧要。除了上文提到的中国的对病房世界的描写以外,一方面从个人心理角度,一方面从社会角度,还有一篇题目相同的小说,只是房号不同,即安东·契诃夫的《第六病室》,这也许是后人的有些描述的楷模。这篇小说中的疾病主题得到了发挥,因为医生最终自己也成了病者,成了精神失常者,误以为他在第六病室中能找到他所不知的真理。

(三)研究领域

1. 疾病主题的历史

需要着手探讨的还有文学疾病主题的历史发展。肺病以主题出现在当代文学中比癌症少得多了。可以预料,艾滋病不久也将出现在文学作品中。文学中的疾病意义也会在文学史的发展中随着疾病和它本身结构的变化而变迁。

对疾病的观察方法和论断也在变化,例如肺病曾被看作是使人特别是使艺术家细密和敏感的疾病,虽然它当时被医生现实地描写成无产者传染病。然而,这一疾病给人带来的中选之感和只争朝夕的态度却一直很顽固。癌症常与个人的失灵和失败的虚幻想法连在一起,就像英国随笔作家苏珊·桑塔格所指出的那样。医疗上的各种变化在文学疾病主题的历史发展中同样起作用,这同样可以以肺结核为例。行之有效的化学疗法使以前得在疗养院中长期治疗的肺结核病作为文学主题几乎告罄。

2. 疾病美学

从美学角度可以发现,把疾病当作丑恶和否定因素列为禁忌已经在文学发展史上发生了变化。尤其在表现主义文学中,常以令人厌恶的现象为主题从反面来证实自己的存在。须得研究的是,这一历史发展以及它在什么前提下有多少相似之处。在西方思维中,对现存真理的探索越来越强烈地借助于丑恶这一尊严来体现。

3. 诗艺角度

诗艺角度对问题的提出,是指对表达的方式方法的考察。疾病的结构可以付诸作品结构,被表现的病人的时间和空间经验可以在文学作品的时空构造上打上烙印。

旨在语言分析的研究所探讨的是,一种特殊的病象——如神经分裂症——在作品的语言结构上留下了多少痕迹,是否可以在字里行间抓住一些超出语言的疾病表达方式。

饶有趣味的是,是否可以证明:文学手段以及在文学中表达的疾病经验又反作用于语言并改变语言习惯。这既指文学表达形式进入日常语言这一状况——超现实主义便可以作为佐证,而且又指日常生活中或非文学领域里疾病被用来做比喻这一事实,例如把一个社会团体说成"健康机体"或"病态机体",把社会不安定因素说成"病灶",这又——意图不同地——被纳入文学并扩展为象征。

文学疾病主题的教育学方面是通过文学的美学方面而获得的,它所论及的是文学处理中的疾病可以成为健康人的学习材料,它说出了通常情况下几乎无法体验的事理。通过美学手段的客观具体化,不知不觉地告诉人们如何克服疾病,并给人以生活指南。

4. 各文化间的人类学

需要探讨的是,是否可以把各种文化中一种疾病主题的各种特殊表达意向结合起来,不同语言和文化中的这些表达意向是否可以被修正,或者是否可以把这些内容的不同表达看作是对各种文化区域都行得通的。

六、界限与展望

比较研究中关于疾病与文学的概述,不应忽视它们的界限,尤其是医学领域的界限,文学是无法逾越的。

一个比较文学学者的任务在于:运用自己的比较方法揭示不同文学作品中相同、相等或者不同和相对之处,从而在某个方面对文化、世界观以及现实中的差别做出解答。

因此,我们不仅获得了对于疾病的诠释,而且也获得了关于健康、人的存在以及生存的意义和目的的各种人生观的精华。相同的题材、相同的疾病,经过不同作家的处理,之所以可以进行比较,关键是疾病先由医学作了自然科学的客观描写。因此文学在这里不仅是传递美和高雅的手段,而且也是已被深刻认识的存在着的真理之要素。

当文学内容被作为自然科学事实接受时,界限便确立了。文学的典型性永远不应该与医学的现实性相混淆。文学以自己独特的方式发表见解,用自己的方式对自然科学的观点进行补充,而不是反驳。文学用语言对人的本质所概括的那部分,正是医生的视野所不及的,但这并不意味着复杂的人体组织正常和失灵只归因于那些在文学中做主题的个人或社会问题。

在文学中,现实以及社会关系总是与主观认识和客观诠释分不开的,这就使作品中的观点获得了永恒性意义。

这样,艺术和医学又相互补充,成为永无止境的边缘学科和交叉文化的人的科学。

参考书目

盖坦诺·贝内德蒂 《创作的精神病学方面与精神病学的创作方面》,格廷根,1975。

莱昂·贝内特,皮尔·瓦莱瑞·拉多特 《医学与文学,医学中的迷狂》,扩展出版社,1965。

迪特里希·封·恩格尔哈德 《近代医学和文学:观点和角度》,《德国文艺理论和精神史季刊》1978(52),第352—380页。

霍斯特·盖耶 《迷狂的作家,心理异常状态的文学表达性之研究》,柏林,1955。

彼得·戈尔森 《艺术与疾病,美学想象力的变态》,法兰克福/美因河,1980。

格哈特·艾勒 《精神病小说》,斯图加特,1965。

温弗雷德·库茨朱斯 《文学与精神分裂症,一个边缘领域的理论和诠释》,蒂宾根,1977。

维拉·波兰特 《疗养院作为文学场所、医疗机构与疾病作为社会批判和生活分析的介体》,法兰克福/美因河,伯尔尼,纽约,南锡,1984。

苏珊·桑塔格 《疾病作为象征》,慕尼黑,维也纳,1978。

琼·斯塔罗宾斯基 《精神分析与文学,精神分析的文学》,亚历山大、米切利希编选,法兰克福/美因河,1973。

约翰纳·特劳特曼 《文学与医学,书名,主题和注释》,费城,1975。

西蒙·费斯蒂克 《小说中的病人》,阿姆斯特丹,1977。

文学与治疗
——关于文学功能的人类学研究

叶舒宪

"功能"的概念由马林诺夫斯基引入人类学,成为从内部考察文化整合机制的重要术语。我们可以借此追问文学在文化中的功能。

常言说"文学是人学"。这句话既可以从文学的表现对象或创作主体方面理解,也可以从人类学的立场上做更加宽广的理解:即人类为什么需要文学,为什么古往今来始终离不开文学?甚至把诗人、作家敬奉为精神导师、灵魂工程师?

这一问题的实质涉及文学艺术活动在整个人类文化系统中的地位和作用问题。从文艺学本身的视点出发,对此难以得出令人信服的解答。现有的文艺理论教科书大同小异地把文学功能归纳为认识作用、教育作用和娱乐作用,其合理性已获普遍认可,但毕竟未能完满地解答"人学"的所以然。文学是人类独有的符号创造的世界,它作为文化动物——人的精神生存的特殊家园,对于调节情感、意志和理性之间的冲突和张力,消解内心生活的障碍,维持身与心、个人与社会之间的健康均衡关系,培育和滋养健全完满的人性,均具有不可替代的作用。

基于对文学的文化意义的上述理解,本文拟就这一被忽视的方面做初步的研究,借鉴现代人类学、心理学等跨学科的角度和成果,在比较文化的大视野中探索文学艺术对个人生命的治疗功能及对社会群体的文化生态作用,以期为构建具有普遍意义的文学人类学理论提供若干基石。

从史论结合的意义上看,文学与治疗这个题目可以分别在"作为治疗的文学史"(个案研究)和"文学幻想的治疗原理"两个方面有所开拓。本文谨对后一方面作一些探讨,着重解答以下两个层次的问题。

一、文学治疗功能的发生学透视

中国民间流传一种说法:"一个小丑进城,顶得上三车药物。"话中透露出关于喜剧性演出特有的医疗功能的思想。无独有偶,西方中世纪有个谚语用相反的方式表达了类似的意思:"不论在何处有三位医生,那就至少有了两位不信神的人。"常人精神方面的困扰要诉诸神意来寻求解脱,而医生则另有一套开心释神的技术,巫医的歌舞表演便是此种专业技术之本来面目的见证。

不论何种性质的表演,都是人为构建的一种符号情境,其虚幻的性质无须论证,而其对人类精神生存的生态功用则大有深究的必要性。扩大来说,语言虚构的文本也有同类生态功能。

在古希腊神话中,大地女神得墨忒尔因失去女儿珀尔塞福涅而悲伤不已,四处流浪去寻找女儿,精神沉重得几乎失常。一位名叫包玻(Baubo)的保姆在她面前跳起猥亵的舞蹈,终于使女神破涕为笑。日本神话中记述着一个惊人相似的场景:天照大御神受到大闹天宫的弟弟速须佐之男命的惊吓,跑进天石屋里,关上石门,高天原一片漆黑。众神齐集,让一位泼辣的女神跳起狂放猥亵的舞蹈,样子如同神魂附体,袒胸露乳,腰带拖到阴部。众神大声哄笑,受惊吓的天照大御神解除忧虑,重新被诱出天石屋,世界重现光明。[①] 弗莱认为神话中的这类场景足以说明喜剧性表演同样具有某种"宣泄"(catharsis)功能,而这却是亚里士多德未能讨论到的。如果

---

① 安万侣:《古事记》,邹有恒、吕元明译,人民文学出版社1963年版,第21页。

我们考察早期喜剧作家如阿里斯托芬的作品,就会发现其猥亵的程度是何等惊人。也许人们会奇怪,当时那种脱胎于神圣仪式的戏剧表演岂能容忍如此放肆的内容。弗莱认为,显而易见的是,猥亵作为一种精神释放的形式是必要的。正是此种释放有助于形成喜剧的节庆气氛,当时的喜剧演出同一年之中的某些节庆时期密切相关。① 在这里,文学艺术活动作为特定文化系统中周期性的节庆礼俗的有机组成部分,如何发挥着对该文化成员精神生活的张弛有序、庄谐有度的自主调节作用,似可得到有效的说明。人类学方面关于节庆礼俗的功能研究、文学理论家巴赫金关于文学狂欢化的论点,使我们看到二者之间的某种内在的实质性对应关系。仪式行为也好,文学创作也好,作为人类符号活动的两大领域,在制造虚拟情境宣泄释放内在心理能量,以便保持精神健康方面,确实具有类似的功效。

从发生学的意义上看,借助于人体象征性动作的仪式行为发生在先,借助于语言符号的文学发生在后。从某种意义上可以把文学象征的世界当作仪式象征世界之延伸或置换。从历时关系着眼,史前社会中仪式表演(萨满、温床和土壤。到了文明社会之中,巫医等法术)乃是文学滋生的仪式表演转化为戏剧艺术,仪式的叙述模拟转化为神话程式,仪式歌辞转化为诗赋,巫者特有的治疗功能也自然遗传给了后世的文学艺术家。在枚乘作《七发》为楚太子治好病的著名情节中,可以清楚地看到这种历史转换完成之际,文学家得自巫医的虚构致幻技术如何发挥着强有力的精神医学作用。

吉西·韦斯顿在《从仪式到传奇》这部影响深远的著作中指出,是人类学家弗雷泽的《金枝》开辟了从巫术礼仪出发探索文学起源的新途径。仪式活动的中心主题是死亡与复活,表演和观看神的死亡与复活对于维系人的精神平衡具有不可替代的作用。从原始的仪式到基督教的礼仪体系,再到欧洲中世纪的英雄传奇,同样的主题以不同的形式发展延续下来,在

---

① 弗莱:《作为治疗的文学》,见邓南编《永恒的创造活动》,印第安纳大学出版社1993年版,第30页。

诸如渔王传奇,寻找圣杯的传奇等文学样式中获得整个民间社会的认同。[①] 这一现象背后的信仰和精神生态氛围的再发掘,或许可以有助于我们体认某些生命力持久的文学主题对于社会的精神生存的特殊性与必要性,进而对文学之所以存在和不衰的本体原因有所领悟。

仪式行为作为象征性的动作演示,是人类特有的符号能力之显现。文学作为象征性的语言表现,当然可以视为仪式表演的语言延伸物,因而也体现着虚构和演示的特征。著名人类学家维克多·特纳在《表演人类学》中指出,如果说人类是一种智慧动物,一种制造工具的动物,一种自为的动物,一种使用符号的动物,那么同样可以说,人类是一种表演动物(a performing animal)。诚然,马戏团的动物也是表演动物,不过,人的表演是自我表演,其演示将反归自身(reflexive),"他在表演中向自己揭示自己"。人类特有的这种反归自身的表演对于文化整体究竟有何功能呢?诚如人类学家理查德·谢克纳所概括:以毕生之时间钻研仪式的特纳最终确认,仪式表演是社会过程的重要组成部分,尤其是人们解决危机的重要方式。特纳很快意识到,社会过程就是表演性的,于是他展开了对仪式与剧场之间复杂微妙关系的详细探究。他先提出关于社会剧(social drama)的理论(1974),然后在《从仪式到剧场》("From Ritual to Theatre")中集中思索表演的本质。

表演行为的实质在于帮助个人和社会解决物质和精神诸方面所遇到的危机(crisis),这种寻根追源性的认识对于各种文学理论或艺术原理教科书中所强调的文艺的审美娱乐功能说,自然是一种严肃的修正或补充。可以肯定的是,只有在现实功利目的的仪式性表演伴随着社会发展、理性的进化而逐渐消亡的过程中,非功利的、纯粹娱乐和观赏性的戏剧表演才得以作为替代物而发生。同理,作为语言艺术的文学最初绝不是为了阅读欣赏而存在的,它的发生同解决危机的仪式表演活动密不可分。神话学家

---

① 韦斯顿:《从仪式到传奇》,麦克米兰公司1941年版,第18页。

对于神话与仪式关联已有充分的论证①,而诗歌与诅咒和祈祷的因缘也得到人类学者和文学研究者的双重关注。② 仪式活动本身如何在初民社会中充当了治疗手段,尚可以从现存的印第安巫医活动中获得直观的证明。日本人类学家吉田祯吾记录了墨西哥南部城镇的西班牙人天主教教堂中发生的一幕:被视为巫医的印第安人,在这座教堂的圣彼得的圣像前摆着蜡烛,用火点燃后,在巫医患者夫妇的右侧用佐齐尔语高声诵读咒文。这种在天主教堂内举行的印第安巫术性治疗礼仪,给人类学者留下奇特的印象。③ 类似的治疗仪式活动在我国诸多少数民族中十分普遍,下面一段描述提供了戏剧和文学发生的活化石:

> 在珞巴族中间,那些使人生病的恶鬼(如让卜、达诺木、白木儿)均是巫师驱赶的对象,驱赶时先将它们的替身在病人身边转几下,再边念咒边把它们带到远方;博嘎尔部落的"纽布"跳鬼治病时,披红毯,执大刀,在一晒笋中跳来跳去并念念有词;有的把羊头扔进火里,取出后装进竹筒里,戴在病人头上病即治愈……苗族认为人生病是"法瓮"鬼作祟所致,届时巫师在患者家门前唱巫词并请它领受供品,鬼即请到,然后巫师把祭物陈于村边祛鬼处,请其吃喝,求其使病人痊愈,巫师念唱文后作法送鬼,并把草船和鸭子放入溪水,然后与祭鬼者一起吃肉喝酒。④

当我们把注意力从巫术治疗仪式转向巫词咒语本身时,还可以清楚地看到与表演活动的起源紧密联系的神圣诗歌之形式特点。英国汉学家霍克斯敏锐地指出,《楚辞》和《山海经》中依次列举各地地名的惯用套式来

---

① 参见多蒂:《神话编纂学:神话与仪式研究》,阿拉巴马大学出版社1986年版。特别参见第163—166页"神话与仪式的心理学功能"。
② 参见雷曼:《法术、巫医与宗教》,梅菲尔德公司1985年版;叶舒宪:《诗经的文化阐释:中国诗歌的发生研究》第二章"诗言祝:咒祝、祈祷与诗的发生",湖北人民出版社1994年版。
③ 吉田祯吾:《宗教人类学》,王子今等译,陕西人民教育出版社1991年版,第65页。
④ 于乃昌、夏敏:《初民的宗教与审美迷狂》,青海人民出版社1994年版,第238—239页。

源于巫术文学的功能需要:"《招魂》和《大招》两首诗列举宇宙各方威胁游魂的诸般危险时便有这样的例子。《山海经》中依次列举各座山岳,有仪式化的宗教的含义,采用的全是上述依次列举的方式。《山海经》和《招魂》《大招》都是那种受巫术的、仪式化的思想模式制约的文学作品。"霍克斯还认为,作为一种文学表现的原型,这种按照空间顺序依次列举的格式并不仅限于汉民族的古典文学,它经常以多种不同形式出现,"各种各样的祭文,符咒,包括基督教祷文结尾处三位一体中的圣父、圣子、圣灵三者的符咒,都是例子"[①]。如果把依次列举的叙述法看成巫医致幻的一种技术手段,那么中国文学史上特有的体裁——汉赋的发生便同此种技术脱不开关系。不论是具有"发蒙"之效的性幻想之作《高唐赋》[②],还是以"解惑"为治疗手段的《七发》,都可以作为催眠—致幻技术成功运用的范例来看。

《七发》写吴客用七种虚拟情境来疏导楚太子的心理障碍,从攻心入手来治疗其身,收到了针灸药石所不及的奇效。七件事的铺叙由小到大,从音乐、饮食、车马、宫苑、田猎写到观涛,最后要为太子荐方术之士,太子随着叙述的展开而驰骋其被压抑的幻想力,精神的荡涤带来生理的变化。出了一身透汗之后,病症全然消失。赋中吴客的"要言妙道"及所荐之方士均让人联想到远古的巫医治疗传统。

二、文学与精神医学

说到文学的治疗功能,人们会习惯地认为这是精神分析学派的理论移植到文艺学中的结果。从溯本求源意义上看,这里存在一种历史的误会:20世纪以来精神分析学确实对文学创作和文学批评产生了巨大的影响,这已是不争的事实。然而另一方面,精神分析学的提出也曾受到19世纪

---

① 霍克斯:《求宓妃之所在》,丁正则译,见马茂元主编,尹锡康、周发祥执行主编:《楚辞资料海外编》,湖北人民出版社1986年版,第179页。

② 参见叶舒宪:《发蒙:性梦的精神启悟功能:比较神话学札记》,载《淮阴师专学报》1992年第3期。

以前的文学艺术史的潜在影响。弗洛伊德和荣格都不只是临床医师,而且也是文学素养深厚、对艺术文化史有着独到领悟的学者和思想家。并不是他们的个人天才把某种治疗功能赋予了文学艺术,而是他们慧眼独具地把握住文学本有的这一方面功能,并通过精神分析学的建构而使之系统化和理论化了。精神分析曾被简称为"谈话治疗"(talking cure),哲学家保罗·利科又称之为"进入到对仅有的那一部分可以言说的经验之研究领域"①。这些说法都揭示出精神分析作为某种语言技术的实质,这同作为语言艺术形式的文学本来就是完全相通的。

精神分析的治疗效果通过医生与患者之间的语言交流而实现,文学的治疗效果则是通过作者与读者之间的语言虚构世界而实现。精神分析的疗效原理建立在人的意识与潜意识的相互作用之上;文学虚构的世界其实也同样离不开意识与潜意识、理性与非理性、智慧与幻想的互动关系。上述类比可以说明,早在以1900年问世的《释梦》为标志的精神分析学诞生之前,是文学充当着"谈话治疗"的精神医学角色。从这一意义上可以引申说,文学艺术家作为人类灵魂的铸塑者,其实也是一批不挂牌的精神医护者(当然这些医护者之中有不少也兼为患者)。从文学起源上看,最早的文学样式神话与诗歌都曾在那种政教合一、巫医不分的部落社会的精神生活中扮演着法术和信仰工具的重要作用。

许慎《说文解字》释"巫"字云:

> 巫,祝也,女能事无形,以舞降神者也。象人两褎舞形,与工同意。古者巫咸初作巫。凡巫之属皆从巫。

刘师培作《舞法起于祀神考》,发挥《说文解字》的观点说:"案:舞从无声,巫、无叠韵,古重声训,疑巫字从舞得形,即从舞得义,故巫字并象舞形。盖古代之舞,以乐舞为最先,《吕氏春秋》言葛天氏之乐,三人操牛尾,投足

---

① 利科:《弗洛伊德写作中的证明问题》,载《精神分析年刊》1971年第25卷第4期,第838页。

而歌八阕。又言阴康氏作为乐舞,以宣导其民。此其证也。而古代乐官大抵以巫官兼摄……盖《周官》瞽矇、司巫二职,古代合为一官。乐舞之用,虽曰宣导其民,实则仍以降神为主也。"①其实"降神"与"宣导其民"并不矛盾,因为在神权至上的时代,与超自然力相沟通的巫者才有资格作民众的精神导师。② 原始文艺的医疗原理,正是在精神支配肉体的意义上方可透彻理解。研究彝巫的学者王光荣写道:

> 驱鬼祭祀,本是一种巫法活动,然而它对于病患者来说,往往是一种心理治疗、情绪治疗或叫精神治疗。那些信神信鬼的病患者,通过接受腊摩的巫法处理,解除精神上的压力和负担,情绪豁然开朗,这就为病情的好转,提供了精神支柱。特别是有的仪式,腊摩不仅念经诵词和作些象征性的动作,而且还正面接触患者的身体。③

精神支配肉体这一原理不能简单地视为巫医时代的迷信,20世纪80年代兴盛起来的"整体医学"正是基于这个原理之上:人的精神状态可以通过增强中枢神经系统、内分泌系统和免疫系统功能的方式,来达到改变身体状况的目的。美国整体医学会主席西格尔博士写道:只有无法医治的人,而没有医治不好的疾病。④ 治疗的巨大潜能就隐埋在病人的无意识之中。关键在于如何开发和利用这种能量。

后代的作家、诗人们是远古巫医精神治疗传统的真正继承者,他(她)们充分利用了萨满巫师等的致幻能力,发展出替代性的文学幻想,把针对他人的谈话治疗演变为既可应用于他人,又可适用于自己心理障碍的语言

---

① 刘师培:《舞法起于祀神考》,见刘琅主编《精读刘师培》,鹭江出版社2007年版,第326页。
② 参见周策纵:《古巫医与六诗考》,联经出版事业公司1986年版。
③ 王光荣:《通天人之际的彝巫"腊摩"》,云南人民出版社1994年版,第132页。
④ 伯民·S.西格尔:《爱·治疗·奇迹》,李松梅、李铁英译,上海译文出版社1993年版,第151页。

虚构疗法,其基本的治疗原理仍然在于充分发挥意念的能动作用。试看唐代诗人杜甫《寄韩谏议》一诗:

> 今我不乐思岳阳,
> 身欲奋飞病在床。
> 美人娟娟隔秋水,
> 濯足洞庭望八荒。
> 鸿飞冥冥日月白,
> 青枫叶赤天雨霜。
> …………

杜甫一向被推崇为写实诗人,其幻想能量被低估。身体的"病"从生理上限制了诗人的活动空间,只能暂时以"在床"的方式养息;可是疾病却未能限制诗人的想象空间,使他在卧病在床的时刻反能够幻想到现实中没有的景象。那洞庭湖畔濯足的美人,有如但丁《神曲》引导诗人灵魂遨游的天使,带领病人做超越时空的自由翱翔,在壮观的自然景象中将自我与宇宙融为一体。这种诗歌幻想中的意念作用是十分明显的,作诗者往往对意念的超现实力量有自觉意识。正如《古文苑》所收汉人伪托"苏李诗"之一云:

> 浮云日千里,
> 安知我心悲?
> 思得琼树枝,
> 以解长渴饥。

文学不仅为诗人、作者们提供了自我治疗的途径,而且也为人类的精神医学提供宝贵的案例。法国学者克洛德·芬兰在《鲁迅〈狂人日记〉与弗洛伊德》一文中别具慧眼地揭示出中国现代文学史上这部杰出作品对于跨文化精神病学所具的意义。他写道:

不论是真实事件还是文学塑造,《狂人日记》难能可贵之处在于使我们对发生于中国的"迫害妄想症"病例有了新的认识。这并非临床观察,而是一份文学资料,表明世界各国的"迫害妄想症"的构造形式各不相同,单纯地都归之为"妄想狂"不太合适。……鲁迅写《狂人日记》的宗旨是启发他的同代人思考隐蔽在中国封建社会里的这种"迫害狂"背后的一系列社会问题。这篇小说也可以成为现代科学的研究对象。[①]

美国批评家特里林在《艺术与精神病》一文中写道:

当弗洛伊德在他七十岁的诞辰庆祝会上被誉为"无意识的发现者"时,他放弃了这个权利,认为无论自己对系统理解无意识作过怎样的贡献,荣誉都应归功于那些文学大师们。[②]

这并非弗洛伊德自谦之词,它明确告诉世人:文学对无意识心理的发现如何为精神分析学的诞生准备了充分的条件。如果我们承认文学大师的创作离不开源远流长的民间文学传统,文人的文学(高雅文学)是以俗民的文学(大众文学或通俗文学)为基础或土壤的,那么,我们就不能简单地附和弗洛伊德的说法把无意识发现者的桂冠戴在个别文学大师头上,而应当进一步沿波讨源,从文化生态系统的总体中追索文学得以发生和存在的主体心理根源。这就意味着要透过作家创作的表象去追问更具有自发性的民间文学之所以传承不衰的内在动力之源。

20世纪后期的跨学科研究获得长足进展,在文艺学和人类心理学之间的森严壁垒已被打破。某些具有超学科意识和知识结构的学者先行一

[①] 克洛德·芬兰:《鲁迅〈狂人日记〉与弗洛伊德》,施婉丽译,载《中国比较文学》1988年第2期。

[②] 特里林:《艺术与精神病》,见亚当斯编:《柏拉图以来的批评理论》,加州大学出版社1978年版,第959页。

步,对上述问题做了初步探索。列奥·施奈德曼便是一个很好的例子。他在《神话、民间故事和宗教的心理学》一书中,解析了埃及的奥西里斯神话,古希腊的吉生(Jacon)与美狄亚(Medea)传说,古印度的罗摩与悉多故事,以及其他的神圣戏剧,得出如下结论:"神话与仪式表演旨在满足人类个体和群体的精神及物质需求。"他指出,从心理动因方面看,神话以奇异的故事传达着人类无意识中的希望与恐惧。神话本身并不直接表明其潜存的内在动因。作为替代形式,我们所面对的总是象征性的伪装和精制的外观,就像在梦的运作中常常出现的那样。这种改装的目的在于解除希望与恐惧的情感冲击力。不然的话,那些足以诱发罪恶的强烈希望,或那些具有潜在伤害力的恐惧,就会在经验中危及个人的安全或集体的存活。相形之下,神话一定会象征性地满足持续不断的情感需要,而无须让其公开露脸。在施奈德曼看来,古老的神话所发挥的心理调节功能随时代演进而变换表现形式,但从来未曾中断,这正是因为人类心灵需要的内在动力永不衰竭。神话思维时代结束以后,是民间故事、传奇之类叙事作品继承着神话的幻想作用。现代以来又有了科学幻想小说继续发挥着神话般的职能。科幻作者们同神话讲述者一样,只能构想一种充满矛盾和悲伤的世界。在那里,和平与和谐只是瞬息即逝的偶然。那些怪异的外星生物无非是人类灵魂的镜像而已,正如古人所构想出的神灵不过是人的变相投影。外星生物和古代神祇对于人类想象力来说,都是要确认超人的可能性,其内在动因都在于超验的渴望。按照这种逻辑,人类似乎不能仅仅存活于现实经验之中。作为具有想象力的动物,人需要在经验与超验之间、理性与幻觉之间取得自身精神生态的平衡。如此观点的解说,有助于真正地理解文学存在理由为何,人类为什么自古及今离不开文学,在茹毛饮血的洪荒时代需要它,在电子时代的地球村中依然需要它。

即使是理性和哲学的存在,原来也离不开神话、想象和隐喻的土壤。弗莱为此把文学称作"作为纯粹理性批判的文学",旨在凸显其对于人性完整的调节作用。他引用罗素和怀特海的见解,提出如下比喻:想象的背景是裸体,哲学是罩在这裸体外面的语词的衣裳。并进一步阐述说:"我一生试图研究的正是这种隐没在(哲学衣裳)后的裸体,我称之为隐喻的或神话结构。

在我看来,如同罗素和怀特海所说:许多哲学都是在隐藏这种内在结构的种种尝试中形成的,而文学却更直接地把握它,一代又一代地再创造它。文学批评的主要功能就在于帮助我们更加自觉地意识到这一种'神秘的想象的背景',因为它过去在发挥作用,现在仍然在发挥作用。"①

作为意识形态形式的哲学与文艺之间的这种潜在依存关系,归根结底是人性本身内在张力的体现。失去了感性制约的纯粹理性单向发展有可能导致人性的异化,正像失去理性控制的非理性放纵会导致疯狂一样。只有将笛卡尔的"我思故我在"同存在主义的"我舞故我在"统合协调起来,健全完整的人性方能得以维系。文学对于人性的生态平衡发挥着不可替代的作用。我们在《一千零一夜》的框架故事中已清楚地看到,若没有智慧少女山鲁佐德用讲故事的方式给国王施行"谈话治疗",那位丧心病狂的人君是怎样陷入精神失常而不能自拔,又会有多少无辜者将沦为杀人报复狂的牺牲品?

综上所述,文学的发生同以治疗为目的的巫医致幻术有潜在的关联,文学在人类文化史上长存不衰,正因为它发挥着巨大精神生态作用,使人性的发展在意识与无意识、理性与幻想、逻辑抽象与直觉体验之间保持平衡。现代精神医学的建立曾充分汲取文学家的治疗经验(包括自我治疗和文学病例),它的未来发展也有待于对文学艺术治疗功能更进一步地开发和利用。

---

① 弗莱:《作为"纯粹理性批判"的文学》,见《神话与隐喻》,弗吉尼亚大学出版社1991年版,第169页。

参考书目

Ashcroft B, Griffiths G and Tiffin H ed. The Post Colonial Studies Reader [M]. London: Routledge, 1995.

Barre W La. The Human Animal[M]. Chicago: the University of Chicago Press, 1967.

Benson Paul ed. Anthropology and Literature[M]. Illinois: University of Illinois Press, 1993.

Bettelheim B. The Use of Enchantment: Meaning and Importance of Fairy Tales[M]. New York: Vintage Books, 1977.

Bouissac P. Circus and Culture: A Semiotic Approach[M]. Lanham: University Press of America, 1985.

Brady Ivan ed. Anthropological Poetics[M]. Washington DC: Rowman and Littlefield Publishers, Inc., 1991.

Campbell J. Myths to Live By[M]. New York: A Bantam Book, 1973.

Crawley Ernest. The Mystic Rose[M]. New York: Meridian Books, Inc., 1960.

During Simoned. The Cultural Stuidies Reader[M]. London: Routledge,

1993.

Eliade Mircea. The Saced & The Profane: The Nature of Religion[M]. Orlando: HBJ Book, 1959.

Foucault M. Madness and Civilization[M]. tran. by R Howard, New York: Pantheon, 1973.

Foucault M. Mental Illness and Psychology[M]. Oakland University of California Press, 1987.

Foucault M. Power/Knowledge[M], ed. by C Gordon. New York: Pantheon, 1980.

Geza Roheim. The Eternal Ones of the Dream[M]. New York: International University Press, 1969.

Grossberg Lawrence ed. Cultural Studies [M]. London: Routledge, 1992.

James E O. Comparative Religion [M]. London: Methuen & Co. LTD, 1961.

Jopling C F ed. Art and Aesthetics in Primitive Societies: A Critical Anthology[M]. New York: E. P. Dutton & Co. 1971.

Kahn M W. Basic' Methods for Mental Health Practitioners[M]. Winthrop: Winthrop Publishers, Inc. , 1981.

Leslie Charles ed. Anthropology of Folk Religion[M]. New York: Vintage Books, 1960.

Levi-Strauss Claude. Totemism[M]. Boston: Beacn Press, 1963.

Malinowski B. Magic, Science and Religion[M]. New York: A Doubleday Anchor Books, 1958.

Manganaro Marc. Myth, Rhetoric, and the Voice of Authority[M]. New Haven: Yale University Press, 1992.

Marcuse H. Eros and Civilization [M]. Lee's Summit: Beacon Press, 1974.

Mcluhan M. Understanding Media[M]. New York: New American Library, 1964.

Mukerji C and Schudson M ed. Rethinking Popular Culture:Contemporary Perspectives in Cultural Studies[M]. Oakland:University of California Press, 1991.

Muller H J. The Uses of the Past [M]. Oxford:Oxford University Press, 1952.

Munz P. When the Golden Bough Breaks [M]. London:Routledge, 1973.

Poyatos Fernando ed. Literary Anthropology[M]. Philadelphia:John Benjamins Publishing Company, 1988.

Sams J and Carson D. Medicine Cards:The Discovery of Power Through the Ways of Animals[M]. Santa Fe:Bear & Co., 1988.

Sebeok T A ed. Myth:A Symposium[M]. Bloomington:Indiana University Press, 1974.

Sir Budge W. Egyptian Magic[M]. Secaucus:Citadel Press, 1978.

Sir Frazer J. The New Golden Bough[M]. New York:New American Library, 1964.

Sparshott F. The Riddle of Katharsis[M]. Toronto:University of Toronto Press, 1985.

Vickery John B. The Literary Impact of the Golden Bough[M]. Princeton:Princeton University Press, 1973.

Waters F. Masked Gods:Navaho and Pueblo Ceremonialism[M]. New York:Ballantine Book, 1970.

Young Dudley. Origins of the Sacred:The Ecstasies of Love and War[M]. New York:Harper Perennial, 1991.

N. 佩塞施基安. 东方故事与心理治疗:《商人与鹦鹉》及其他[M]. 明太,明谊,译. 北京:国际文化出版公司,1989.

达立. 艺术治疗的理论与实务[M]. 陈鸣,译. 台北:远流出版事业公司,1995.

N. 佩塞施基安. 积极家庭心理治疗:如何解决家庭冲突[M]. 杨华渝,译. 北京:社会科学文献出版社,1997.

周国平. 诗人哲学家[M]. 上海:上海人民出版社,1987.

孙志文. 现代人的焦虑和希望[M]. 陈永禹,译. 北京:生活·读书·新知三联书店,1994.

古茨塔夫·勒内·豪克. 绝望与信心:论20世纪末的文学与艺术[M]. 李永平,译. 北京:中国社会科学出版社,1992.

佩尤托. 佛教经济学:汉英对照[M]. 刘婷文,译. 北京:宗教文化出版社,2016.

杨儒宾. 中国古代思想中的气论及身体观[M]. 台北:巨流图书公司,1993.

林安梧. 中国宗教与意义治疗[M]. 台北:明文书局,1996.

李亦园. 文化的图象[M]. 台北:允晨文化公司,1992.

叶舒宪. 庄子的文化解析:前古典与后现代的视界融合[M]. 武汉:湖北人民出版社,1997.

叶舒宪. 高唐神女与维纳斯:中西文化中的爱与美主题[M]. 北京:中国社会科学出版社,1997.

周策纵. 弃园文粹[M]. 上海:上海文艺出版社,1997.

泰戈尔. 一个艺术家的宗教观:泰戈尔讲演集[M]. 康绍邦,译. 上海:生活·读书·新知三联书店,1989.

哈贝马斯. 交往与社会进化[M]. 张博树,译. 重庆:重庆出版社,1989.

尼采. 哲学与真理:尼采1872—1876年笔记选[M]. 田立年,译. 上海:上海社会科学院出版社,1993.

麦克尔·卡里瑟斯. 我们为什么有文化:阐释人类学和社会多样性[M]. 陈丰,译. 沈阳:辽宁教育出版社,1998.

利奥塔尔. 后现代状态:关于知识的报告[M]. 车槿山,译. 北京:生活·读书·新知三联书店,1997.

鲁·阿恩海姆. 艺术心理学新论[M]. 郭小平,翟灿,译. 北京:商务印书馆,1994.

布迪厄,华康德.实践与反思:反思社会学导引[M].李猛,李康,译.北京:中央编译出版社,1998.

埃里希·弗洛姆.在幻想锁链的彼岸:我所理解的马克思和弗洛伊德[M].张燕,译.长沙:湖南人民出版社,1986.

赫尔曼·施密茨.新现象学[M].庞学铨,李张林,译.上海:上海译文出版社,1997.

卡伦·霍妮.我们时代的神经症人格[M].冯川,译.贵阳:贵州人民出版让,1988.

伯尼·S.西格尔.爱·治疗·奇迹[M].李松海,李铁英,译.上海:上海译文出版社,1993.

于乃昌,夏敏.初民的宗教与审美迷狂[M].西宁:青海人民出版社,1994.

葛荣晋.道家文化与现代文明[M].北京:中国人民大学出版社,1991.

荣格.东洋冥想的心理学:从易经到禅[M].杨儒宾,译.北京:社会科学文献出版社,2000.

李零.中国方术考[M].北京:人民中国出版社,1993.

刘耀中.诗人与哲人[M].北京:东方出版社,1993.

萨特.文字生涯[M].沈志明,译.北京:人民文学出版社,1988.

丹尼尔·贝尔.资本主义文化矛盾[M].赵一凡,蒲隆,任晓晋,译.北京:生活·读书·新知三联书店,1989.

詹明信.晚期资本主义的文化逻辑:詹明信批评理论文选[M].张旭东,编.陈清侨,译.北京:生活·读书·新知三联书店,1997.

诺曼·N.霍兰德.后现代精神分析[M].潘国庆,译.上海:上海文艺出版社,1995.

华勒斯坦,儒玛,凯勒,等.开放社会科学:重建社会科学报告书[M].刘锋,译.北京:生活·读书·新知三联书店,1997.

理查德·罗蒂,后哲学文化[M].黄勇,译.上海:上海译文出版社,1992.

刘小枫.现代性社会理论绪论:现代性与现代中国[M].上海:上海三

联书店,1998.

特里·伊格尔顿.美学意识形态[M].王杰,傅德根,麦永雄,译.南宁:广西师范大学出版社,1997.

段炼.世纪末的艺术反思:西方后现代主义与中国当代美术的文化比较[M].上海:上海文艺出版社,1998.

萧兵.楚辞的文化破译:一个微宏观互渗的研究.[M].武汉:湖北人民出版社,1991.

张三夕.死亡之思与死亡之诗[M].武汉:华中理工大学出版社,1993.

张德明.人类学诗学[M].杭州:浙江文艺出版社,1998.

徐新建.从文化到文学[M].贵阳:贵州教育出版社,1991.

陈华.医学人类学导论[M].广州:中山大学出版社,1998.

康正果.重审风月鉴:性与中国古典文学[M].台北:麦田出版公司,1996.

曾文星.华人的心理与治疗[M].北京:北京医科大学、中国协和医科大学联合出版社,1997.

金仕起.古代解释生命危机的知识基础[D].台北:台湾大学历史学系硕士论文,1994.

包利民.西方哲学中的治疗型智慧[J].中国社会科学,1997(2).

李亦园.传统价值观与健康行为[J].广西民族学院学报(哲学社会科学版),1998(1).